2025年度版

みんなが
欲しかった！

社労士 の

年度別 過去問 題集

5 年分

TAC出版
TAC PUBLISHING Group

はじめに

　本書は、『みんなが欲しかった！　社労士シリーズ』の過去問題集です。「年度別」に、直近の社会保険労務士本試験問題5年分を収載した作りとなっています。同シリーズの『社労士の教科書』や『社労士の問題集』で、基本的な学習を一通り終えた後にご活用いただくと、絶大な効果を発揮します。学習の際は、年度ごとに通して解いてみてください。

　あたりまえですが、試験は合格基準点以上の得点ができなければ、不合格となります。ですから、実践形式の演習を早い段階からスタートさせて、本書の過去問を解く際には時間を計りながら行うなど、合格基準点のボリューム感を体得することを通して学習習慣を身につけていただく、そうした学習習慣が、合格への早道となります。

　本書の作成においては、解説の丁寧さはもちろんのこと、TAC社会保険労務士講座の「本試験解答分析サービス」による正解率を掲載し、問題の難易度にも、より精度の高い"リアルさ"を追求しました。これにより、今までになかった、試験対策として最高峰ともいえる過去問題集ができたと自負しています。

　本書をご活用いただいた多くの方が、見事、2025年度の社労士試験合格の栄冠を勝ちとっていただければ幸いです。

2024年11月吉日
TAC社会保険労務士講座

　本書は、2024年11月5日現在において、公布され、かつ、2025年本試験受験案内が発表されるまでに施行されることが確定しているものに基づいて作成しております。

　2024年11月6日以降に法改正のあるもの、また法改正はなされているが施行規則等で未だ細目について定められていないものについては、2025年2月上旬より下記ホームページの「法改正情報コーナー」にて「法改正情報」を順次公開いたします。

TAC出版書籍販売サイト「Cyber Book Store」
https：//bookstore.tac-school.co.jp

本書の特長

★セパレートBOOK形式

問題編と解答・解説編を2分冊にできるので、持ち運びにも便利です！

→本の取り外し方法は、書籍中面をご覧ください。

★問題編

令和6年度（2024年度・第56回）〜令和2年度（2020年度・第52回）までの本試験問題を年度ごとに収載しています。

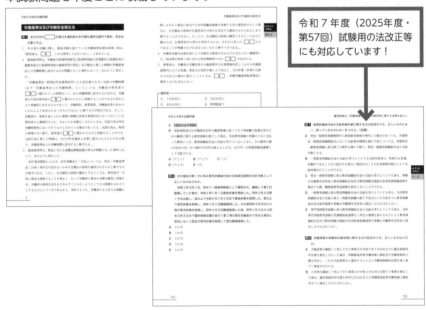

令和7年度（2025年度・第57回）試験用の法改正等にも対応しています！

★解答・解説編

丁寧な解説で、解答力をメキメキつけていきましょう！ 学習モチベーションが上がる工夫がいっぱいです！

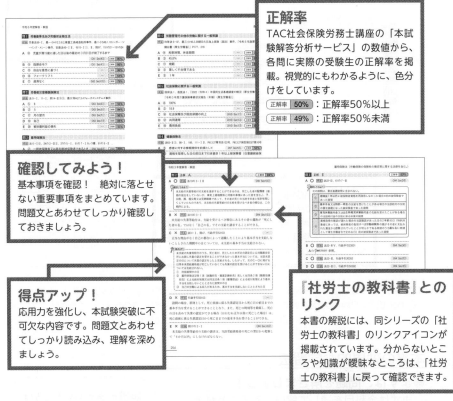

正解率
TAC社会保険労務士講座の「本試験解答分析サービス」の数値から、各問に実際の受験生の正解率を掲載。視覚的にもわかるように、色分けをしています。

| 正解率 | 50% | ：正解率50％以上 |
| 正解率 | 49% | ：正解率50％未満 |

確認してみよう！
基本事項を確認！ 絶対に落とせない重要事項をまとめています。問題文とあわせてしっかり確認しておきましょう。

得点アップ！
応用力を強化し、本試験突破に不可欠な内容です。問題文とあわせてしっかり読み込み、理解を深めましょう。

『社労士の教科書』とのリンク
本書の解説には、同シリーズの「社労士の教科書」のリンクアイコンが掲載されています。分からないところや知識が曖昧なところは、「社労士の教科書」に戻って確認できます。

まとめて答え合わせができるように、各解説の冒頭に正解一覧を用意！

★その他の便利機能

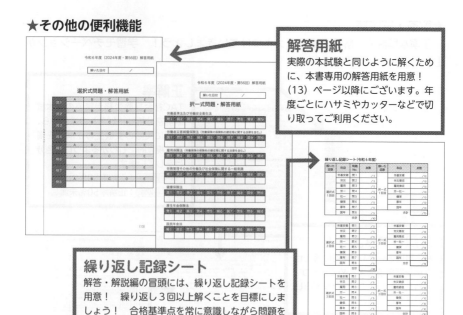

解答用紙
実際の本試験と同じように解くために、本書専用の解答用紙を用意！
(13) ページ以降にございます。年度ごとにハサミやカッターなどで切り取ってご利用ください。

繰り返し記録シート
解答・解説編の冒頭には、繰り返し記録シートを用意！ 繰り返し3回以上解くことを目標にしましょう！ 合格基準点を常に意識しながら問題を解くことで、力がメキメキついていきます。

解答用紙、繰り返し記録シートは、無料で何度でもご利用いただける、ダウンロードサービスつき！
Cyber Book Storeの『解答用紙ダウンロードサービス』ページにアクセスしてください。
https://bookstore.tac-school.co.jp

本書の効果的な学習法

●まずは、問題を解きましょう！

まずは全科目を通して解いてみることが大事です。解答にあたっては、解答用紙を使用して解きましょう。

●問題を解いたら、答え合わせをしましょう！

解いたら必ず解答・解説編を見ながら答え合わせをしましょう。最初のうちは時間がかかると思いますが、1問ずつ丁寧に確認しましょう。

> 知識があやしいところは
> 『社労士の教科書』などで確認しましょう！

3回以上解くことを目標にしましょう！
3回やみくもに解くのではなく、1回1回、目標を定めて解きましょう。

＼まずは1回目！／

Point 1　本試験どおりに時間を計って解いてみます。

　　　　選択式 80分間　　択一式 210分間

Point 2　解けるものからどんどん解いていきましょう。最初のうちは、わからないものは飛ばしてもかまいません。まずは、全部解ききることを優先しましょう。

＼2回目！／

Point 1　2回目は、問題文をしっかり読むことを意識します。時間をかけて、1問1問じっくり解きましょう。

Point 2　間違えた問題をきちんと確認します。1回目で間違えた問題がしっかり克服できているか、同じミスを繰り返していないか…などを意識して確認しましょう。

＼3回目！／

Point 1　時間内に正確に解くことを意識します。今までで一番いい点数がとれていることがベストです！

Point 2　解く順番も大切です。労基から順番に解く…健保から解く…などなど、何度か試して、スムーズに解答できる最適なスタイルを見つけましょう。

試験概要・実施スケジュール

受験案内配布	4月中旬〜
受験申込受付期間	4月中旬〜5月下旬　（令和6年は4月15日〜5月31日） ※インターネット申込み、または郵送申込み
試験日程	8月下旬　（令和6年は8月25日）
合格発表	10月上旬　（令和6年は10月2日）
受験手数料	15,000円

主な受験資格

学校教育法（昭和22年法律第26号）による大学、短期大学、専門職大学、専門職短期大学若しくは高等専門学校（5年制）を卒業した者（専攻の学部学科は問わない）
行政書士試験に合格した者

※　詳細は「全国社会保険労務士会連合会　試験センター」のホームページにてご確認ください。

試験形式

　社労士試験は「選択式」と「択一式」の2種類の試験形式があり、それぞれの合格基準を満たして合格となります。

選択式	8問出題（40点満点〈1問あたり空欄が5つ〉） 解答時間は80分 文章中の5つの空欄に入るものを、選択肢の中から選び、その番号をマークシートに記入します。
択一式	70問出題（70点満点） 解答時間は210分 5つの選択肢の中から、正解肢をマークシートに記入します。

合格基準

　合格基準については、年度により多少前後しますが、例年、総得点の7割程度となります。それぞれの試験における総得点の基準と、各科目ごとの基準との、両方をクリアする必要があります。

参考　令和6年度本試験の合格基準

　選択式：総得点25点以上かつ各科目3点以上（ただし、労務管理その他の労働に関する一般常識は2点以上）

　択一式：総得点44点以上かつ各科目4点以上

試験科目

選択式 計8科目	科目名 (吹き出しは略称)	択一式 計7科目
出題：1問 配点：5点	労基 労働基準法及び労働安全衛生法 安衛	出題：10問 配点：10点
出題：1問 配点：5点	労災 労働者災害補償保険法 徴収 (労働保険の保険料の徴収等に関する法律を含む※)	出題：10問 配点：10点
出題：1問 配点：5点	雇用 雇用保険法 徴収 (労働保険の保険料の徴収等に関する法律を含む※)	出題：10問 配点：10点
出題：1問 配点：5点	労務管理その他の労働に関する一般常識 労一	出題：10問 配点：10点
出題：1問 配点：5点	社一 社会保険に関する一般常識	
出題：1問 配点：5点	健保 健康保険法	出題：10問 配点：10点
出題：1問 配点：5点	厚年 厚生年金保険法	出題：10問 配点：10点
出題：1問 配点：5点	国年 国民年金法	出題：10問 配点：10点
合計：8問 配点：40点	※労働保険の保険料の徴収等に関する法律は、選択式での出題はありません。また、択一式の労働者災害補償保険法及び雇用保険法は、それぞれの問題10問のうち、3問が労働保険の保険料の徴収等に関する法律から出題されます。	合計：70問 配点：70点

過去5年間の受験者数・合格者数の推移

年度	令和2年	令和3年	令和4年	令和5年	令和6年
受験申込者数	49,250人	50,433人	52,251人	53,292人	53,707人
受験者数	34,845人	37,306人	40,633人	42,741人	43,174人
合格者数	2,237人	2,937人	2,134人	2,720人	2,974人
合格率	6.4%	7.9%	5.3%	6.4%	6.9%

詳細な受験資格や受験申込み及びお問合せは
「全国社会保険労務士会連合会　試験センター」へ
https://www.sharosi-siken.or.jp

ここでは、独学で合格を目指していくためのフローをご紹介します。

「みんなが欲しかったシリーズ」と「無敵シリーズ」でていねいに学習を進めていけば、合格に必要な知識は着実についていきます。

2025年度試験での合格を目指し、TAC出版の書籍をフル活用して、がんばりましょう！

**「合格への
はじめの一歩」**

本気でやさしい
入門書！
社労士試験の全体像、
学習内容のイメージを
つかみましょう！

**「社労士の教科書」
「社労士の問題集」**

「教科書」を読んで
内容を理解、
「問題集」で教科書の
理解度をチェック！
この繰り返しが知識の
定着につながります。

**「合格のツボ　選択対策」
「合格のツボ　択一対策」
「全科目横断総まとめ」**

「合格のツボ」で予想問題を
たくさん解き、基本を強化。
「全科目横断総まとめ」で、
知識をさまざまな角度から
整理し、確実におさえましょう。

+Web サポートも 充実!

TAC出版の社労士書籍は、書籍刊行後に法改正があった場合でも、法改正情報を、TAC出版書籍販売サイト「Cyber Book Store」ですばやく公開していきますので、安心して学習に集中することができます。全力で独学者を応援していきます!

2025年試験 **合格!**

「社労士の年度別 過去問題集 5年分」

最新5年分の過去問を解き、実力チェック!
何度も繰り返し解きましょう!

「社労士の直前予想模試」

今までの学習内容の最終確認として、予想模試にチャレンジ!
本試験形式の予想問題を2回分収載しています!

無敵 シリーズ

試験に勝つためのマストアイテム!!

無敵の社労士
①スタートダッシュ

無敵の社労士
②本試験徹底解剖

無敵の社労士
③完全無欠の直前対策

CONTENTS

令和6年度（2024年度・第56回）本試験問題

	問題編	解答・解説編
選択式	1	3
択一式	21	7

令和5年度（2023年度・第55回）本試験問題

	問題編	解答・解説編
選択式	85	81
択一式	103	87

令和4年度（2022年度・第54回）本試験問題

	問題編	解答・解説編
選択式	161	153
択一式	179	159

令和3年度（2021年度・第53回）本試験問題

	問題編	解答・解説編
選択式	241	227
択一式	257	231

令和2年度（2020年度・第52回）本試験問題

	問題編	解答・解説編
選択式	323	303
択一式	339	309

解いた日付	／

選択式問題・解答用紙

	A	B	C	D	E
問1					
問2	A	B	C	D	E
問3	A	B	C	D	E
問4	A	B	C	D	E
問5	A	B	C	D	E
問6	A	B	C	D	E
問7	A	B	C	D	E
問8	A	B	C	D	E

解いた日付	／

択一式問題・解答用紙

労働基準法及び労働安全衛生法

問1	問2	問3	問4	問5	問6	問7	問8	問9	問10

労働者災害補償保険法（労働保険の保険料の徴収等に関する法律を含む。）

問1	問2	問3	問4	問5	問6	問7	問8	問9	問10

雇用保険法（労働保険の保険料の徴収等に関する法律を含む。）

問1	問2	問3	問4	問5	問6	問7	問8	問9	問10

労務管理その他の労働及び社会保険に関する一般常識

問1	問2	問3	問4	問5	問6	問7	問8	問9	問10

健康保険法

問1	問2	問3	問4	問5	問6	問7	問8	問9	問10

厚生年金保険法

問1	問2	問3	問4	問5	問6	問7	問8	問9	問10

国民年金法

問1	問2	問3	問4	問5	問6	問7	問8	問9	問10

解いた日付	／

選択式問題・解答用紙

	A	B	C	D	E
問1					
問2	A	B	C	D	E
問3	A	B	C	D	E
問4	A	B	C	D	E
問5	A	B	C	D	E
問6	A	B	C	D	E
問7	A	B	C	D	E
問8	A	B	C	D	E

キリトリ

解いた日付	／

択一式問題・解答用紙

労働基準法及び労働安全衛生法

問1	問2	問3	問4	問5	問6	問7	問8	問9	問10

労働者災害補償保険法（労働保険の保険料の徴収等に関する法律を含む。）

問1	問2	問3	問4	問5	問6	問7	問8	問9	問10

雇用保険法（労働保険の保険料の徴収等に関する法律を含む。）

問1	問2	問3	問4	問5	問6	問7	問8	問9	問10

労務管理その他の労働及び社会保険に関する一般常識

問1	問2	問3	問4	問5	問6	問7	問8	問9	問10

健康保険法

問1	問2	問3	問4	問5	問6	問7	問8	問9	問10

厚生年金保険法

問1	問2	問3	問4	問5	問6	問7	問8	問9	問10

国民年金法

問1	問2	問3	問4	問5	問6	問7	問8	問9	問10

令和４年度（2022年度・第54回）解答用紙

解いた日付	／

選択式問題・解答用紙

	A	B	C	D	E
問1					
問2	A	B	C	D	E
問3	A	B	C	D	E
問4	A	B	C	D	E
問5	A	B	C	D	E
問6	A	B	C	D	E
問7	A	B	C	D	E
問8	A	B	C	D	E

キリトリ

解いた日付	／

択一式問題・解答用紙

労働基準法及び労働安全衛生法

問1	問2	問3	問4	問5	問6	問7	問8	問9	問10

労働者災害補償保険法（労働保険の保険料の徴収等に関する法律を含む。）

問1	問2	問3	問4	問5	問6	問7	問8	問9	問10

雇用保険法（労働保険の保険料の徴収等に関する法律を含む。）

問1	問2	問3	問4	問5	問6	問7	問8	問9	問10

労務管理その他の労働及び社会保険に関する一般常識

問1	問2	問3	問4	問5	問6	問7	問8	問9	問10

健康保険法

問1	問2	問3	問4	問5	問6	問7	問8	問9	問10

厚生年金保険法

問1	問2	問3	問4	問5	問6	問7	問8	問9	問10

国民年金法

問1	問2	問3	問4	問5	問6	問7	問8	問9	問10

解いた日付	／

選択式問題・解答用紙

	A	B	C	D	E
問1					
問2	A	B	C	D	E
問3	A	B	C	D	E
問4	A	B	C	D	E
問5	A	B	C	D	E
問6	A	B	C	D	E
問7	A	B	C	D	E
問8	A	B	C	D	E

キリトリ

令和３年度（2021年度・第53回）解答用紙

解いた日付	／

択一式問題・解答用紙

労働基準法及び労働安全衛生法

問1	問2	問3	問4	問5	問6	問7	問8	問9	問10

労働者災害補償保険法（労働保険の保険料の徴収等に関する法律を含む。）

問1	問2	問3	問4	問5	問6	問7	問8	問9	問10

雇用保険法（労働保険の保険料の徴収等に関する法律を含む。）

問1	問2	問3	問4	問5	問6	問7	問8	問9	問10

労務管理その他の労働及び社会保険に関する一般常識

問1	問2	問3	問4	問5	問6	問7	問8	問9	問10

健康保険法

問1	問2	問3	問4	問5	問6	問7	問8	問9	問10

厚生年金保険法

問1	問2	問3	問4	問5	問6	問7	問8	問9	問10

国民年金法

問1	問2	問3	問4	問5	問6	問7	問8	問9	問10

解いた日付	／

選択式問題・解答用紙

	A	B	C	D	E
問1					
問2	A	B	C	D	E
問3	A	B	C	D	E
問4	A	B	C	D	E
問5	A	B	C	D	E
問6	A	B	C	D	E
問7	A	B	C	D	E
問8	A	B	C	D	E

令和2年度（2020年度・第52回）解答用紙

解いた日付	／

択一式問題・解答用紙

労働基準法及び労働安全衛生法

問1	問2	問3	問4	問5	問6	問7	問8	問9	問10

労働者災害補償保険法（労働保険の保険料の徴収等に関する法律を含む。）

問1	問2	問3	問4	問5	問6	問7	問8	問9	問10

雇用保険法（労働保険の保険料の徴収等に関する法律を含む。）

問1	問2	問3	問4	問5	問6	問7	問8	問9	問10

労務管理その他の労働及び社会保険に関する一般常識

問1	問2	問3	問4	問5	問6	問7	問8	問9	問10

健康保険法

問1	問2	問3	問4	問5	問6	問7	問8	問9	問10

厚生年金保険法

問1	問2	問3	問4	問5	問6	問7	問8	問9	問10

国民年金法

問1	問2	問3	問4	問5	問6	問7	問8	問9	問10

執筆者

関根愛可

（TAC 社会保険労務士講座 教材開発講師）

満場　賢

（TAC 社会保険労務士講座 教材開発講師）

みんなが欲しかった！　社労士シリーズ

2025年度版　みんなが欲しかった！
社労士の年度別過去問題集　5年分

（2018年度版　2017年12月15日　初　版　第1刷発行）
2024年12月5日　初　版　第1刷発行

編　著　者	Ｔ　Ａ　Ｃ　株　式　会　社
	（社会保険労務士講座）
発　行　者	多　　田　　敏　　男
発　行　所	ＴＡＣ株式会社　出版事業部
	（ＴＡＣ出版）

〒101-8383
東京都千代田区神田三崎町3-2-18
電　話 03（5276）9492（営業）
FAX 03（5276）9674
https://shuppan.tac-school.co.jp

印　　　　刷	株式会社　ワ　コ　ー
製　　　　本	東京美術紙工協業組合

© TAC 2024　　　Printed in Japan

ISBN 978-4-300-11363-9
N.D.C. 364

社会保険労務士講座

2025年合格目標 開講コース

一般教育訓練給付制度 の指定コースがあります。
詳細は、TAC各校へお問い合わせください。

学習レベル・スタート時期にあわせて選べます！

初学者対象

順次開講中

まずは年金から着実に学習スタート！

総合本科生Basic

初めて学ぶ方も無理なく合格レベルに到達できるコース。Basic講義で年金科目の基礎を理解した後は、労働基準法から効率的に基礎力&答案作成力を身につけます。

初学者対象

順次開講中

Basic講義つきのプレミアムコース！

総合本科生Basic+Plus

大好評のプレミアムコース「総合本科生Plus」に、Basic講義がついたコースです。Basic講義から直前期のオプション講義まで豊富な内容で合格へ導きます。

初学者・受験経験者対象

2024年9月より順次開講

基礎知識から答案作成力まで一貫指導！

総合本科生

長年の指導ノウハウを凝縮した、TAC社労士講座のスタンダードコースです。【基本講義 → 実力テスト → 本試験レベルの答練】と、効率よく学習を進めていきます。

初学者・受験経験者対象

2024年9月より順次開講

充実度プラスのプレミアムコース！

総合本科生Plus

「総合本科生」を更に充実させたプレミアムコースです。「総合本科生」のカリキュラムを詳細に補足する講義を加え、充実のオプション講義で万全な学習態勢です。

受験経験者対象

2024年10月より順次開講

今まで身につけた知識を更にレベルアップ！

上級本科生

受験経験者(学習経験者)専用に独自開発したコース。受験経験者専用のテキストを用いた講義と問題演習を繰り返すことによって、強固な基礎力に加え応用力を身につけていきます。

受験経験者対象

2024年11月より順次開講

インプット期から十分な演習量を実現！

上級演習本科生

コース専用に編集されたハイレベルな演習問題をインプット期から取り入れ、解説講義を行いながら知識を確認していくことで、受験経験者の得点力を更に引き上げていきます。

初学者・受験経験者対象

2024年10月開講

合格に必要な知識を効率よくWebで学習！

スマートWeb本科生

「スマートWeb」ならではの効率良いスマートな学習が可能なコースです。テキストを持ち歩かなくても、隙間時間にスマホ一つで楽しく学習できます。

※上記コースは諸般の事情により、開講月が変更となる場合がございます。

詳細はTAC HPまたは2025年合格目標パンフレットにてご確認ください。

……… ライフスタイルに合わせて選べる3つの学習メディア ………

【通 学】 教室講座・ビデオブース講座　　　　**【通 信】** Web通信講座

※「総合本科生」のみDVD通信講座もご用意しております。
※「スマートWeb本科生」はWeb通信講座のみの取り扱いとなります。

TAC出版 書籍のご案内

TAC出版では、資格の学校TAC各講座の定評ある執筆陣による資格試験の参考書をはじめ、資格取得者の開業法や仕事術、実務書、ビジネス書、一般書などを発行しています！

TAC出版の書籍

*一部書籍は、早稲田経営出版のブランドにて刊行しております。

資格・検定試験の受験対策書籍

- ✪ 日商簿記検定
- ✪ 建設業経理士
- ✪ 全経簿記上級
- ✪ 税　理　士
- ✪ 公認会計士
- ✪ 社会保険労務士
- ✪ 中小企業診断士
- ✪ 証券アナリスト

- ✪ ファイナンシャルプランナー(FP)
- ✪ 証券外務員
- ✪ 貸金業務取扱主任者
- ✪ 不動産鑑定士
- ✪ 宅地建物取引士
- ✪ 賃貸不動産経営管理士
- ✪ マンション管理士
- ✪ 管理業務主任者

- ✪ 司法書士
- ✪ 行政書士
- ✪ 司法試験
- ✪ 弁理士
- ✪ 公務員試験(大卒程度・高卒者)
- ✪ 情報処理試験
- ✪ 介護福祉士
- ✪ ケアマネジャー
- ✪ 電験三種　ほか

実務書・ビジネス書

- ✪ 会計実務、税法、税務、経理
- ✪ 総務、労務、人事
- ✪ ビジネススキル、マナー、就職、自己啓発
- ✪ 資格取得者の開業法、仕事術、営業術

一般書・エンタメ書

- ✪ ファッション
- ✪ エッセイ、レシピ
- ✪ スポーツ
- ✪ 旅行ガイド (おとな旅プレミアム/旅コン)

2025年度版 社労士試験対策書籍のご案内

TAC出版では、独学用、およびスクール学習の副教材として、各種対策書籍を取り揃えています。
学習の各段階に対応していますので、あなたのステップに応じて、合格に向けてご活用ください!

（刊行内容、発売月、表紙は変更になることがあります。）

みんなが欲しかった! シリーズ

わかりやすさ、学習しやすさに徹底的にこだわった、TAC出版イチオシのシリーズ。
大人気の『社労士の教科書』をはじめ、合格に必要な書籍を網羅的に取り揃えています。

書籍の正誤に関するご確認とお問合せについて

書籍の記載内容に誤りではないかと思われる箇所がございましたら、以下の手順にてご確認とお問合せをしてくださいますよう、お願い申し上げます。

なお、正誤のお問合せ以外の書籍内容に関する解説および受験指導などは、一切行っておりません。
そのようなお問合せにつきましては、お答えいたしかねますので、あらかじめご了承ください。

1 「Cyber Book Store」にて正誤表を確認する

TAC出版書籍販売サイト「Cyber Book Store」の
トップページ内「正誤表」コーナーにて、正誤表をご確認ください。

CYBER TAC出版書籍販売サイト
BOOK STORE

URL：https://bookstore.tac-school.co.jp/

2 1の正誤表がない、あるいは正誤表に該当箇所の記載がない
⇒ 下記①、②のどちらかの方法で文書にて問合せをする

★ご注意ください★

お電話でのお問合せは、お受けいたしません。
①、②のどちらの方法でも、お問合せの際には、「お名前」とともに、
「対象の書籍名（○級・第○回対策も含む）およびその版数（第○版・○○年度版など）」
「お問合せ該当箇所の頁数と行数」
「誤りと思われる記載」
「正しいとお考えになる記載とその根拠」
を明記してください。
なお、回答までに１週間前後を要する場合もございます。あらかじめご了承ください。

① ウェブページ「Cyber Book Store」内の「お問合せフォーム」より問合せをする

【お問合せフォームアドレス】

https://bookstore.tac-school.co.jp/inquiry/

② メールにより問合せをする

【メール宛先　TAC出版】

syuppan-h@tac-school.co.jp

※土日祝日はお問合せ対応をおこなっておりません。
※正誤のお問合せ対応は、該当書籍の改訂版刊行月末日までといたします。

乱丁・落丁による交換は、該当書籍の改訂版刊行月末日までといたします。なお、書籍の在庫状況等により、お受けできない場合もございます。
また、各種本試験の実施の延期、中止を理由とした本書の返品はお受けいたしません。返金もいたしかねますので、あらかじめご了承くださいますようお願い申し上げます。

（2022年7月現在）

問題編

CONTENTS

令和**6**年度

（2024年度・第56回）

本試験問題
選択式

本試験実施時間

10：30〜11：50（80分）

法令等略記凡例

法令等名称	法令等略称
労働者災害補償保険法	労災保険法
労働者災害補償保険法施行規則	労災保険法施行規則
激甚災害に対処するための特別の財政援助等に関する法律	激甚災害法
雇用の分野における男女の均等な機会及び待遇の確保等に関する法律	男女雇用機会均等法
高齢者の医療の確保に関する法律	高齢者医療確保法

労働基準法及び労働安全衛生法

問1 次の文中の ▢ の部分を選択肢の中の最も適切な語句で埋め、完全な
文章とせよ。

1 年少者の労働に関し、最低年齢を設けている労働基準法第56条第1項は、
「使用者は、 **A** 、これを使用してはならない。」と定めている。

2 最高裁判所は、労働者が始業時刻前及び終業時刻後の作業服及び保護具等の
着脱等並びに始業時刻前の副資材等の受出し及び散水に要した時間が労働基準
法上の労働時間に該当するかが問題となった事件において、次のように判示し
た。

「労働基準法（昭和62年法律第99号による改正前のもの）32条の労働時間
（以下「労働基準法上の労働時間」という。）とは、労働者が使用者の
B に置かれている時間をいい、右の労働時間に該当するか否かは、労働
者の行為が使用者の **B** に置かれたものと評価することができるか否かに
より客観的に定まるものであって、労働契約、就業規則、労働協約等の定めの
いかんにより決定されるべきものではないと解するのが相当である。そして、
労働者が、就業を命じられた業務の準備行為等を事業所内において行うことを
使用者から義務付けられ、又はこれを余儀なくされたときは、当該行為を所定
労働時間外において行うものとされている場合であっても、当該行為は、特段
の事情のない限り、使用者の **B** に置かれたものと評価することができ、
当該行為に要した時間は、それが社会通念上必要と認められるものである限
り、労働基準法上の労働時間に該当すると解される。」

3 最高裁判所は、賃金に当たる退職金債権放棄の効力が問題となった事件にお
いて、次のように判示した。

本件事実関係によれば、本件退職金の「支払については、同法〔労働基準
法〕24条1項本文の定めるいわゆる全額払の原則が適用されるものと解するの
が相当である。しかし、右全額払の原則の趣旨とするところは、使用者が一方
的に賃金を控除することを禁止し、もって労働者に賃金の全額を確実に受領さ
せ、労働者の経済生活をおびやかすことのないようにしてその保護をはかろう
とするものというべきであるから、本件のように、労働者たる上告人が退職に

際しみずから賃金に該当する本件退職金債権を放棄する旨の意思表示をした場合に、右全額払の原則が右意思表示の効力を否定する趣旨のものであるとまで解することはできない。もっとも、右全額払の原則の趣旨とするところなどに鑑みれば、右意思表示の効力を肯定するには、それが上告人の　　C　　ものであることが明確でなければならないものと解すべきである」。

4　労働安全衛生法第45条により定期自主検査を行わなければならない機械等には、同法第37条第1項に定める特定機械等のほか　　D　　が含まれる。

5　事業者は、労働者が労働災害その他就業中又は事業場内若しくはその付属建設物内における負傷、窒息又は急性中毒により死亡し、又は休業（休業の日数が4日以上の場合に限る。）したときは、　　E　　、所轄労働基準監督署長に報告しなければならない。

―選択肢―

① 7日以内に　　　　　　　② 14日以内に
③ 30日以内に　　　　　　 ④ 管理監督下
⑤ 空気調和設備　　　　　 ⑥ 研削盤
⑦ 権利濫用に該当しない　 ⑧ 構内運搬車
⑨ 指揮命令下
⑩ 児童が満15歳に達した日以後の最初の3月31日が終了するまで
⑪ 児童が満18歳に達した日以後の最初の3月31日が終了するまで
⑫ 支配管理下　　　　　　 ⑬ 自由な意思に基づく
⑭ 従属関係下
⑮ 退職金債権放棄同意書への署名押印により行われた
⑯ 退職に接着した時期においてされた
⑰ 遅滞なく　　　　　　　 ⑱ フォークリフト
⑲ 満15歳に満たない者については
⑳ 満18歳に満たない者については

労働者災害補償保険法

問2 次の文中の ◯◯◯ の部分を選択肢の中の最も適切な語句で埋め、完全な
文章とせよ。

1 労災保険法施行規則第14条第1項は、「障害補償給付を支給すべき身体障害
の障害等級は、別表第1に定めるところによる。」と規定し、同条第2項は、
「別表第1に掲げる身体障害が2以上ある場合には、重い方の身体障害の該当
する障害等級による。」と規定するが、同条第3項柱書きは、「第 **A** 級
以上に該当する身体障害が2以上あるとき」は「前2項の規定による障害等
級」を「2級」繰り上げた等級（同項第2号）、「第 **B** 級以上に該当する
身体障害が2以上あるとき」は「前2項の規定による障害等級」を「3級」繰
り上げた等級（同項第3号）によるとする。

2 年金たる保険給付の支給は、支給すべき事由が生じた **C** から始め、支
給を受ける権利が消滅した月で終わるものとする。また、保険給付を受ける権
利を有する者が死亡した場合において、その死亡した者に支給すべき保険給付
でまだその者に支給しなかったものがあるときは、その者の配偶者、子、父
母、孫、祖父母又は兄弟姉妹であって、その者の死亡の当時その者と生計を同
じくしていたものは、 **D** の名で、その未支給の保険給付の支給を請求す
ることができる。

3 最高裁判所は、遺族補償年金に関して次のように判示した。

「労災保険法に基づく保険給付は、その制度の趣旨目的に従い、特定の損害
について必要額を塡補するために支給されるものであり、遺族補償年金は、労
働者の死亡による遺族の **E** を塡補することを目的とするものであって
（労災保険法1条、16条の2から16条の4まで）、その塡補の対象とする損害
は、被害者の死亡による逸失利益等の消極損害と同性質であり、かつ、相互補
完性があるものと解される。〔…（略）…〕

したがって、被害者が不法行為によって死亡した場合において、その損害賠
償請求権を取得した相続人が遺族補償年金の支給を受け、又は支給を受けるこ
とが確定したときは、損害賠償額を算定するに当たり、上記の遺族補償年金に
つき、その塡補の対象となる **E** による損害と同性質であり、かつ、相互

補完性を有する逸失利益等の消極損害の元本との間で、損益相殺的な調整を行うべきものと解するのが相当である。」

┌─ 選択肢 ─────────────────────────────┐

① 3 　　② 5 　　③ 6 　　④ 7

⑤ 8 　　⑥ 10 　　⑦ 12 　　⑧ 13

⑨ 事業主 　　　　　　⑩ 自己

⑪ 死亡した者 　　　　⑫ 生活基盤の喪失

⑬ 精神的損害 　　　　⑭ 世帯主

⑮ 相続財産の喪失 　　⑯ 月

⑰ 月の翌月 　　　　　⑱ 日

⑲ 日の翌日 　　　　　⑳ 被扶養利益の喪失

└─────────────────────────────────┘

雇用保険法

問3 次の文中の 　　　 の部分を選択肢の中の最も適切な語句で埋め、完全な
　　 文章とせよ。

1　被保険者が 　A　 、厚生労働省令で定めるところにより出生時育児休業を
し、当該被保険者が雇用保険法第61条の８に規定する出生時育児休業給付金の
支給を受けたことがある場合において、当該被保険者が同一の子について３回
以上の出生時育児休業をしたとき、 　B　 回目までの出生時育児休業につい
て出生時育児休業給付金が支給される。また、同一の子について当該被保険者
がした出生時育児休業ごとに、当該出生時育児休業を開始した日から当該出生
時育児休業を終了した日までの日数を合算して得た日数が 　C　 日に達した
日後の出生時育児休業については、出生時育児休業給付金が支給されない。

2　被保険者が雇用されていた適用事業所が、激甚災害法第２条の規定による激
甚災害の被害を受けたことにより、やむを得ず、事業を休止し、若しくは廃止
したことによって離職を余儀なくされた者又は同法第25条第３項の規定により
離職したものとみなされた者であって、職業に就くことが特に困難な地域とし
て厚生労働大臣が指定する地域内に居住する者が、基本手当の所定給付日数を
超えて受給することができる個別延長給付の日数は、雇用保険法第24条の２に
より 　D　 日（所定給付日数が雇用保険法第23条第１項第２号イ又は第３号
イに該当する受給資格者である場合を除く。）を限度とする。

3　令和４年３月31日以降に就労していなかった者が、令和６年４月１日に65歳
に達し、同年７月１日にX社に就職して１週当たり18時間勤務することとなっ
た後、同年10月１日に季節的事業を営むY社に就職して１週当たり12時間勤務
し二つの雇用関係を有するに至り、雇用保険法第37条の５第１項に基づく特例
高年齢被保険者となることの申出をしていない場合、同年12月１日時点におい
て当該者は 　E　 となる。

選択肢

A	①	一般被保険者であるときのみ		
	②	一般被保険者又は高年齢被保険者であるとき		
	③	一般被保険者又は短期雇用特例被保険者であるとき		
	④	一般被保険者又は日雇労働被保険者であるとき		
B	①	1	②	2
	③	3	④	4
C	①	14	②	21
	③	28	④	30
D	①	30	②	60
	③	90	④	120
E	①	一般被保険者	②	高年齢被保険者
	③	雇用保険法の適用除外	④	短期雇用特例被保険者

労務管理その他の労働に関する一般常識

問４ 次の文中の［　　］の部分を選択肢の中の最も適切な語句で埋め、完全な文章とせよ。

なお、２については「令和５年版厚生労働白書（厚生労働省）」を参照しており、当該白書による用語及び統計等を利用している。

1　自動車運転者は、他の産業の労働者に比べて長時間労働の実態にあることから、「自動車運転者の労働時間等の改善のための基準」（平成元年労働省告示第７号。以下「改善基準告示」という。）において、全ての産業に適用される労働基準法では規制が難しい［ A ］及び運転時間等の基準を設け、労働条件の改善を図ってきた。こうした中、過労死等の防止の観点から、労働政策審議会において改善基準告示の見直しの検討を行い、2022（令和４）年12月にその改正を行った。

2　総務省統計局「労働力調査（基本集計）」によると、2022（令和４）年の女性の雇用者数は2,765万人で、雇用者総数に占める女性の割合は［ B ］である。

3　最高裁判所は、労働協約上の基準が一部の点において未組織の同種労働者の労働条件よりも不利益である場合における労働協約の一般的拘束力が問題となった事件において、次のように判示した。

「労働協約には、労働組合法17条により、一の工場事業場の４分の３以上の数の労働者が一の労働協約の適用を受けるに至ったときは、当該工場事業場に使用されている他の同種労働者に対しても右労働協約の［ C ］的効力が及ぶ旨の一般的拘束力が認められている。ところで、同条の適用に当たっては、右労働協約上の基準が一部の点において未組織の同種労働者の労働条件よりも不利益とみられる場合であっても、そのことだけで右の不利益部分についてはその効力を未組織の同種労働者に対して及ぼし得ないものと解するのは相当でない。けだし、同条は、その文言上、同条に基づき労働協約の［ C ］的効力が同種労働者にも及ぶ範囲について何らの限定もしていない上、労働協約の締結に当たっては、その時々の社会的経済的条件を考慮して、総合的に労働条件を定めていくのが通常であるから、その一部をとらえて有利、不利をいうこと

は適当でないからである。また、右規定の趣旨は、主として一の事業場の4分の3以上の同種労働者に適用される労働協約上の労働条件によって当該事業場の労働条件を統一し、労働組合の団結権の維持強化と当該事業場における公正妥当な労働条件の実現を図ることにあると解されるから、その趣旨からしても、未組織の同種労働者の労働条件が一部有利なものであることの故に、労働協約の　C　的効力がこれに及ばないとするのは相当でない。

　しかしながら他面、未組織労働者は、労働組合の意思決定に関与する立場になく、また逆に、労働組合は、未組織労働者の労働条件を改善し、その他の利益を擁護するために活動する立場にないことからすると、労働協約によって特定の未組織労働者にもたらされる不利益の程度・内容、労働協約が締結されるに至った経緯、当該労働者が労働組合の組合員資格を認められているかどうか等に照らし、当該労働協約を特定の未組織労働者に適用することが　D　と認められる特段の事情があるときは、労働協約の　C　的効力を当該労働者に及ぼすことはできないと解するのが相当である。」

4　男女雇用機会均等法第9条第4項本文は、「妊娠中の女性労働者及び出産後　E　を経過しない女性労働者に対してなされた解雇は、無効とする。」と定めている。

```
┌ 選択肢 ─────────────────────────────────────────┐
│ ① 25.8%     ② 35.8%     ③ 45.8%     ④ 55.8%    │
│ ⑤ 30日      ⑥ 8週間      ⑦ 6か月      ⑧ 1年      │
│ ⑨ 著しく不合理である                              │
│ ⑩ 一部の労働者を殊更不利益に取り扱うことを目的としたものである │
│ ⑪ 規範                                          │
│ ⑫ 客観的に合理的な理由を欠き、社会通念上相当でない   │
│ ⑬ 強行          ⑭ 拘束時間、休息期間              │
│ ⑮ 拘束時間、総実労働時間   ⑯ 債務                 │
│ ⑰ 直律          ⑱ 手待時間、休息期間              │
│ ⑲ 手待時間、総実労働時間                          │
│ ⑳ 労働協約の目的を逸脱したものである               │
└─────────────────────────────────────────────┘
```

MEMO

社会保険に関する一般常識

問5 次の文中の □□□ の部分を選択肢の中の最も適切な語句で埋め、完全な文章とせよ。

1 厚生労働省から令和 5 年 7 月に公表された「2022（令和 4 ）年国民生活基礎調査の概況」によると、公的年金・恩給を受給している高齢者世帯における公的年金・恩給の総所得に占める割合別世帯数の構成割合についてみると、公的年金・恩給の総所得に占める割合が **A** の世帯が44.0％となっている。なお、国民生活基礎調査において、「高齢者世帯」とは、65歳以上の者のみで構成するか、又はこれに18歳未満の未婚の者が加わった世帯をいう。

2 厚生労働省から令和 5 年 8 月に公表された「令和 3 年度介護保険事業状況報告（年報)」によると、令和 3 年度末において、第 1 号被保険者のうち要介護又は要支援の認定者（以下本肢において「認定者」という。）は677万人であり、第 1 号被保険者に占める認定者の割合は全国平均で **B** ％となっている。

3 国民健康保険法第 1 条では、「この法律は、国民健康保険事業の健全な運営を確保し、もって **C** に寄与することを目的とする。」と規定している。

4 高齢者医療確保法第 1 条では、「この法律は、国民の高齢期における適切な医療の確保を図るため、医療費の適正化を推進するための計画の作成及び保険者による健康診査等の実施に関する措置を講ずるとともに、高齢者の医療について、国民の **D** の理念等に基づき、前期高齢者に係る保険者間の **E** の調整、後期高齢者に対する適切な医療の給付等を行うために必要な制度を設け、もって国民保健の向上及び高齢者の福祉の増進を図ることを目的とする。」と規定している。

令和6年度
（第56回）

選択式

┌ 選択肢 ─────────────────────────
① 3.9　　　　　　　　② 18.9

③ 33.9　　　　　　　④ 48.9

⑤ 40〜60％未満　　　⑥ 60〜80％未満

⑦ 80〜100％未満　　⑧ 100％

⑨ 給付費用　　　　　⑩ 給付割合

⑪ 共助連帯　　　　　⑫ 共同連帯

⑬ 自助と共助　　　　⑭ 自助と連帯

⑮ 社会保険及び国民福祉の向上

⑯ 社会保険及び国民保健の向上

⑰ 社会保障及び国民福祉の向上

⑱ 社会保障及び国民保健の向上

⑲ 費用負担　　　　　⑳ 負担割合

健康保険法

問6 次の文中の 　　　 の部分を選択肢の中の最も適切な語句で埋め、完全な
文章とせよ。

1 　保険外併用療養費の支給対象となる治験は、 A 、患者の自由な選択と
同意がなされたものに限られるものとし、したがって、治験の内容を患者等に
説明することが医療上好ましくないと認められる等の場合にあっては、保険外
併用療養費の支給対象としない。

2 　任意継続被保険者がその資格を喪失した後、出産育児一時金の支給を受ける
ことができるのは、任意継続被保険者の B であった者であって、実際の
出産日が被保険者の資格を喪失した日後6か月以内の期間でなければならな
い。

3 　健康保険法第111条の規定によると、被保険者の C が指定訪問看護事
業者から指定訪問看護を受けたときは、被保険者に対し、その指定訪問看護に
要した費用について、 D を支給する。 D の額は、当該指定訪問看
護につき厚生労働大臣の定めの例により算定した費用の額に E の給付
割合を乗じて得た額（ E の支給について E の額の特例が適用さ
れるべきときは、当該規定が適用されたものとした場合の額）とする。

─選択肢─

① 3親等内の親族

② 新たな医療技術、医薬品、医療機器等によるものであることから

③ 家族訪問看護療養費　　　　　④ 家族療養費

⑤ 患者に対する情報提供を前提として　⑥ 高額介護合算療養費

⑦ 高額介護サービス費　　　　　⑧ 高額療養費

⑨ 困難な病気と闘う患者からの申し出を起点として

⑩ 資格を取得した日の前日まで引き続き1年以上被保険者（任意継続被保険者又は共済組合の組合員である被保険者を除く。）

⑪ 資格を取得した日の前日まで引き続き6か月以上被保険者（任意継続被保険者又は共済組合の組合員である被保険者を除く。）

⑫ 資格を喪失した日の前日まで引き続き1年以上被保険者（任意継続被保険者又は共済組合の組合員である被保険者を含む。）

⑬ 資格を喪失した日の前日まで引き続き6か月以上被保険者（任意継続被保険者又は共済組合の組合員である被保険者を除く。）

⑭ 認定対象者　　　　　　　　　⑮ 被扶養者

⑯ 扶養者　　　　　　　　　　　⑰ 訪問看護療養費

⑱ 保険医療機関が厚生労働大臣の定める施設基準に適合するとともに

⑲ 保険外併用療養費　　　　　　⑳ 療養費

厚生年金保険法

問7 次の文中の 　　　　 の部分を選択肢の中の最も適切な語句で埋め、完全な文章とせよ。

1　厚生年金保険法第80条第2項の規定によると、国庫は、毎年度、予算の範囲内で、厚生年金保険事業の事務（基礎年金拠出金の負担に関する事務を含む。）の執行（実施機関（厚生労働大臣を除く。）によるものを除く。）に要する 　A　 を負担するものとされている。

2　実施機関は、被保険者が賞与を受けた月において、その月に当該被保険者が受けた賞与額に基づき、これに1,000円未満の端数を生じたときはこれを切り捨てて、その月における標準賞与額を決定するが、当該標準賞与額が 　B　 （標準報酬月額の等級区分の改定が行われたときは政令で定める額）を超えるときは、これを 　B　 とする。

3　保険給付を受ける権利は、譲り渡し、担保に供し、又は差し押えることができない。ただし、 　C　 を受ける権利を国税滞納処分により差し押える場合は、この限りでない。

4　厚生年金保険法第58条第1項第2号の規定により、厚生年金保険の被保険者であった者が、被保険者の資格を喪失した後に、被保険者であった間に初診日がある傷病により 　D　 を経過する日前に死亡したときは、死亡した者によって生計を維持していた一定の遺族に遺族厚生年金が支給される。ただし、死亡した者が遺族厚生年金に係る保険料納付要件を満たしていない場合は、この限りでない。

5　甲（66歳）は35歳のときに障害等級3級に該当する程度の障害の状態にあると認定され、障害等級3級の障害厚生年金の受給を開始した。その後も障害の程度に変化はなく、また、老齢基礎年金と老齢厚生年金の合計額が障害等級3級の障害厚生年金の年金額を下回るため、65歳以降も障害厚生年金を受給している。一方、乙（66歳）は35歳のときに障害等級2級に該当する程度の障害の状態にあると認定され、障害等級2級の障害基礎年金と障害厚生年金の受給を開始した。しかし、40歳時点で障害の程度が軽減し、障害等級3級の障害厚生年金を受給することになった。その後、障害の程度に変化はないが、65歳以降

は老齢基礎年金と老齢厚生年金を受給している。今後、甲と乙の障害の程度が増進した場合、障害年金の額の改定請求は、 **E** 。

選択肢

① 100万円　　　　　　② 150万円

③ 200万円　　　　　　④ 250万円

⑤ 遺族厚生年金　　　　⑥ 甲のみが行うことができる

⑦ 甲も乙も行うことができない　⑧ 甲も乙も行うことができる

⑨ 乙のみが行うことができる　　⑩ 障害厚生年金

⑪ 障害手当金　　　　　⑫ 脱退一時金

⑬ 当該初診日から起算して3年　⑭ 当該初診日から起算して5年

⑮ 被保険者の資格を喪失した日から起算して3年

⑯ 被保険者の資格を喪失した日から起算して5年

⑰ 費用　　　　　　　　⑱ 費用の2分の1

⑲ 費用の3分の1　　　　⑳ 費用の4分の3

国民年金法

問8 次の文中の ［　　　　］ の部分を選択肢の中の最も適切な語句で埋め、完全な
文章とせよ。

1　国民年金法において、被保険者の委託を受けて、保険料の納付に関する事務
（以下本肢において「納付事務」という。）を行うことができる者として、国民
年金基金又は国民年金基金連合会、(改正により削除) 納付事務を ［　B　］ こ
とができると認められ、かつ、政令で定める要件に該当する者として厚生労働
大臣が指定するものに該当するコンビニエンスストア等があり、これらを
［　C　］ という。

2　遺族基礎年金が支給される子については、国民年金法第37条の2第1項第2
号によると、「十八歳に達する日以後の最初の三月三十一日までの間にあるか
又は二十歳未満であって障害等級に該当する障害の状態にあり、かつ、現に
［　D　］ こと」と規定されている。

3　遺族基礎年金を受給できる者がいない時には、被保険者又は被保険者であっ
た者が国民年金法第52条の2に規定された支給要件を満たせば、死亡した者と
死亡の当時生計を同じくする遺族に死亡一時金が支給されるが、この場合の遺
族とは、死亡した者の ［　E　］ であり、死亡一時金を受けるべき者の順位は、
この順序による。

┌─ 選択肢 ─────────────────────────────

① 完全かつ効率的に行う　　　　② 婚姻をしていない

③ 市町村（特別区を含む。）　　④ 実施機関

⑤ 指定代理納付者　　　　　　　⑥ 指定納付受託者

⑦ 申請に基づき実施する　　　　⑧ 適正かつ円滑に行う

⑨ 適正かつ確実に実施する　　　⑩ 都道府県

⑪ 日本国内に住所を有している　⑫ 納付受託者

⑬ 配偶者又は子　　　　　　　　⑭ 配偶者、子又は父母

⑮ 配偶者、子、父母又は孫

⑯ 配偶者、子、父母、孫、祖父母又は兄弟姉妹

⑰ 保険者　　　　　　　　　　　⑱ 保険料納付確認団体

⑲ 離縁によって、死亡した被保険者又は被保険者であった者の子でなくなっていない

⑳ 養子縁組をしていない

───────────────────────────────────

令和6年度

（2024年度・第56回）

本試験問題
択一式

本試験実施時間

13：20〜16：50（210分）

法令等略記凡例

法令等名称	法令等略称
労働者災害補償保険法	労災保険法
労働者災害補償保険法施行規則	労災保険法施行規則
労働保険の保険料の徴収等に関する法律	労働保険徴収法
労働保険の保険料の徴収等に関する法律施行規則	労働保険徴収法施行規則
育児休業、介護休業等育児又は家族介護を行う労働者の福祉に関する法律	育児介護休業法
労働施策の総合的な推進並びに労働者の雇用の安定及び職業生活の充実等に関する法律	労働施策総合推進法
短時間労働者及び有期雇用労働者の雇用管理の改善等に関する法律	パートタイム・有期雇用労働法
高齢者の医療の確保に関する法律	高齢者医療確保法

労働基準法及び労働安全衛生法

問 1　労働基準法の総則（第 1 条〜第12条）に関する次の記述のうち、正しいものはどれか。

A　労働基準法第 1 条にいう、「人たるに値する生活」とは、社会の一般常識によって決まるものであるとされ、具体的には、「賃金の最低額を保障することによる最低限度の生活」をいう。

B　「労働基準法 3 条は労働者の信条によって賃金その他の労働条件につき差別することを禁じているが、特定の信条を有することを、雇入れを拒む理由として定めることも、右にいう労働条件に関する差別取扱として、右規定に違反するものと解される。」とするのが、最高裁判所の判例である。

C　事業場において女性労働者が平均的に能率が悪いこと、勤続年数が短いことが認められたため、男女間で異なる昇格基準を定めていることにより男女間で賃金格差が生じた場合には、労働基準法第 4 条違反とはならない。

D　在籍型出向（出向元及び出向先双方と出向労働者との間に労働契約関係がある場合）の出向労働者については、出向元、出向先及び出向労働者三者間の取決めによって定められた権限と責任に応じて出向元の使用者又は出向先の使用者が、出向労働者について労働基準法等における使用者としての責任を負う。

E　労働者に支給される物又は利益にして、所定の貨幣賃金の代わりに支給するもの、即ち、その支給により貨幣賃金の減額を伴うものは労働基準法第11条にいう「賃金」とみなさない。

問2 労働基準法の解釈に関する次のアからウまでの各記述について、正しいものには○、誤っているものには×を付した場合の組合せとして、正しいものはどれか。

ア 労働基準法において一の事業であるか否かは主として場所的観念によって決定するが、例えば工場内の診療所、食堂等の如く同一場所にあっても、著しく労働の態様を異にする部門が存する場合に、その部門が主たる部門との関連において従事労働者、労務管理等が明確に区別され、かつ、主たる部門と切り離して適用を定めることによって労働基準法がより適切に運用できる場合には、その部門を一の独立の事業とするとされている。

イ 労働基準法において「使用者」とは、その使用する労働者に対して賃金を支払う者をいい、「賃金」とは、賃金、給料、手当、賞与その他名称の如何を問わず、労働の対償として使用者が労働者に支払うすべてのものをいう。

ウ 労働契約とは、本質的には民法第623条に規定する雇用契約や労働契約法第6条に規定する労働契約と基本的に異なるものではないが、民法上の雇用契約にのみ限定して解されるべきものではなく、委任契約、請負契約等、労務の提供を内容とする契約も労働契約として把握される可能性をもっている。

A （ア○　イ○　ウ○）　　　**B** （ア○　イ○　ウ×）

C （ア○　イ×　ウ○）　　　**D** （ア×　イ○　ウ×）

E （ア×　イ×　ウ○）

問3 労働基準法に定める労働契約等に関する次の記述のうち、誤っているものはどれか。

A 使用者は、労働基準法第14条第2項に基づき厚生労働大臣が定めた基準により、有期労働契約（当該契約を3回以上更新し、又は雇入れの日から起算して1年を超えて継続勤務している者に係るものに限り、あらかじめ当該契約を更新しない旨明示されているものを除く。）を更新しないこととしようとする場合には、少なくとも当該契約期間が満了する日の30日前までに、その予告をしなければならない。

B 使用者は、労働基準法第15条第1項の規定により、労働者に対して労働契約の締結と有期労働契約（期間の定めのある労働契約）の更新のタイミングごとに、「就業の場所及び従事すべき業務に関する事項」に加え、「就業の場所及び従事すべき業務の変更の範囲」についても明示しなければならない。

C 使用者が労働者に対して損害賠償の金額をあらかじめ約定せず、現実に生じた損害について賠償を請求することは、労働基準法第16条が禁止するところではないから、労働契約の締結に当たり、債務不履行によって使用者が損害を被った場合はその実損害額に応じて賠償を請求する旨の約定をしても、労働基準法第16条に抵触するものではない。

D 使用者は、労働者の貯蓄金をその委託を受けて管理する場合において、貯蓄金の管理が労働者の預金の受入であるときは、利子をつけなければならない。

E 労働基準法第23条は、労働の対価が完全かつ確実に退職労働者又は死亡労働者の遺族の手に渡るように配慮したものであるが、就業規則において労働者の退職又は死亡の場合の賃金支払期日を通常の賃金と同一日に支払うことを規定しているときには、権利者からの請求があっても、7日以内に賃金を支払う必要はない。

問4 使用者は、労働者の同意を得た場合には、賃金の支払方法として、労働基準法施行規則第7条の2第1項第3号に掲げる要件を満たすものとして厚生労働大臣の指定を受けた資金移動業者（指定資金移動業者）のうち労働者が指定するものの第二種資金移動業に係る口座への資金移動によることができる（いわゆる賃金のデジタル払い）が、次の記述のうち、労働基準法施行規則第7条の2第1項第3号に定めるものとして、誤っているものはどれか。

A 賃金の支払に係る資金移動を行う口座（以下本問において「口座」という。）について、労働者に対して負担する為替取引に関する債務の額が500万円を超えることがないようにするための措置又は当該額が500万円を超えた場合に当該額を速やかに500万円以下とするための措置を講じていること。

B 破産手続開始の申立てを行ったときその他為替取引に関し負担する債務の履行が困難となったときに、口座について、労働者に対して負担する為替取引に関する債務の全額を速やかに当該労働者に弁済することを保証する仕組みを有していること。

C 口座について、労働者の意に反する不正な為替取引その他の当該労働者の責めに帰することができない理由で当該労働者に対して負担する為替取引に関する債務を履行することが困難となったことにより当該債務について当該労働者に損失が生じたときに、当該損失を補償する仕組みを有していること。

D 口座について、特段の事情がない限り、当該口座に係る資金移動が最後にあった日から少なくとも10年間は、労働者に対して負担する為替取引に関する債務を履行することができるための措置を講じていること。

E 口座への資金移動に係る額の受取について、現金自動支払機を利用する方法その他の通貨による受取ができる方法により1円単位で当該受取ができるための措置及び少なくとも毎月1回は当該方法に係る手数料その他の費用を負担することなく当該受取ができるための措置を講じていること。

問5 労働基準法に定める労働時間に関する次の記述のうち、正しいものはいくつあるか。

ア 労働基準法第32条の2に定めるいわゆる1か月単位の変形労働時間制を適用するに当たっては、常時10人未満の労働者を使用する使用者であっても必ず就業規則を作成し、1か月以内の一定の期間を平均し1週間当たりの労働時間が40時間を超えない定めをしなければならない。

イ 使用者は、労働基準法第33条の「災害その他避けることのできない事由」に該当する場合であっても、同法第34条の休憩時間を与えなければならない。

ウ 労働者が情報通信技術を利用して行う事業場外勤務（テレワーク）においては、「情報通信機器が、使用者の指示により常時通信可能な状態におくこととされていないこと」さえ満たせば、労働基準法第38条の2に定めるいわゆる事業場外みなし労働時間制を適用することができる。

エ 使用者は、労働基準法第38条の3に定めるいわゆる専門業務型裁量労働制を
適用するに当たっては、当該事業場に、労働者の過半数で組織する労働組合が
あるときはその労働組合、労働者の過半数で組織する労働組合がないときは労
働者の過半数を代表する者との書面による協定により、専門業務型裁量労働制
を適用することについて「当該労働者の同意を得なければならないこと及び当
該同意をしなかった当該労働者に対して解雇その他不利益な取扱いをしてはな
らないこと。」を定めなければならない。

オ 労働基準法第41条の2に定めるいわゆる高度プロフェッショナル制度は、同
条に定める委員会の決議が単に行われただけでは足りず、使用者が、厚生労働
省令で定めるところにより当該決議を所轄労働基準監督署長に届け出ることに
よって、この制度を導入することができる。

A 一つ

B 二つ

C 三つ

D 四つ

E 五つ

問6 労働基準法に定める年次有給休暇に関する次の記述のうち、正しいものは
どれか。

A 月曜日から金曜日まで1日の所定労働時間が4時間の週5日労働で、1週間
の所定労働時間が20時間である労働者が、雇入れの日から起算して6か月間継
続勤務し全労働日の8割以上出勤した場合に労働基準法第39条（以下本問にお
いて「本条」という。）の規定により当該労働者に付与される年次有給休暇は、
5労働日である。

B 月曜日から木曜日まで1日の所定労働時間が8時間の週4日労働で、1週間
の所定労働時間が32時間である労働者が、雇入れの日から起算して6か月間継
続勤務し全労働日の8割以上出勤した場合に本条の規定により当該労働者に付
与される年次有給休暇は、次の計算式により7労働日である。

〔計算式〕 10日×4日／5.2日≒7.69日 端数を切り捨てて7日

C 令和6年4月1日入社と同時に10労働日の年次有給休暇を労働者に付与した使用者は、このうち5日については、令和7年9月30日までに時季を定めることにより与えなければならない。

D 使用者の時季指定による年5日以上の年次有給休暇の取得について、労働者が半日単位で年次有給休暇を取得した日数分については、本条第8項の「日数」に含まれ、当該日数分について使用者は時季指定を要しないが、労働者が時間単位で取得した分については、本条第8項の「日数」には含まれないとされている。

E 産前産後の女性が労働基準法第65条の規定によって休業した期間及び生理日の就業が著しく困難な女性が同法第68条の規定によって就業しなかった期間は、本条第1項「使用者は、その雇入れの日から起算して6か月間継続勤務し全労働日の8割以上出勤した労働者に対して、継続し、又は分割した10労働日の有給休暇を与えなければならない。」の適用においては、これを出勤したものとみなす。

問7 労働基準法に定める就業規則等に関する次の記述のうち、誤っているものはどれか。

A 労働基準法第89条第1号から第3号までの絶対的必要記載事項の一部が記載されていない就業規則は他の要件を具備していても無効とされている。

B 事業の附属寄宿舎に労働者を寄宿させる使用者は、「起床、就寝、外出及び外泊に関する事項」、「行事に関する事項」、「食事に関する事項」、「安全及び衛生に関する事項」及び「建設物及び設備の管理に関する事項」について寄宿舎規則を作成し、行政官庁に届け出なければならないが、これらはいわゆる必要的記載事項であるから、そのいずれか一つを欠いても届出は受理されない。

C 同一事業場において、労働基準法第3条に反しない限りにおいて、一部の労働者についてのみ適用される別個の就業規則を作成することは差し支えないが、別個の就業規則を定めた場合には、当該2以上の就業規則を合したものが同法第89条の就業規則となるのであって、それぞれ単独に同条の就業規則となるものではないとされている。

D 育児介護休業法による育児休業も、労働基準法第89条第1号の休暇に含まれるものであり、育児休業の対象となる労働者の範囲等の付与要件、育児休業取得に必要な手続、休業期間については、就業規則に記載する必要があるとされている。

E 労働基準法第41条第3号の「監視又は断続的労働に従事する者で、使用者が行政官庁の許可を受けたもの」は、同法の労働時間に関する規定が適用されないが、就業規則には始業及び終業の時刻を定めなければならないとされている。

問8 次に示す業態をとる株式会社についての安全衛生管理に関する記述のうち、誤っているものはどれか。

なお、衛生管理者については、選任の特例（労働安全衛生規則第8条）を考えないものとする。

W市に本社を置き、人事、総務等の管理業務を行っている。

　使用する労働者数　　　常時30人

X市に第1工場を置き、金属部品の製造及び加工を行っている。

・工場は1直7:00～15:00及び2直15:00～23:00の2交替で操業しており、1グループ150人計300人の労働者が交替で就業している。

・工場には動力により駆動されるプレス機械が10台設置され、当該機械による作業が行われている。

Y市に第2工場を置き、金属部品の製造及び加工を行っている。

・工場は1直7:00～15:00及び2直15:00～23:00の2交替で操業しており、1グループ40人計80人の労働者が交替で就業している。

・工場には動力により駆動されるプレス機械が5台設置され、当該機械による作業が行われている。

Z市に営業所を置き、営業活動を行っている。

　使用する労働者数　　　常時12人（ただし、この事業場のみ、うち6人は1日4時間労働の短時間労働者）

A W市にある本社には、安全管理者も衛生管理者も選任する義務はない。

B W市にある本社には、総括安全衛生管理者を選任しなければならない。

C　X市にある第1工場及びY市にある第2工場には、それぞれ安全管理者及び衛生管理者を選任しなければならないが、X市にある第1工場には、衛生管理者を二人以上選任しなければならない。

D　X市にある第1工場及びY市にある第2工場には、プレス機械作業主任者を、それぞれの工場に、かつ1直2直それぞれに選任しなければならない。

令和6年度
（第56回）
択一式

E　Z市にある営業所には、衛生推進者を選任しなければならない。

問9　長時間労働者に対する医師による面接指導に関する次の記述のうち、誤っているものはどれか。

A　労働安全衛生法第66条の8第1項において、事業者が医師による面接指導を行わなければならないとされている労働者の要件は、休憩時間を除き1週間当たり40時間を超えて労働させた場合におけるその超えた時間が一月当たり80時間を超え、かつ、疲労の蓄積が認められる者（所定事由に該当する労働者であって面接指導を受ける必要がないと医師が認めたものを除く。）である。

B　労働安全衛生法第66条の8の2において、新たな技術、商品又は役務の研究開発に係る業務に従事する者（労働基準法第41条各号に掲げる者及び労働安全衛生法第66条の8の4第1項に規定する者を除く。）に対して事業者が医師による面接指導を行わなければならないとされている労働時間に関する要件は、休憩時間を除き1週間当たり40時間を超えて労働させた場合におけるその超えた時間が一月当たり100時間を超える者とされている。

C　事業者は、労働安全衛生法の規定による医師による面接指導を実施するため、厚生労働省令で定める方法により労働者の労働時間の状況を把握しなければならないとされているが、この労働者には、労働基準法第41条第2号に規定する監督若しくは管理の地位にある者又は機密の事務を取り扱う者も含まれる。

D　労働安全衛生法第66条の8及び同法第66条の8の2により行われる医師による面接指導に要する費用については、いずれも事業者が負担すべきものであるとされているが、当該面接指導に要した時間に係る賃金の支払については、当然には事業者の負担すべきものではなく、事業者が支払うことが望ましいとされている。

E 派遣労働者に対する医師による面接指導については、派遣元事業主に実施義務が課せられている。

問10 労働安全衛生法第88条の計画の届出に関する次の記述のうち、正しいものはどれか。

A 労働安全衛生法第88条第1項柱書きは、「事業者は、機械等で、危険若しくは有害な作業を必要とするもの、危険な場所において使用するもの又は危険若しくは健康障害を防止するため使用するもののうち、厚生労働省令で定めるものを設置し、若しくは移転し、又はこれらの主要構造部分を変更しようとするときは、その計画を当該工事の開始の日の14日前までに、厚生労働省令で定めるところにより、労働基準監督署長に届け出なければならない。」と定めている。

B 事業者は、建設業に属する事業の仕事のうち重大な労働災害を生ずるおそれがある特に大規模な仕事で、厚生労働省令で定めるものを開始しようとするときは、その計画を当該仕事の開始の日の30日前までに、厚生労働省令で定めるところにより、都道府県労働局長に届け出なければならない。

C 事業者は、建設業に属する事業の仕事（重大な労働災害を生ずるおそれがある特に大規模な仕事で、厚生労働省令で定めるものを除く。）で、厚生労働省令で定めるものを開始しようとするときは、その計画を当該仕事の開始の日の14日前までに、厚生労働省令で定めるところにより、労働基準監督署長に届け出なければならない。

D 機械等で、危険な作業を必要とするものとして計画の届出が必要とされるものにはクレーンが含まれるが、つり上げ荷重が1トン未満のものは除かれる。

E 機械等で、危険な作業を必要とするものとして計画の届出が必要とされるものには動力プレス（機械プレスでクランク軸等の偏心機構を有するもの及び液圧プレスに限る。）が含まれるが、圧力能力が5トン未満のものは除かれる。

労働者災害補償保険法（労働保険の保険料の徴収等に関する法律を含む。）

問1 労災保険法第7条に規定する通勤の途中で合理的経路を逸脱・中断した場合でも、当該逸脱・中断が日常生活上必要な行為であって、厚生労働省令で定めるものをやむを得ない事由により最小限度の範囲で行う場合には、当該逸脱・中断の後、合理的な経路に復した後は、同条の通勤と認められることとされている。

令和6年度
(第56回)

択一式

　この日常生活上必要な行為として、同法施行規則第8条が定めるものに含まれない行為はどれか。

A 経路の近くにある公衆トイレを使用する行為

B 帰途で惣菜等を購入する行為

C はり師による施術を受ける行為

D 職業能力開発校で職業訓練を受ける行為

E 要介護状態にある兄弟姉妹の介護を継続的に又は反復して行う行為

問2 通勤災害に関する次の記述のうち、正しいものはどれか。

A マイカー通勤をしている労働者が、勤務先会社から市道を挟んだところにある同社の駐車場に車を停車し、徒歩で職場に到着しタイムカードを打刻した後、フォグライトの消し忘れに気づき、徒歩で駐車場へ引き返すべく市道を横断する途中、市道を走ってきた軽自動車にはねられ負傷した場合、通勤災害とは認められない。

B マイカー通勤をしている労働者が、同一方向にある配偶者の勤務先を経由するため、通常通り自分の勤務先を通り越して通常の通勤経路を450メートル走行し、配偶者の勤務先で配偶者を下車させて自分の勤務先に向かって走行中、踏切で鉄道車両と衝突して負傷した場合、通勤災害とは認められない。

C 頸椎を手術した配偶者の看護のため、手術後1か月ほど姑と交替で1日おきに病院に寝泊まりしていた労働者が、当該病院から徒歩で出勤する途中、横断歩道で軽自動車にはねられ負傷した場合、当該病院から勤務先に向かうとすれば合理的である経路・方法をとり逸脱・中断することなく出勤していたとしても、通勤災害とは認められない。

D 労働者が、退勤時にタイムカードを打刻し、更衣室で着替えをして事業場施設内の階段を降りる途中、ズボンの裾が靴に絡んだために足を滑らせ、階段を5段ほど落ちて腰部を強打し負傷した場合、通勤災害とは認められない。

E 長年営業に従事している労働者が、通常通りの時刻に通常通りの経路を徒歩で勤務先に向かっている途中に突然倒れ、急性心不全で死亡した場合、通勤災害と認められる。

問3 厚生労働省労働基準局長通知「心理的負荷による精神障害の認定基準」（令和5年9月1日付け基発0901第2号。以下本問において「認定基準」という。）に関する次の記述のうち、正しいものはいくつあるか。

　なお、本問において「対象疾病」とは「認定基準で対象とする疾病」のことである。

ア 対象疾病には、統合失調症や気分障害等のほか、頭部外傷等の器質性脳疾患に付随する精神障害、及びアルコールや薬物等による精神障害も含まれる。

イ 対象疾病を発病して治療が必要な状態にある者について、認定基準別表1の特別な出来事があり、その後おおむね6か月以内に対象疾病が自然経過を超えて著しく悪化したと医学的に認められる場合には、当該特別な出来事による心理的負荷が悪化の原因であると推認し、当該悪化した部分について業務起因性を認める。

ウ 対象疾病を発病して治療が必要な状態にある者について、認定基準別表1の特別な出来事がない場合には、対象疾病の悪化の前おおむね6か月以内の業務による強い心理的負荷によって当該対象疾病が自然経過を超えて著しく悪化したものと精神医学的に判断されたとしても、当該悪化した部分について業務起因性は認められない。

エ 対象疾病の症状が現れなくなった又は症状が改善し安定した状態が一定期間継続している場合や、社会復帰を目指して行ったリハビリテーション療法等を終えた場合であって、通常の就労が可能な状態に至ったときには、投薬等を継続していても通常は治ゆ（症状固定）の状態にあると考えられるところ、対象疾病がいったん治ゆ（症状固定）した後において再びその治療が必要な状態が生じた場合は、新たな疾病と取り扱う。

オ　業務によりうつ病を発病したと認められる者が自殺を図り死亡した場合には、当該疾病によって正常の認識、行為選択能力が著しく阻害され、あるいは自殺行為を思いとどまる精神的抑制力が著しく阻害されている状態に至ったものと推定し、当該死亡につき業務起因性を認める。

A　一つ
B　二つ
C　三つ
D　四つ
E　五つ

問4　複数事業労働者（事業主が同一人でない2以上の事業に使用される労働者）の業務災害に係る保険給付に関する次の記述のうち、誤っているものはどれか。

　　なお、A・Bにおいて、休業補償給付は、①「療養のため」②「労働することができない」ために③「賃金を受けない日」という三要件を満たした日の第4日目から支給されるものである（労災保険法第14条第1項本文）。

　　また、C・Dにおいて、複数事業労働者につき、業務災害が発生した事業場を「災害発生事業場」と、それ以外の事業場を「非災害発生事業場」といい、いずれにおいても、当該労働者の離職時の賃金が不明である場合は考慮しない。

A　休業補償給付が支給される三要件のうち「労働することができない」に関して、業務災害に被災した複数事業労働者が、現に一の事業場において労働者として就労しているものの、他方の事業場において当該業務災害に係る通院のため、所定労働時間の全部又は一部について労働することができない場合には、「労働することができない」に該当すると認められることがある。

B 休業補償給付が支給される三要件のうち「賃金を受けない日」に関して、被災した複数事業労働者については、複数の就業先のうち、一部の事業場において、年次有給休暇等により当該事業場における平均賃金相当額（複数事業労働者を使用する事業ごとに算定した平均賃金に相当する額をいう。）の60％以上の賃金を受けることにより「賃金を受けない日」に該当しない状態でありながら、他の事業場において、当該業務災害による傷病等により無給での休業をしているため、「賃金を受けない日」に該当する状態があり得る。

C 複数事業労働者については、その疾病が業務災害による遅発性疾病である場合で、その診断が確定した日において、災害発生事業場を離職している場合の当該事業場に係る平均賃金相当額の算定については、災害発生事業場を離職した日を基準に、その日（賃金の締切日がある場合は直前の賃金締切日をいう。）以前3か月間に災害発生事業場において支払われた賃金により算定し、当該金額を基礎として、診断によって当該疾病発生が確定した日までの賃金水準の上昇又は変動を考慮して算定する。

D 複数事業労働者については、その疾病が業務災害による遅発性疾病である場合で、その診断が確定した日において、災害発生事業場を離職している場合の非災害発生事業場に係る平均賃金相当額については、算定事由発生日に当該事業場を離職しているか否かにかかわらず、遅発性疾病の診断が確定した日から3か月前の日を始期として、当該診断が確定した日までの期間中に、非災害発生事業場から賃金を受けている場合は、その3か月間に非災害発生事業場において支払われた賃金により算定する。

E 複数事業労働者に係る平均賃金相当額の算定において、雇用保険法等の一部を改正する法律（令和2年法律第14号。以下「改正法」という。）の施行日後に発生した業務災害たる傷病等については、当該傷病等の原因が生じた時点が改正法の施行日前であっても、当該傷病等が発生した時点において事業主が同一人でない2以上の事業に使用されていた場合は、給付基礎日額相当額を合算する必要がある。

問5 遺族補償年金の受給権に関する次の記述のうち、正しいものはいくつあるか。

なお、本問において、「遺族補償年金を受ける権利を有する遺族」を「当該遺族」という。

令和6年度
（第56回）

択一式

ア 遺族補償年金の受給権は、当該遺族が死亡したときには消滅する。

イ 遺族補償年金の受給権は、当該遺族が婚姻（届出をしていないが、事実上婚姻関係と同様の事情にある者を含む。）をしたときには消滅する。

ウ 遺族補償年金の受給権は、当該遺族が直系血族又は直系姻族以外の者の養子（届出をしていないが、事実上養子縁組関係と同様の事情にある者を含む。）となったときには消滅する。

エ 遺族補償年金の受給権は、当該遺族である子・孫が18歳に達した日以後の最初の3月31日が終了したときには消滅する。

オ 遺族補償年金の受給権は、当該遺族である兄弟姉妹が18歳に達した日以後の最初の3月31日が終了したときには消滅する。

A 一つ

B 二つ

C 三つ

D 四つ

E 五つ

問6 労災保険の海外派遣特別加入制度に関する次の記述のうち、誤っているものはどれか。

A 海外派遣者は、派遣元の団体又は事業主が、海外派遣者を特別加入させることについて政府の承認を申請し、政府の承認があった場合に特別加入することができる。

B 海外派遣者と派遣元の事業との雇用関係が、転勤、在籍出向、移籍出向等のいずれの形態で処理されていても、派遣元の事業主の命令で海外の事業に従事し、その事業との間に現実の労働関係をもつ限りは、特別加入の資格に影響を及ぼすものではない。

C 海外派遣者として特別加入している者が、同一の事由について派遣先の事業の所在する国の労災保険から保険給付が受けられる場合には、わが国の労災保険給付との間で調整がなされなければならない。

D 海外派遣者として特別加入している者の赴任途上及び帰任途上の災害については、当該特別加入に係る保険給付は行われない。

E 海外出張者として特段の加入手続を経ることなく当然に労災保険の保護を与えられるのか、海外派遣者として特別加入しなければ保護が与えられないのかは、単に労働の提供の場が海外にあるにすぎず国内の事業場に所属し、当該事業場の使用者の指揮に従って勤務するのか、海外の事業場に所属して当該事業場の使用者の指揮に従って勤務することになるのかという点からその勤務の実態を総合的に勘案して判定されるべきものである。

問7 労災保険給付に関する次のアからオの記述のうち、正しいものの組合せは、後記AからEまでのうちどれか。

ア 労働者が、重大な過失により、負傷、疾病、障害若しくは死亡又はこれらの原因となった事故を生じさせたときは、政府は、保険給付の全部又は一部を行わないことができる。

イ 労働者を重大な過失により死亡させた遺族補償給付の受給資格者は、遺族補償給付を受けることができる遺族としない。

ウ 労働者が、懲役、禁固若しくは拘留の刑の執行のため刑事施設に拘置されている場合には、休業補償給付は行わない。

エ 労働者が退職したときは、保険給付を受ける権利は消滅する。

オ 偽りその他不正の手段により労働者が保険給付を受けたときは、政府は、その保険給付に要した費用に相当する金額の全部又は一部を当該労働者を使用する事業主から徴収することができる。

A （アとイ）　　**B** （アとウ）　　**C** （イとエ）

D （ウとオ）　　**E** （エとオ）

問8 労働保険の保険料の徴収等に関する次の記述のうち、誤っているものはどれか。

A 労働保険徴収法第8条に規定する請負事業の一括について、労災保険に係る保険関係が成立している事業のうち建設の事業であって、数次の請負によって行われる場合、雇用保険に係る保険関係については、元請事業に一括することなく事業としての適用単位が決められ、それぞれの事業ごとに労働保険徴収法が適用される。

B 労働保険徴収法第8条に規定する請負事業の一括について、下請負に係る事業については下請負人が事業主であり、元請負人と下請負人の使用する労働者の間には労働関係がないが、同条第2項に規定する場合を除き、元請負人は当該請負に係る事業について下請負をさせた部分を含め、そのすべての労働者について事業主として保険料の納付等の義務を負う。

C 労働保険徴収法第8条第2項に定める下請負事業の分離に係る認可を受けようとする元請負人及び下請負人は、保険関係が成立した日の翌日から起算して10日以内に「下請負人を事業主とする認可申請書」を所轄都道府県労働局長に提出しなければならない。

D 労働保険徴収法第8条第2項に定める下請負事業の分離に係る認可を受けようとする元請負人及び下請負人は、天災その他不可抗力等のやむを得ない理由により、同法施行規則第8条第1項に定める期限内に「下請負人を事業主とする認可申請書」を提出することができなかったときは、期限後であっても当該申請書を提出することができる。

E 労働保険徴収法第8条第2項に定める下請負事業の分離に係る認可を受けるためには、当該下請負事業の概算保険料が160万円以上、かつ、請負金額が1億8,000万円以上（消費税等相当額を除く。）であることが必要とされている。

問9 労働保険の保険料の徴収等に関する次の記述のうち、誤っているものはどれか。

A 労働保険料の口座振替による納付制度は、一括有期事業の事業主も、単独有期事業の事業主も対象となる。

B 労働保険料の口座振替による納付制度は、納付が確実と認められ、かつ、口座振替の申出を承認することが労働保険料の徴収上有利と認められるときに限り、その申出を承認することができ、納入告知書によって行われる納付についても認められる。

C 労働保険料を口座振替によって納付することを希望する事業主は、労働保険徴収法施行規則第38条の2に定める事項を記載した書面を所轄都道府県労働局歳入徴収官に提出することによって申出を行わなければならない。

D 労働保険料を口座振替によって納付する事業主は、概算保険料申告書及び確定保険料申告書（労働保険徴収法施行規則第38条第2項第4号の申告書を除く。）を、日本銀行、年金事務所又は所轄公共職業安定所長を経由して所轄都道府県労働局歳入徴収官に提出することはできない。

E 口座振替による納付制度を利用する事業主から納付に際し添えることとされている申告書の提出を受けた所轄都道府県労働局歳入徴収官は、労働保険料の納付に必要な納付書を労働保険徴収法第21条の2第1項の金融機関へ送付するものとされている。

問10 労働保険の保険料の徴収等に関する次の記述のうち、誤っているものはどれか。

A 事業主は、あらかじめ代理人を選任し、所轄労働基準監督署長又は所轄公共職業安定所長に届け出ている場合、労働保険徴収法施行規則によって事業主が行わなければならない労働保険料の納付に係る事項を、その代理人に行わせることができる。

B 所轄都道府県労働局長、所轄労働基準監督署長又は所轄公共職業安定所長は、保険関係が成立し、若しくは成立していた事業の事業主又は労働保険事務組合若しくは労働保険事務組合であった団体に対して、労働保険徴収法の施行に関し必要な報告、文書の提出又は出頭を命ずる場合、文書によって行わなければならない。

C 前保険年度より保険関係が引き続く継続事業における年度当初の確定精算に伴う精算返還金に係る時効の起算日は6月1日となるが、確定保険料申告書が法定納期限内に提出された場合、時効の起算日はその提出された日の翌日となる。

D 継続事業の廃止及び有期事業の終了に伴う精算返還金に係る時効の起算日は事業の廃止又は終了の日の翌日となるが、確定保険料申告書が法定納期限内に提出された場合、時効の起算日はその提出された日となる。

E 事業主が概算保険料の申告書を提出していない場合、政府が労働保険徴収法第15条第3項の規定に基づき認定決定した概算保険料について通知を行ったとき、当該通知によって未納の当該労働保険料について時効の更新の効力を生ずる。

雇用保険法（労働保険の保険料の徴収等に関する法律を含む。）

問1 雇用保険の被保険者に関する次の記述のうち、誤っているものはどれか。

A 報酬支払等の面からみて労働者的性格の強い者と認められる株式会社の代表取締役は被保険者となるべき他の要件を満たす限り被保険者となる。

B 適用事業の事業主に雇用されつつ自営業を営む者は、当該適用事業の事業主の下での就業条件が被保険者となるべき要件を満たす限り被保険者となる。

C 労働者が長期欠勤して賃金の支払を受けていない場合であっても、被保険者となるべき他の要件を満たす雇用関係が存続する限り被保険者となる。

D 中小企業等協同組合法に基づく企業組合の組合員は、組合との間に同法に基づく組合関係があることとは別に、当該組合との間に使用従属関係があり当該使用従属関係に基づく労働の提供に対し、その対価として賃金が支払われている場合、被保険者となるべき他の要件を満たす限り被保険者となる。

E 学校教育法に規定する大学の夜間学部に在籍する者は、被保険者となるべき他の要件を満たす限り被保険者となる。

問2 Xは、令和3年4月1日にY社に週所定労働時間が40時間、休日が1週当たり2日の労働契約を締結して就職し、初めて被保険者資格を得て同年7月31日に私傷病により離職した。令和5年11月5日、Xは離職の原因となった傷病が治ゆしたことからZ社に被保険者として週所定労働時間が40時間、休日が1週当たり2日の労働契約を締結して就職した。その後Xは私傷病により令和6年2月29日に離職した。

この場合、Z社離職時における基本手当の受給資格要件としての被保険者期間として、正しいものはどれか。なお、XはY社及びZ社において欠勤がなかったものとする。

A 3か月

B 3と2分の1か月

C 4か月

D 7か月

E 7と2分の1か月

問3 雇用保険の傷病手当に関する次の記述のうち、誤っているものはどれか。

A 受給資格者が離職後最初に公共職業安定所に求職の申込みをした日以後において、雇用保険法第37条第1項に基づく疾病又は負傷のために基本手当の支給を受けることができないことについての認定（以下本問において「傷病の認定」という。）を受けた場合、失業している日（疾病又は負傷のため職業に就くことができない日を含む。）が通算して7日に満たない間は、傷病手当を支給しない。

B 傷病手当を支給する日数は、傷病の認定を受けた受給資格者の所定給付日数から当該受給資格に基づき、既に基本手当を支給した日数を差し引いた日数に相当する日数分を限度とする。

C 基本手当の支給を受ける口座振込受給資格者が当該受給期間中に疾病又は負傷により職業に就くことができなくなった場合、天災その他認定を受けなかったことについてやむを得ない理由がない限り、当該受給資格者は、職業に就くことができない理由がやんだ後における最初の支給日の直前の失業の認定日までに傷病の認定を受けなければならない。

D 健康保険法第99条の規定による傷病手当金の支給を受けることができる者が傷病の認定を受けた場合、傷病手当を支給する。

E 傷病手当の日額は、雇用保険法第16条に規定する基本手当の日額に相当する額である。

問4 雇用保険の資格喪失に関する次の記述のうち、誤っているものはどれか。

A 事業主は、その雇用する労働者が離職した場合、当該労働者が離職の日において59歳未満であり、雇用保険被保険者離職票（以下本問において「離職票」という。）の交付を希望しないときは、事業所の所在地を管轄する公共職業安定所長に対して雇用保険被保険者離職証明書（以下本問において「離職証明書」という。）を添えずに雇用保険被保険者資格喪失届を提出することができる。

B 基本手当の支給を受けようとする者（未支給給付請求者を除く。）が離職票に記載された離職の理由に関し異議がある場合、管轄公共職業安定所に対し離職票及び離職の理由を証明することができる書類を提出しなければならない。

C 雇用する労働者が退職勧奨に応じたことで離職したことにより被保険者でなくなった場合、事業主は、離職証明書及び当該退職勧奨により離職したことを証明する書類を添えて、その事業所の所在地を管轄する公共職業安定所長に雇用保険被保険者資格喪失届を提出しなければならない。

D 基本手当の支給を受けようとする者（未支給給付請求者を除く。）であって就職状態にあるものが管轄公共職業安定所に対して離職票を提出した場合、当該就職状態が継続することにより基本手当の受給資格が認められなかったことについて不服があるときは、雇用保険審査官に対して審査請求をすることができる。

E 公共職業安定所長は、離職票を提出した者が雇用保険法第13条第1項所定の被保険者期間の要件を満たさないと認めたときは、離職票にその旨を記載して返付しなければならない。

問5 雇用保険の不正受給に関する次のアからオの記述のうち、正しいものの組合せは、後記AからEまでのうちどれか。

ア 基本手当の受給資格者が自己の労働によって収入を得た場合、当該収入が基本手当の減額の対象とならない額であっても、これを届け出なければ不正の行為として取り扱われる。

イ 偽りその他不正の行為により基本手当の支給を受けた者がある場合には、政府は、その者に対して、支給した基本手当の全部又は一部の返還を命ずるとともに、厚生労働大臣の定める基準により、当該偽りその他不正の行為により支給を受けた基本手当の額の3倍に相当する額の金額を納付することを命ずることができる。

ウ 偽りその他不正の行為により基本手当の支給を受けた者がある場合には、政府は、その者に対して過去適法に受給した基本手当の額を含めた基本手当の全部又は一部を返還することを命ずることができる。

エ 雇用保険法施行規則第120条にいう雇用関係助成金関係規定にかかわらず、過去5年以内に偽りその他不正の行為により雇用調整助成金の支給を受けた事業主には、雇用関係助成金を支給しない。

オ 偽りその他不正の行為により基本手当の支給を受けた者にやむを得ない理由がある場合、基本手当の全部又は一部を支給することができる。

A（アとイ）　　**B**（アとウ）　　**C**（イとエ）

D（ウとオ）　　**E**（エとオ）

問6 雇用保険の高年齢雇用継続給付に関する次の記述のうち、正しいものはどれか。

A 支給対象月における高年齢雇用継続基本給付金の額として算定された額が、雇用保険法第17条第4項第1号に掲げる賃金日額の最低限度額（その額が同法第18条の規定により変更されたときは、その変更された額）の100分の80に相当する額を超えないとき、当該支給対象月について高年齢雇用継続基本給付金は支給されない。

B 就業促進手当（厚生労働省令で定める安定した職業に就いた者であって、当該職業に就いた日の前日における基本手当の支給残日数が当該受給資格に基づく所定給付日数の3分の1以上であるものに限る。）を受けたときは、当該就業促進手当に加えて同一の就職につき高年齢再就職給付金を受けることができる。

C 高年齢再就職給付金の受給資格者に対して再就職後の支給対象月に支払われた賃金の額が、基本手当の日額の算定の基礎となった賃金日額に30を乗じて得た額の100分の85に相当する額未満であるとき、当該受給資格者に対して支給される高年齢再就職給付金の額は、支給対象月に支払われた賃金の額の100分の15となる。

D 厚生労働大臣が雇用保険法第61条第1項第2号に定める支給限度額を同法第61条第7項により変更したため高年齢雇用継続基本給付金を受給している者の支給対象月に支払われた賃金額が支給限度額以上となった場合、変更後の支給限度額は当該変更から3か月間、変更前の支給限度額の額とみなされる。

E 育児休業給付金の支給を受けて休業をした者は、当該育児休業給付金の支給を受けることができる休業をした月について、他の要件を満たす限り高年齢雇用継続基本給付金が支給される。

問7 雇用調整助成金に関する次の記述のうち、誤っているものはどれか。

A 対象被保険者を休業させることにより雇用調整助成金の支給を受けようとする事業主は、休業の実施に関する事項について、あらかじめ当該事業所の労働者の過半数で組織する労働組合（労働者の過半数で組織する労働組合がないときは、労働者の過半数を代表する者）との間に書面による協定をしなければならない。

B 被保険者を出向させたことにより雇用調整助成金の支給を受けた事業主が当該出向の終了後6か月以内に当該被保険者を再度出向させるときは、当該事業主は、再度の出向に係る雇用調整助成金を受給することができない。

C 出向先事業主が出向元事業主に係る出向対象被保険者を雇い入れる場合、当該出向先事業主の事業所の被保険者を出向させているときは、当該出向先事業主は、雇用調整助成金を受給することができない。

D 対象被保険者を休業させることにより雇用調整助成金の支給を受けようとする事業主は、当該事業所の対象被保険者に係る休業等の実施の状況及び手当又は賃金の支払の状況を明らかにする書類を整備していなければならない。

E 事業主が景気の変動、産業構造の変化その他の経済上の理由により、急激に事業活動の縮小を余儀なくされたことにより休業することを都道府県労働局長に届け出た場合、当該事業主は、届出の際に当該事業主が指定した日から起算して3年間雇用調整助成金を受けることができる。

問8 労働保険の保険料の徴収等に関する次の記述のうち、正しいものはどれか。

A 雇用保険暫定任意適用事業に該当する事業が雇用保険法第5条第1項の適用事業に該当するに至った場合は、その該当するに至った日から10日以内に労働保険徴収法第4条の2に規定する保険関係成立届を所轄労働基準監督署長又は所轄公共職業安定所長に提出することによって、その事業につき雇用保険に係る保険関係が成立する。

B 都道府県に準ずるもの及び市町村に準ずるものの行う事業については、労災保険に係る保険関係と雇用保険に係る保険関係の双方を一の事業についての労働保険の保険関係として取り扱い、一般保険料の算定、納付等の手続を一元的に処理する事業として定められている。

C 保険関係が成立している事業の事業主は、事業主の氏名又は名称及び住所に変更があったときは、変更を生じた日の翌日から起算して10日以内に、労働保険徴収法施行規則第5条第2項に規定する事項を記載した届書を所轄労働基準監督署長又は所轄公共職業安定所長に提出することによって行わなければならない。

D 雇用保険に係る保険関係が成立している雇用保険暫定任意適用事業の事業主については、その事業に使用される労働者の4分の3以上の同意を得て、その者が当該保険関係の消滅の申請をした場合、厚生労働大臣の認可があった日に、その事業についての当該保険関係が消滅する。

E 雇用保険法第5条第1項の適用事業及び雇用保険に係る保険関係が成立している雇用保険暫定任意適用事業の保険関係は、当該事業が廃止され、又は終了したときは、その事業についての保険関係は、その日に消滅する。

問9 労働保険の保険料の徴収等に関する次の記述のうち、誤っているものはどれか。

A 雇用保険印紙購入通帳は、その交付の日の属する保険年度に限りその効力を有するが、有効期間の更新を受けた当該雇用保険印紙購入通帳は、更新前の雇用保険印紙購入通帳の有効期間が満了する日の翌日の属する保険年度に限り、その効力を有する。

B 事業主は、雇用保険印紙購入通帳の雇用保険印紙購入申込書がなくなった場合であって、当該保険年度中に雇用保険印紙を購入しようとするときは、その旨を所轄公共職業安定所長に申し出て、再交付を受けなければならない。

C 事業主は、その所持する雇用保険印紙購入通帳の有効期間が満了したときは、速やかに、その所持する雇用保険印紙購入通帳を所轄公共職業安定所長に返納しなければならない。

D 事業主は、雇用保険印紙と印紙保険料納付計器を併用して印紙保険料を納付する場合、労働保険徴収法施行規則第54条に定める印紙保険料納付状況報告書によって、毎月における雇用保険印紙の受払状況及び毎月における印紙保険料納付計器の使用状況を、所轄公共職業安定所長を経由して、所轄都道府県労働局歳入徴収官に報告しなければならない。

E 事業主は、印紙保険料納付計器の全部又は一部を使用しなくなったときは、当該使用しなくなった印紙保険料納付計器を納付計器に係る都道府県労働局歳入徴収官に提示しなければならず、当該都道府県労働局歳入徴収官による当該印紙保険料納付計器の封の解除その他必要な措置を受けることとなる。

問10 労働保険の保険料の徴収等に関する次の記述のうち、正しいものはどれか。

A 前保険年度より保険関係が引き続く継続事業の事業主は、労働保険徴収法第19条第1項に定める確定保険料申告書を、保険年度の7月10日までに所轄都道府県労働局歳入徴収官に提出しなければならないが、当該事業が3月31日に廃止された場合には同年5月10日までに提出しなければならない。

B 3月31日に事業が終了した有期事業の事業主は、労働保険徴収法第19条第1項に定める確定保険料申告書を、同年5月10日までに所轄都道府県労働局歳入徴収官に提出しなければならない。

C 2以上の有期事業が労働保険徴収法第7条に定める要件に該当し、一の事業とみなされる事業についての事業主は、当該事業が継続している場合、同法施行規則第34条に定める一括有期事業についての報告書を、次の保険年度の7月1日までに所轄都道府県労働局歳入徴収官に提出しなければならない。

D 前保険年度より保険関係が引き続く継続事業の事業主は、前保険年度の3月31日に賃金締切日があり当該保険年度の4月20日に当該賃金を支払う場合、当該賃金は前保険年度の確定保険料として申告すべき一般保険料の額を算定する際の賃金総額に含まれる。

E 労働保険徴収法第21条の規定により追徴金を徴収しようとする場合、所轄都道府県労働局歳入徴収官は、事業主が通知を受けた日から起算して30日を経過した日をその納期限と定め、納入告知書により、事業主に、当該追徴金の額、その算定の基礎となる事項及び納期限を通知しなければならない。

労務管理その他の労働及び社会保険に関する一般常識

問1 我が国の労働安全衛生に関する次の記述のうち、誤っているものはどれ
か。

なお、本問は、「令和４年労働安全衛生調査（実態調査）（事業所調査）
（厚生労働省）」を参照しており、当該調査による用語及び統計等を利用して
いる。

A メンタルヘルス対策に取り組んでいる事業所の割合は６割を超えている。こ
のうち、対策に取り組んでいる事業所の取組内容（複数回答）をみると、「ス
トレスチェックの実施」の割合が最も多く、次いで「メンタルヘルス不調の労
働者に対する必要な配慮の実施」となっている。

B 過去１年間（令和３年11月１日から令和４年10月31日までの期間）に一般健
康診断を実施した事業所のうち所見のあった労働者がいる事業所の割合は約７
割となっている。このうち、所見のあった労働者に講じた措置内容（複数回
答）をみると、「健康管理等について医師又は歯科医師から意見を聴いた」の
割合が最も多くなっている。

C 傷病（がん、糖尿病等の私傷病）を抱えた何らかの配慮を必要とする労働者
に対して、治療と仕事を両立できるような取組がある事業所の割合は約６割と
なっている。このうち、取組内容（複数回答）をみると、「通院や体調等の状
況に合わせた配慮、措置の検討（柔軟な労働時間の設定、仕事内容の調整）」
の割合が最も多く、次いで「両立支援に関する制度の整備（年次有給休暇以外
の休暇制度、勤務制度等）」となっている。

D 傷病（がん、糖尿病等の私傷病）を抱えた労働者が治療と仕事を両立できる
ような取組がある事業所のうち、取組に関し困難や課題と感じていることがあ
る事業所の割合は約８割となっている。このうち、困難や課題と感じている内
容（複数回答）をみると、「上司や同僚の負担」の割合が最も多く、次いで
「代替要員の確保」となっている。

E 転倒災害を防止するための対策に取り組んでいる事業所の割合は8割を超えている。このうち、転倒災害防止対策の取組内容（複数回答）をみると、「通路、階段、作業場所等の整理・整頓・清掃の実施」の割合が最も多く、次いで「手すり、滑り止めの設置、段差の解消、照度の確保等の設備の改善」となっている。

問2 我が国の労使間の交渉等に関する次の記述のうち、誤っているものはどれか。

　　なお、本問は、「令和4年労使間の交渉等に関する実態調査（厚生労働省）」を参照しており、当該調査による用語及び統計等を利用している。また、BからDまでの「過去3年間」とは、「令和元年7月1日から令和4年6月30日」の期間をいう。

A 過去1年間（令和3年7月1日から令和4年6月30日の期間）に、正社員以外の労働者に関して使用者側と話合いが持たれた事項（複数回答）をみると、「派遣労働者に関する事項」の割合が最も高く、次いで「同一労働同一賃金に関する事項」、「正社員以外の労働者（派遣労働者を除く）の労働条件」の順となっている。

B 過去3年間に「何らかの労使間の交渉があった」事項をみると、「賃金・退職給付に関する事項」の割合が最も高く、次いで「労働時間・休日・休暇に関する事項」、「雇用・人事に関する事項」の順となっている。

C 過去3年間に使用者側との間で「団体交渉を行った」労働組合について、交渉形態（複数回答）をみると、「当該労働組合のみで交渉」の割合が最も高く、次いで「企業内上部組織又は企業内下部組織と一緒に交渉」、「企業外上部組織（産業別組織）と一緒に交渉」の順となっている。

D 過去3年間に「労働争議がなかった」労働組合について、その理由（複数回答 主なもの三つまで）をみると、「対立した案件がなかったため」の割合が最も高く、次いで「対立した案件があったが話合いで解決したため」、「対立した案件があったが労働争議に持ち込むほど重要性がなかったため」の順となっている。

E 労使間の諸問題を解決するために今後最も重視する手段をみると、「団体交渉」の割合が最も高く、次いで「労使協議機関」となっている。

問3 労働契約法等に関する次の記述のうち、正しいものはどれか。

A 労働契約は労働者及び使用者が合意することによって成立するが、合意の要素は、「労働者が使用者に使用されて労働すること」、「使用者がこれに対して賃金を支払うこと」、「詳細に定められた労働条件」であり、労働条件を詳細に定めていなかった場合には、労働契約が成立することはない。

B 労働基準法第106条に基づく就業規則の「周知」は、同法施行規則第52条の2各号に掲げる、常時各作業場の見やすい場所へ掲示する等の方法のいずれかによるべきこととされているが、労働契約法第7条柱書きの場合の就業規則の「周知」は、それらの方法に限定されるものではなく、実質的に判断される。

C 労働基準法第89条及び第90条に規定する就業規則に関する手続が履行されていることは、労働契約法第10条本文の、「労働契約の内容である労働条件は、当該変更後の就業規則に定めるところによる」という法的効果を生じさせるための要件ではないため、使用者による労働基準法第89条及び第90条の遵守の状況を労働契約法第10条本文の合理性判断に際して考慮してはならない。

D 労働契約法第17条第1項の「やむを得ない事由」があるか否かは、個別具体的な事案に応じて判断されるものであるが、期間の定めのある労働契約（以下本問において「有期労働契約」という。）は、試みの使用期間（試用期間）を設けることが難しく、使用者は労働者の有する能力や適性を事前に十分に把握できないことがあることから、「やむを得ない事由」があると認められる場合は、同法第16条に定めるいわゆる解雇権濫用法理における「客観的に合理的な理由を欠き、社会通念上相当であると認められない場合」以外の場合よりも広いと解される。

E　労働契約法第18条第1項によれば、労働者が、同一の使用者との間で締結された2以上の有期労働契約（契約期間の始期の到来前のものを除く。以下本肢において同じ。）の契約期間を通算した期間が5年を超えた場合には、当該使用者が、当該労働者に対し、現に締結している有期労働契約の契約期間が満了する日の翌日から労務が提供される期間の定めのない労働契約の申込みをしたものとみなすこととされている。

令和6年度
（第56回）

択一式

問4　労働関係法規に関する次のアからオの記述のうち、誤っているものの組合せは、後記AからEまでのうちどれか。

ア　労働者の募集を行う者及び募集受託者は、職業安定法に基づく業務に関して新聞、雑誌その他の刊行物に掲載する広告、文書の掲出又は頒布その他厚生労働省令で定める方法により労働者の募集に関する情報その他厚生労働省令で定める情報を提供するときは、正確かつ最新の内容に保たなければならない。

イ　最低賃金法第8条は、「最低賃金の適用を受ける使用者は、厚生労働省令で定めるところにより、当該最低賃金の概要を、常時作業場の見やすい場所に掲示し、又はその他の方法で、労働者に周知させるための措置をとらなければならない。」と定めている。

ウ　障害者専用の求人の採用選考又は採用後において、仕事をする上での能力及び適性の判断、合理的配慮の提供のためなど、雇用管理上必要な範囲で、プライバシーに配慮しつつ、障害者に障害の状況等を確認することは、障害者であることを理由とする差別に該当せず、障害者の雇用の促進等に関する法律に違反しない。

エ　労働施策総合推進法第9条は、「事業主は、労働者がその有する能力を有効に発揮するために必要であると認められるときとして厚生労働省令で定めるときは、労働者の配置（業務の配分及び権限の付与を含む。）及び昇進について、厚生労働省令で定めるところにより、その年齢にかかわりなく均等な機会を与えなければならない。」と定めている。

オ 基本給の一部について、労働者の業績又は成果に応じて支給しているＹ社において、通常の労働者が販売目標を達成した場合に行っている支給を、短時間労働者であるＸについて通常の労働者と同一の販売目標を設定し、当該販売目標を達成しない場合には支給を行っていなくても、パートタイム・有期雇用労働法上は問題ない。

A（アとイ）　　**B**（アとウ）　　**C**（イとエ）
D（ウとオ）　　**E**（エとオ）

問5 社会保険労務士法令に関する次の記述のうち、誤っているものはどれか。なお、Ｂにつき、「申請書等」とは社会保険労務士法施行規則第16条の2に規定する「申請書等」をいう。

A 社会保険労務士法第2条第1項柱書きにいう「業とする」とは、社会保険労務士法に定める社会保険労務士の業務を、反復継続して行う意思を持って反復継続して行うことをいい、他人の求めに応ずるか否か、有償、無償の別を問わない。

B 社会保険労務士又は社会保険労務士法人は、社会保険労務士法第2条第1項第1号の3に規定する事務代理又は紛争解決手続代理業務（以下本肢において「事務代理等」という。）をする場合において、申請書等を行政機関等に提出するときは、当該社会保険労務士又は社会保険労務士法人に対して事務代理等の権限を与えた者の氏名又は名称を記載した申請書等に「事務代理者」又は「紛争解決手続代理者」と表示し、かつ、当該事務代理等に係る社会保険労務士の名称を冠してその氏名を記載しなければならない。

C 社会保険労務士となる資格を有する者が、社会保険労務士法第14条の2に定める登録を受ける前に、社会保険労務士の名称を用いて他人の求めに応じ報酬を得て、同法第2条第1項第1号から第2号までに掲げる事務を業として行った場合には、同法第26条（名称の使用制限）違反とはならないが、同法第27条（業務の制限）違反となる。

D 全国社会保険労務士会連合会は、社会保険労務士法第14条の６第１項の規定により登録を拒否しようとするときは、あらかじめ、当該申請者にその旨を通知して、相当の期間内に自ら又はその代理人を通じて弁明する機会を与えなければならず、同項の規定により登録を拒否された者は、当該処分に不服があるときは、厚生労働大臣に対して審査請求をすることができる。

E 開業社会保険労務士及び社会保険労務士法人は、正当な理由がある場合でなければ、依頼（紛争解決手続代理業務に関するものを除く。）を拒んではならない。

問6 確定給付企業年金法に関する次の記述のうち、正しいものはどれか。

A 企業年金基金（以下本問において「基金」という。）は、分割しようとするときは、厚生労働大臣の認可を受けなければならない。また、基金の分割は、実施事業所の一部について行うことができる。

B 確定給付企業年金法第78条第１項によると、事業主等がその実施事業所を増加させ、又は減少させようとするときは、その増加又は減少に係る厚生年金適用事業所の事業主の過半数の同意及び労働組合等の同意を得なければならない。

C 基金は、代議員会において代議員の定数の３分の２以上の多数により議決したとき、又は基金の事業の継続が不可能となったときは、厚生労働大臣の認可を受けて、解散することができる。

D 確定給付企業年金を実施する厚生年金適用事業所の事業主は、厚生労働大臣の認可を受けて、その実施する確定給付企業年金の清算人になることができる。

E 確定給付企業年金法第89条第６項によると、終了した確定給付企業年金の残余財産（政令で定めるものを除く。）は、政令で定める基準に従い規約で定めるところにより、その終了した日において当該確定給付企業年金を実施する事業主等が給付の支給に関する義務を負っていた者に分配しなければならない。

問7 確定拠出年金法に関する次の記述のうち、誤っているものはどれか。

A 企業型年金加入者は、政令で定める基準に従い企業型年金規約で定めるところにより、年1回以上、定期的に自ら掛金を拠出することができる。

B 企業型年金加入者掛金を拠出する企業型年金加入者は、企業型年金加入者掛金を企業型年金規約で定める日までに事業主を介して資産管理機関に納付するものとする。

C 企業型年金の給付のうち年金として支給されるもの（以下本肢において「年金給付」という。）の支給は、これを支給すべき事由が生じた月の翌月から始め、権利が消滅した月で終わるものとする。年金給付の支払期月については、企業型年金規約で定めるところによる。

D 個人型年金加入者は、厚生労働省令で定めるところにより、氏名及び住所その他の事項を、当該個人型年金加入者が指定した運用関連業務を行う確定拠出年金運営管理機関に届け出なければならない。

E 個人型年金加入者掛金の額は、個人型年金規約で定めるところにより、個人型年金加入者が決定し、又は変更する。

問8 国民健康保険法に関する次の記述のうち、正しいものはどれか。

A 市町村（特別区を含む。以下本問において同じ。）は、国民健康保険事業の運営が適切かつ円滑に行われるよう、国民健康保険組合（以下「国保組合」という。）その他の関係者に対し、必要な指導及び助言を行うものとする。

B 国保組合は、規約の定めるところにより、組合員の世帯に属する者を包括して被保険者としないことができる。

C 国保組合が解散したときは、破産手続開始の決定による解散の場合を除き、監事がその清算人となる。ただし、規約に別段の定めがあるとき、又は組合会において監事以外の者を選任したときは、この限りでない。

D 国民健康保険審査会は、各都道府県に置かれ、被保険者を代表する委員、保険者を代表する委員及び保険医又は保険薬剤師を代表する委員各3人をもって組織される。

E 市町村若しくは国保組合又は国民健康保険団体連合会は、厚生労働省令で定めるところにより、事業状況を厚生労働大臣に報告しなければならない。

問9 社会保障制度に関する次のアからオの記述のうち、正しいものの組合せは、後記AからEまでのうちどれか。

なお、本問の「ア、イ、ウ」は「令和5年版厚生労働白書（厚生労働省）」を参照しており、当該白書又は当該白書が引用している調査による用語及び統計等を利用している。

ア 日本の公的年金制度は、予測することが難しい将来のリスクに対して、社会全体であらかじめ備えるための制度であり、現役世代の保険料負担により、その時々の高齢世代の年金給付をまかなう世代間扶養である賦課方式を基本とした仕組みで運営されている。賃金や物価の変化を年金額に反映させながら、生涯にわたって年金が支給される制度として設計されており、必要なときに給付を受けることができる保険として機能している。

イ 公的年金制度の給付の状況としては、全人口の約3割が公的年金の受給権を有している。高齢者世帯に関してみれば、その収入の約8割を公的年金等が占めるなど、年金給付が国民の老後生活の基本を支えるものとしての役割を担っていることがわかる。

ウ 「年金制度の機能強化のための国民年金法等の一部を改正する法律」による短時間労働者に対する被用者保険の適用拡大には、これまで国民年金・国民健康保険に加入していた人が被用者保険の適用を受けることにより、基礎年金に加えて報酬比例の厚生年金保険給付が支給されることに加え、障害厚生年金には、障害等級3級や障害手当金も用意されているといった大きなメリットがある。また、医療保険においても傷病手当金や出産手当金が支給される。

エ 日本から海外に派遣され就労する邦人等が日本と外国の年金制度等に加入し保険料を二重に負担することを防ぎ、また、両国での年金制度の加入期間を通算できるようにすることを目的として、外国との間で社会保障協定の締結を進めている。2024（令和6）年4月1日現在、22か国との間で協定が発効しており、一番初めに協定を締結した国はドイツである。

オ 日本と社会保障協定を発効している国のうち英国、韓国、中国及びイタリアとの協定については、「両国での年金制度の加入期間を通算すること」を主な内容としている。

A（アとイ）　　**B**（アとウ）　　**C**（イとエ）
D（ウとオ）　　**E**（エとオ）

問10 社会保険制度の死亡に係る給付に関する次の記述のうち、正しいものはどれか。

A 船員保険の被保険者が職務外の事由により死亡したとき、又は船員保険の被保険者であった者が、その資格を喪失した後6か月以内に職務外の事由により死亡したときは、被保険者又は被保険者であった者により生計を維持していた者であって、埋葬を行った者に対し、埋葬料として、5万円を支給する。

B 市町村（特別区を含む。）及び国保組合は、国民健康保険の被保険者の死亡に関しては、条例又は規約の定めるところにより、埋葬料として、5万円を支給する。

C 健康保険の日雇特例被保険者が死亡した場合において、その死亡の日の属する月の前2か月間に通算して26日分以上若しくは当該月の前6か月間に通算して78日分以上の保険料がその者について納付されていなくても、その死亡の際その者が療養の給付を受けていたときは、その者により生計を維持していた者であって、埋葬を行うものに対し、埋葬料として、5万円を支給する。

D 健康保険の被保険者が死亡したときに、その者により生計を維持していた者がいない場合には、埋葬を行った者に対し、埋葬料として、5万円を支給する。

E 後期高齢者医療広域連合は、高齢者医療確保法の被保険者の死亡に関しては、条例の定めるところにより、埋葬料として、5万円を支給する。

健康保険法

令和6年度
（第56回）

択一式

問1 健康保険法に関する次の記述のうち、正しいものはどれか。

A 全国健康保険協会（以下「協会」という。）は、厚生労働大臣から事業年度ごとの業績について評価を受け、その評価の結果を公表しなければならない。

B 任意継続被保険者は、任意継続被保険者でなくなることを希望する旨を、厚生労働省令で定めるところにより、保険者に申し出た場合において、その申し出た日の属する月の末日が到来するに至ったときは、その翌日から任意継続被保険者の資格を喪失する。

C 一般労働者派遣事業の事業所に雇用される登録型派遣労働者が、派遣就業に係る雇用契約の終了後、1か月以内に同一の派遣元事業主のもとでの派遣就業に係る次回の雇用契約が締結されなかった場合には、その雇用契約が締結されないことが確実になった日又は当該1か月を経過した日のいずれか遅い日をもって使用関係が終了したものとし、その使用関係終了日から5日以内に事業主は被保険者資格喪失届を提出する義務が生じるものであって、派遣就業に係る雇用契約の終了時に遡って被保険者資格を喪失させるものではない。

D 保険医療機関の指定の取消処分を受けた医療機関に関して、健康保険法第65条第3項第1号において、当該医療機関がその取消しの日から5年を経過しないものであるときは、保険医療機関の指定をしないことができるとされているが、当該医療機関の機能、事案の内容等を総合的に勘案し、地域医療の確保を図るため特に必要があると認められる場合であって、診療内容又は診療報酬の請求に係る不正又は著しい不当に関わった診療科が、2年を経過した期間保険診療を行わない場合については、取消処分と同時に又は一定期間経過後に当該医療機関を保険医療機関として指定することができる。

E 健康保険組合において、任意継続被保険者が被保険者の資格を喪失したときの標準報酬月額が、当該被保険者の属する健康保険組合の全被保険者における前年度の9月30日の標準報酬月額を平均した額を標準報酬月額の基礎となる報酬月額とみなしたときの標準報酬月額を超える場合は、規約で定めるところにより、資格喪失時の標準報酬月額をその者の標準報酬月額とすることができる。

問2 健康保険法に関する次の記述のうち、誤っているものはどれか。

A　被保険者の総数が常時50人以下の企業であっても、健康保険に加入することについての労使の合意（被用者の2分の1以上と事業主の合意）がなされた場合、1週間の所定労働時間が20時間以上であること、月額賃金が8.8万円以上であること、2か月を超える雇用の見込みがあること、学生でないことという要件をすべて満たす短時間労働者は、企業単位で健康保険の被保険者となる。（改題）

B　保険医療機関及び保険薬局は療養の給付に関し、保険医及び保険薬剤師は健康保険の診療又は調剤に関し、厚生労働大臣の指導を受けなければならない。厚生労働大臣は、この指導をする場合において、常に厚生労働大臣が指定する診療又は調剤に関する学識経験者を立ち会わせなければならない。

C　国庫は、毎年度、予算の範囲内において健康保険事業の事務の執行に要する費用を負担することになっており、健康保険組合に対して交付する国庫負担金は、各健康保険組合における被保険者数を基準として、厚生労働大臣が算定する。また、その国庫負担金は概算払いをすることができる。

D　協会は、財務諸表、事業報告書（会計に関する部分に限る。）及び決算報告書について、監事の監査のほか、厚生労働大臣が選任する会計監査人である公認会計士又は監査法人から監査を受けなければならない。

E　厚生労働大臣は、日雇特例被保険者に係る健康保険事業に要する費用（前期高齢者納付金等及び後期高齢者支援金等、介護納付金並びに流行初期医療確保拠出金等の納付に要する費用を含む。）に充てるため、健康保険法第155条の規定により保険料を徴収するほか、毎年度、日雇特例被保険者を使用する事業主の設立する健康保険組合から拠出金を徴収する。

問3 健康保険法に関する次のアからオの記述のうち、誤っているものの組合せは、後記AからEまでのうちどれか。

令和6年度
（第56回）

択一式

ア 健康保険組合が解散したとき、協会が健康保険組合の権利義務を承継する。健康保険組合が解散したときに未払い傷病手当金及びその他、付加給付等があれば、健康保険組合解散後においても支給される。しかし、解散後に引き続き発生した事由による傷病手当金の分については、組合員として受け取ることができる傷病手当金の請求権とは認められないので、協会に移管の場合は、これを協会への請求分として支給し、付加給付は認められない。

イ 協会管掌健康保険の被保険者（被保険者であった者を含む。）で、家族出産育児一時金の支給を受けることが見込まれる場合、妊娠4か月以上の被扶養者を有する者が医療機関に一時的な支払いが必要になったときは、協会の出産費貸付制度を利用して出産費貸付金を受けることができる。

ウ 適用事業所の事業主は、廃止、休止その他の事情により適用事業所に該当しなくなったときは、健康保険法施行規則第22条の規定により申請する場合を除き、当該事実があった日から5日以内に、所定の事項（事業主の氏名又は名称及び住所、事業所の名称及び所在地、適用事業所に該当しなくなった年月日及びその理由）を記載した届書を厚生労働大臣又は健康保険組合に提出しなければならない。

エ 特例退職被保険者の標準報酬月額については、健康保険法第41条から同法第44条までの規定にかかわらず、当該特定健康保険組合が管掌する前年（1月から3月までの標準報酬月額については、前々年）の9月30日における特例退職被保険者を含む全被保険者の同月の標準報酬月額を平均した額の範囲内においてその規約で定めた額を標準報酬月額の基礎となる報酬月額とみなしたときの標準報酬月額となる。

オ 協会は、2年ごとに、翌事業年度以降の5年間についての協会が管掌する健康保険の被保険者数及び総報酬額の見通し並びに保険給付に要する費用の額、保険料の額（各事業年度において財政の均衡を保つことができる保険料率の水準を含む。）その他の健康保険事業の収支の見通しを作成し、厚生労働大臣に届け出るものとする。

A （アとイ） B （アとウ） C （イとエ）

D （ウとオ） E （エとオ）

問4 健康保険法に関する次の記述のうち、誤っているものはどれか。

A 入院時の食事の提供に係る費用、特定長期入院被保険者に係る生活療養に係る費用、評価療養・患者申出療養・選定療養に係る費用、正常分娩及び単に経済的理由による人工妊娠中絶に係る費用は、療養の給付の対象とはならない。

B 健康保険組合は、特定の保険医療機関と合意した場合には、自ら審査及び支払いに関する事務を行うことができ、また、この場合、健康保険組合は当該事務を社会保険診療報酬支払基金（以下本肢において「支払基金」という。）以外の事業者に委託することができるが、公費負担医療に係る診療報酬請求書の審査及び支払いに関する事務を行う場合には、その旨を支払基金に届け出なければならない。

C 健康保険法第28条第1項に規定する健康保険組合による健全化計画は、同項の規定による指定の日の属する年度の翌年度を初年度とする3か年間の計画となり、事業及び財産の現状、財政の健全化の目標、その目標を達成するために必要な具体的措置及びこれに伴う収入支出の増減の見込額に関して記載しなければならない。

D 健康保険組合は、毎年度終了後6か月以内に、厚生労働省令で定めるところにより、事業及び決算に関する報告書を作成し、厚生労働大臣に提出しなければならない。

E 被保険者（任意継続被保険者を除く。）の資格を喪失した日以後に傷病手当金の継続給付の規定により傷病手当金の支給を始める場合においては、その資格を喪失した日の前日において当該被保険者であった者が属していた保険者等により定められた直近の継続した12か月間の各月の標準報酬月額を傷病手当金の額の算定の基礎に用いる。

問5 健康保険法に関する次の記述のうち、誤っているものはどれか。

A 保険者は、偽りその他不正の行為により保険給付を受け、又は受けようとした者に対して、6か月以内の期間を定め、その者に支給すべき傷病手当金又は出産手当金の全部又は一部を支給しない旨の決定をすることができる。ただし、偽りその他不正の行為があった日から1年を経過したときは、この限りでない。

B 匿名診療等関連情報利用者は、実費を勘案して政令で定める額の手数料を納めなければならない。納付すべき手数料の額は、匿名診療等関連情報の提供に要する時間1時間までごとに4,350円である。

C 徴収権の消滅時効の起算日は、保険料についてはその保険料の納期限の翌日、保険料以外の徴収金については徴収金を徴収すべき原因である事実の終わった日の翌日である。

D 健康保険法第183条の規定によりその例によるものとされる国税徴収法第141条の規定による徴収職員の質問（協会又は健康保険組合の職員が行うものを除く。）に対して答弁をせず、又は偽りの陳述をしたとき、その違反行為をした者は、50万円以下の罰金に処せられる。

E 適用事業所の事業主は、厚生労働省令で定めるところにより、被保険者の資格の取得に関する事項を保険者等に届け出なければならない。この届出については、被保険者の住所等を記載した被保険者資格取得届を提出することによって行うこととされているが、当該被保険者が健康保険組合が管掌する健康保険の被保険者であって、当該健康保険組合が当該被保険者の住所に係る情報を求めないときは、被保険者の住所は記載が不要である。

問6 健康保険法に関する次の記述のうち、正しいものはどれか。

A 健康保険組合の設立、合併又は分割を伴う健康保険組合が管掌する一般保険料率の変更においては、厚生労働大臣の権限を地方厚生局長に委任することができる。

B 協会の定款記載事項である事務所の所在地を変更する場合、厚生労働大臣の認可を受けなければその効力を生じない。

C 被保険者（任意継続被保険者を除く。）は、適用事業所に使用されるに至った日若しくはその使用される事業所が適用事業所となった日又は適用除外の規定に該当しなくなった日から、被保険者の資格を取得する。この使用されるに至った日とは、事業主と被保険者との間において事実上の使用関係の発生した日ではない。

D 一時帰休に伴い、就労していたならば受けられるであろう報酬よりも低額な休業手当等が支払われることとなった場合の標準報酬月額の決定については、標準報酬月額の定時決定の対象月に一時帰休に伴う休業手当等が支払われた場合、その休業手当等をもって報酬月額を算定して標準報酬月額を決定する。ただし、標準報酬月額の決定の際、既に一時帰休の状況が解消している場合は、当該定時決定を行う年の9月以後において受けるべき報酬をもって報酬月額を算定し、標準報酬月額を決定する。

E 保険者は、偽りその他不正の行為によって保険給付を受けた者があるときは、その者からその給付の価額の全部又は一部を徴収することができる。全部又は一部という意味は、情状によって詐欺その他の不正行為により受けた分の一部であるという趣旨である。

問7 健康保険法に関する次の記述のうち、正しいものはどれか。

A 健康保険組合は、規約で定めるところにより、事業主の負担すべき一般保険料額又は介護保険料額の負担の割合を増減することができる。

B 健康保険組合である保険者の開設する病院若しくは診療所又は薬局は、保険医療機関としての指定を受けなくとも当該健康保険組合以外の保険者の被保険者の診療を行うことができる。

C 保険給付を受ける権利は、譲り渡し、担保に供し、又は差し押さえることができないので、被保険者の死亡後においてその被保険者が請求権を有する傷病手当金又は療養の給付に代えて支給される療養費等は公法上の債権であるから相続権者が請求することはできない。

D　療養の給付を受けようとする者は、厚生労働省令で定めるところにより、保険医療機関等のうち、自己の選定するものから、電子資格確認その他厚生労働省令で定める方法により、被保険者であることの確認を受けて療養の給付を受ける。被保険者資格の確認方法の1つに、保険医療機関等が、過去に取得した療養又は指定訪問看護を受けようとする者の被保険者の資格に係る情報を用いて、保険者に対して電子情報処理組織を使用する方法その他の情報通信の技術を利用する方法により、あらかじめ照会を行い、保険者から回答を受けて取得した直近の当該情報を確認する方法がある。

E　付加給付は、保険給付の一部であり、かつ法定給付に併せて行われるべきものであるから、法の目的に適いその趣旨に沿ったものでなければならない。法定給付期間を超えるもの、健康保険法の目的を逸脱するもの、又はこの制度で定める医療の内容又は医療の給付の範囲を超えるもの若しくは、保健施設的なものは廃止しなければならないが、家族療養費の付加給付は、特定の医療機関を受診した場合に限り認めることは差し支えない。

問8　健康保険法に関する次の記述のうち、正しいものはどれか。

A　保険料及びその他健康保険法の規定による徴収金を滞納する者に対して督促をしたときは、保険者は徴収金額に督促状の到達の翌日から徴収金完納又は財産差押えの日の前日までの期間の日数に応じて、年14.6％（当該督促が保険料に係るものであるときは、当該納期限の翌日から3か月を経過する日までの期間については、年7.3％）の割合を乗じて計算した延滞金を徴収する。

B　被保険者が、妊娠6か月の身体をもって業務中に転倒強打して早産したときは、健康保険法に規定される保険事故として、出産育児一時金が支給される。

C　厚生労働大臣は、国民保健の向上に資するため、匿名診療等関連情報の利用又は提供に係る規定により匿名診療等関連情報を大学その他の研究機関に提供しようとする場合には、あらかじめ、社会保障審議会の議を経て、承認を得なければならない。

D 協会の役員に対する報酬及び退職手当は、その役員の業績が考慮されるものでなければならない。協会は、その役員に対する報酬及び退職手当の支給の基準を定め、これを厚生労働大臣に届け出て、その承認を得た後、それを公表しなければならない。これを変更したときも、同様とする。

E 義手義足は、療養の過程において、その傷病の治療のため必要と認められる場合に療養費として支給されているが、症状固定後に装着した義肢の単なる修理に要する費用も療養費として支給することは認められる。

問9 健康保険法に関する次の記述のうち、正しいものはいくつあるか。

ア 厚生労働大臣により保険医療機関の指定を受けた病院及び病床を有する診療所は、指定の日から起算して6年を経過したときは、その効力を失うが、その指定の効力を失う日前6か月から同日前3か月までの間に、別段の申出がないときは、保険医療機関の申請があったものとみなす。

イ 厚生労働大臣による保険医療機関又は保険薬局の指定は、病院若しくは診療所又は薬局の開設者の申請により行う。当該申請に係る病院若しくは診療所又は薬局が、保険医療機関又は保険薬局の指定を取り消され、その取消しの日から5年を経過しないものであるときは、厚生労働大臣は保険医療機関又は保険薬局の指定をしないことができるが、厚生労働大臣は、指定をしないこととするときは、地方社会保険医療協議会の議を経なければならない。

ウ 保険医療機関において健康保険の診療に従事する医師若しくは歯科医師又は保険薬局において健康保険の調剤に従事する薬剤師は、厚生労働大臣の登録を受けた医師若しくは歯科医師又は薬剤師（以下本肢において「保険医等」という。）でなければならない。当該登録の日から起算して6年を経過したときは、その効力を失うが、その登録の効力を失う日前6か月から同日前3か月までの間に、別段の申出がないときは、保険医等の申請があったものとみなす。

エ　指定訪問看護事業者の指定は、厚生労働省令で定めるところにより、訪問看護事業を行う者の申請により、訪問看護事業を行う事業所ごとに行う。一方、指定訪問看護事業者以外の訪問看護事業を行う者について、介護保険法の規定による指定居宅サービス事業者の指定、指定地域密着型サービス事業者の指定又は指定介護予防サービス事業者の指定があったときは、その指定の際、当該訪問看護事業を行う者について、指定訪問看護事業者の指定があったものとみなす。

令和6年度（第56回）択一式

オ　厚生労働大臣は、健康保険法第92条第2項に規定する指定訪問看護の事業の運営に関する基準（指定訪問看護の取扱いに関する部分に限る。）を定めようとするときは、中央社会保険医療協議会に諮問するものとする。

A　一つ

B　二つ

C　三つ

D　四つ

E　五つ

問10　健康保険法に関する次の記述のうち、正しいものはどれか。

A　被保険者甲（令和5年1月1日資格取得）は、出産予定日が令和6年1月10日であったが、実際の出産日は令和5年12月25日であったことから、出産日の前日まで引き続き1年以上の被保険者期間がなかった。これにより、被保険者の資格を取得してから1年を経過した日から出産の日後56日までの間において労務に服さなかった期間、出産手当金が支給される。

B　独立して生計を営む子が、健康保険法の適用を受けない事業所に勤務していた間に、疾病のため失業し被保険者である父に扶養されるに至った場合、扶養の事実は保険事故発生当時の状況によって被扶養者となるかを決定すべきであるから、被扶養者となることはできない。

C　被保険者乙の配偶者が令和5年8月8日に双生児を出産したことから、被保険者乙は令和5年10月1日から令和5年12月31日まで育児休業を取得した。この場合、令和6年1月分の当該被保険者に関する保険料は徴収されない。

D　被保険者丙は令和6年1月1日に週3日午前9時から午後1時まで勤務のパートタイムスタッフとして社員数30名の会社（正社員は週5日午前9時始業、午後6時終業、途中で1時間の昼休憩あり）に入社した。その後、雇用契約の見直しが行われ、令和6年4月15日付けで週4日午前9時から午後6時まで（途中で1時間の昼休憩あり）の勤務形態に変更となったため、被保険者資格取得届の提出が行われ、令和6年4月15日から健康保険の被保険者となった。

E　健康保険法に定める特定適用事業所以外の適用事業所の事業主は、労働組合がない場合であっても、当該事業主の1又は2以上の適用事業所に使用される2分の1以上同意対象者の過半数を代表する者の同意又は2分の1以上同意対象者の2分の1以上の同意を得ることによって、保険者等に当該事業主の1又は2以上の適用事業所に使用される特定4分の3未満短時間労働者について一般の被保険者とは異なる短時間被保険者の資格取得の申出をすることができる。

厚生年金保険法

問1 厚生年金保険法に関する次の記述のうち、正しいものはどれか。

A　厚生労働大臣による被保険者の資格に関する処分に不服がある者は、社会保険審査会に対して審査請求をすることができる。

B　厚生労働大臣による保険料の賦課の処分に不服がある者は、社会保険審査官に対して審査請求をすることができる。

C　厚生労働大臣による脱退一時金に関する処分に不服がある者は、社会保険審査会に対して審査請求をすることができる。

D　第1号厚生年金被保険者が厚生年金保険原簿の訂正請求をしたが、厚生労働大臣が訂正をしない旨を決定した場合、当該被保険者が当該処分に不服がある場合は、社会保険審査官に対して審査請求をすることができる。

E　被保険者の資格又は標準報酬に関する処分が確定した場合でも、その処分についての不服を当該処分に基づく保険給付に関する処分についての不服の理由とすることができる。

問2 厚生年金保険法に関する次の記述のうち、正しいものはどれか。

A　甲は第1号厚生年金被保険者期間を140か月有していたが、後に第2号厚生年金被保険者期間を150か月有するに至り、それぞれの被保険者期間に基づく老齢厚生年金の受給権が同じ日に発生した（これら以外の被保険者期間は有していない。）。甲について加給年金額の加算の対象となる配偶者がいる場合、第1号厚生年金被保険者期間に基づく老齢厚生年金に加給年金額が加算される。

B　厚生年金保険の保険料を滞納した者に対して督促が行われたときは、原則として延滞金が徴収されるが、納付義務者の住所及び居所がともに明らかでないため公示送達の方法によって督促したときは、延滞金は徴収されない。

C　厚生年金保険の保険料を滞納した者に対して督促が行われた場合において、督促状に指定した期限までに保険料を完納したとき、又は厚生年金保険法第87条第1項から第3項までの規定によって計算した金額が1,000円未満であるときは、延滞金は徴収しない。

D 保険料の納付の督促を受けた納付義務者がその指定の期限までに保険料を納付しないときは、厚生労働大臣は、自ら国税滞納処分の例によってこれを処分することができるほか、納付義務者の居住地等の市町村（特別区を含む。以下本肢において同じ。）に対して市町村税の例による処分を請求することもできる。後者の場合、厚生労働大臣は徴収金の100分の5に相当する額を当該市町村に交付しなければならない。

E 滞納処分等を行う徴収職員は、滞納処分等に係る法令に関する知識並びに実務に必要な知識及び能力を有する日本年金機構の職員のうちから厚生労働大臣が任命する。

問3 厚生年金保険法に関する次の記述のうち、誤っているものはどれか。

A 同一人に対して国民年金法による年金たる給付の支給を停止して年金たる保険給付（厚生労働大臣が支給するものに限る。以下本肢において同じ。）を支給すべき場合において、年金たる保険給付を支給すべき事由が生じた月の翌月以後の分として同法による年金たる給付の支払いが行われたときは、その支払われた同法による年金たる給付は、年金たる保険給付の内払いとみなすことができる。

B 適用事業所に使用される70歳以上の者であって、老齢厚生年金、国民年金法による老齢基礎年金その他の老齢又は退職を支給事由とする年金たる給付であって政令で定める給付の受給権を有しないもの（厚生年金保険法第12条各号に該当する者を除く。）は、厚生年金保険法第9条の規定にかかわらず、実施機関に申し出て被保険者となることができる。

C 適用事業所に使用される高齢任意加入被保険者（厚生労働大臣が住民基本台帳法第30条の9の規定により地方公共団体情報システム機構が保存する本人確認情報の提供を受けることができる者を除く。）は、その住所を変更したときは、所定の事項を記載した届書を10日以内に日本年金機構に提出しなければならない。

D 甲は、令和6年5月1日に厚生年金保険の被保険者の資格を取得したが、同月15日にその資格を喪失し、同日、国民年金の第1号被保険者の資格を取得した。この場合、同年5月分については、1か月として厚生年金保険における被保険者期間に算入する。

E 厚生年金保険法第28条によれば、実施機関は、被保険者に関する原簿を備え、これに所定の事項を記録しなければならないとされるが、この規定は第2号厚生年金被保険者についても適用される。

令和6年度
（第56回）

択一式

問4 次の記述のうち、老齢厚生年金の支給繰下げの申出をすることができないものはいくつあるか。

なお、いずれも、老齢厚生年金の支給繰下げの申出に係るその他の条件を満たしているものとする。

ア 老齢厚生年金の受給権を取得したときに障害厚生年金の受給権者であった者。

イ 老齢厚生年金の受給権を取得したときに遺族厚生年金の受給権者であった者。

ウ 老齢厚生年金の受給権を取得したときに老齢基礎年金の受給権者であった者。

エ 老齢厚生年金の受給権を取得したときに障害基礎年金の受給権者であった者。

オ 老齢厚生年金の受給権を取得したときに遺族基礎年金の受給権者であった者。

A 一つ

B 二つ

C 三つ

D 四つ

E 五つ

問5 遺族厚生年金に関する次のアからオの記述のうち、正しいものの組合せは、後記AからEまでのうちどれか。

なお、本問では、遺族厚生年金に係る保険料納付要件は満たされているものとする。

ア 死亡した者が短期要件に該当する場合は、遺族厚生年金の年金額を算定する際に、死亡した者の生年月日に応じた給付乗率の引上げが行われる。

イ 厚生年金保険の被保険者である甲は令和2年1月1日に死亡した。甲の死亡時に甲によって生計を維持されていた遺族は、妻である乙(当時40歳)と子である丙(当時10歳)であり、乙が甲の死亡に基づく遺族基礎年金と遺族厚生年金を受給していた。しかし、令和6年8月1日に、乙も死亡した。乙は死亡時に厚生年金保険の被保険者であった。また、乙によって生計を維持されていた遺族は丙だけである。この場合、丙が受給権を有する遺族厚生年金は、甲の死亡に基づく遺族厚生年金と乙の死亡に基づく遺族厚生年金である。丙は、そのどちらかを選択して受給することができる。

ウ 厚生年金保険の被保険者が死亡したときに、被保険者によって生計を維持されていた遺族が50歳の父と54歳の母だけであった場合、父には遺族厚生年金の受給権は発生せず、母にのみ遺族厚生年金の受給権が発生する。

エ 夫(70歳)と妻(70歳)は、厚生年金保険の被保険者期間を有しておらず、老齢基礎年金を受給している。また、夫妻と同居していた独身の子は厚生年金保険の被保険者であったが、3年前に死亡しており、夫妻は、それに基づく遺族厚生年金も受給している。この状況で夫が死亡し、遺族厚生年金の受給権者の数に増減が生じたときは、増減が生じた月の翌月から、妻の遺族厚生年金の年金額が改定される。

オ 繰下げにより増額された老齢厚生年金を受給している夫(厚生年金保険の被保険者ではない。)が死亡した場合、夫によって生計を維持されていた妻には、夫の受給していた老齢厚生年金の額(繰下げによる加算額を含む。)の4分の3が遺族厚生年金として支給される。なお、妻は老齢厚生年金の受給権を有しておらず、老齢基礎年金のみを受給しているものとする。

A(アとイ)　　　**B**(アとウ)　　　**C**(イとエ)

D(ウとオ)　　　**E**(エとオ)

問6 厚生年金保険法に関する次の記述のうち、正しいものはどれか。

A 特定適用事業所で使用されている甲（所定内賃金が月額88,000円以上、かつ、学生ではない。）は、雇用契約書で定められた所定労働時間が週20時間未満である。しかし、業務の都合によって、2か月連続で実際の労働時間が週20時間以上となっている。引き続き同様の状態が続くと見込まれる場合は、実際の労働時間が週20時間以上となった月の3か月目の初日に、甲は厚生年金保険の被保険者資格を取得する。

B 第1号厚生年金被保険者が、2か所の適用事業所（管轄の年金事務所が異なる適用事業所）に同時に使用されることになった場合は、その者に係る日本年金機構の業務を分掌する年金事務所を選択しなければならない。この選択に関する届出は、被保険者が選択した適用事業所の事業主が、所定の事項を記載した届書を日本年金機構に提出することとされている。

C 老齢厚生年金の報酬比例部分の年金額を計算する際に、総報酬制導入以後の被保険者期間分については、平均標準報酬額×給付乗率×被保険者期間の月数で計算する。この給付乗率は原則として1000分の5.481であるが、昭和36年4月1日以前に生まれた者については、異なる数値が用いられる。

D 届出による婚姻関係にある者が重ねて他の者と内縁関係にある場合は、婚姻の成立が届出により法律上の効力を生ずることとされていることから、届出による婚姻関係が優先される。そのため、届出による婚姻関係がその実態を全く失ったものとなっているときでも、内縁関係にある者が事実婚関係にある者として認定されることはない。

E 厚生年金保険法第47条の2に規定される事後重症による障害厚生年金は、その支給が決定した場合、請求者が障害等級に該当する障害の状態に至ったと推定される日の属する月の翌月まで遡って支給される。

問7 厚生年金保険法に関する次の記述のうち、誤っているものはどれか。

A 令和2年9月から厚生年金保険の標準報酬月額の上限について、政令によって読み替えて法の規定を適用することとされており、変更前の最高等級である第31級の上に第32級が追加された。第32級の標準報酬月額は65万円である。

B 厚生年金保険法第22条によれば、実施機関は、被保険者の資格を取得した者について、月、週その他一定期間によって報酬が定められる場合には、被保険者の資格を取得した日の現在の報酬の額をその期間の総日数で除して得た額の30倍に相当する額を報酬月額として、その者の標準報酬月額を決定する。

C 事業主は、その使用する被保険者及び自己の負担する保険料を納付する義務を負う。毎月の保険料は、翌月末日までに、納付しなければならない。高齢任意加入被保険者の場合は、被保険者が保険料の全額を負担し、自己の負担する保険料を納付する義務を負うことがあるが、その場合も、保険料の納期限は翌月末日である。

D 厚生労働大臣は、保険料等の効果的な徴収を行う上で必要があると認めるときは、滞納者に対する滞納処分等の権限の全部又は一部を財務大臣に委任することができる。この権限委任をすることができる要件のひとつは、納付義務者が1年以上の保険料を滞納していることである。

E 産前産後休業をしている被保険者に係る保険料については、事業主負担分及び被保険者負担分の両方が免除される。

問8 厚生年金保険法に関する次の記述のうち、誤っているものはどれか。

A 脱退一時金の支給額は、被保険者であった期間の平均標準報酬額に支給率を乗じた額である。この支給率は、最終月（最後に被保険者の資格を喪失した日の属する月の前月）の属する年の前年10月（最終月が1月から8月までの場合は、前々年10月）の保険料率に2分の1を乗じて得た率に、被保険者であった期間に応じて政令で定める数を乗じて得た率である。なお、当該政令で定める数の最大値は60である。

B 遺族厚生年金に加算される中高齢寡婦加算の金額は、国民年金法第38条に規定する遺族基礎年金の額に4分の3を乗じて得た額（その額に50円未満の端数が生じたときはこれを切り捨て、50円以上100円未満の端数が生じたときはこれを100円に切り上げるものとする。）である。また、中高齢寡婦加算は、65歳以上の者に支給されることはない。

C　加給年金額が加算されている老齢厚生年金の受給権者であっても、在職老齢年金の仕組みにより、自身の老齢厚生年金の一部の支給が停止される場合、加給年金額は支給停止となる。

D　未支給の保険給付の支給を請求できる遺族として、死亡した受給権者とその死亡の当時生計を同じくしていた妹と祖父がいる場合、祖父が先順位者になる。

E　離婚の届出がなされ、戸籍簿上も離婚の処理がなされているものの、離婚後も事実上婚姻関係と同様の事情にある者については、その者の状態が事実婚関係の認定の要件に該当すれば、これを事実婚関係にある者として認定する。

問9　厚生年金保険法に関する次の記述のうち、正しいものはどれか。

A　2以上の種別の被保険者であった期間を有する者の場合、厚生年金保険法附則第8条の規定により支給される特別支給の老齢厚生年金の支給要件のうち「1年以上の被保険者期間を有すること」については、その者の2以上の種別の被保険者であった期間に係る被保険者期間を合算することはできない。

B　2以上の種別の被保険者であった期間を有する者に係る老齢厚生年金の額は、その者の2以上の種別の被保険者であった期間を合算して一の期間に係る被保険者期間のみを有するものとみなして平均標準報酬額を算出し計算することとされている。

C　第1号厚生年金被保険者として在職中である者が、報酬比例部分のみの特別支給の老齢厚生年金の受給権を取得したとき、第1号厚生年金被保険者としての期間が44年以上である場合は、老齢厚生年金の額の計算に係る特例の適用となり、その者の特別支給の老齢厚生年金に定額部分が加算される。

D　65歳以上の被保険者で老齢厚生年金の受給権者が離職し、雇用保険法に基づく高年齢求職者給付金を受給した場合は、当該高年齢求職者給付金に一定の率を乗じて得た額に相当する部分の老齢厚生年金の支給が停止される。

E　65歳以後の在職老齢年金の仕組みにおいて、在職中であり、被保険者である老齢厚生年金の受給権者が、66歳以降に繰下げの申出を行った場合、当該老齢厚生年金の繰下げ加算額は、在職老齢年金の仕組みによる支給停止の対象とはならない。

問10 厚生年金保険法に関する次のアからオの記述のうち、正しいものの組合せは、後記AからEまでのうちどれか。

ア 厚生年金保険の被保険者であった18歳のときに初診日のある傷病について、その障害認定日において障害等級3級の障害の状態にある場合にその者が20歳未満のときは、障害厚生年金の受給権は20歳に達したときに発生する。

イ 障害手当金は、疾病にかかり又は負傷し、その傷病に係る初診日において被保険者であった者が、保険料納付要件を満たし、当該初診日から起算して5年を経過する日までの間にまだその傷病が治っておらず治療中の場合でも、5年を経過した日に政令で定める程度の障害の状態にあるときは支給される。

ウ 年金たる保険給付（厚生年金保険法の他の規定又は他の法令の規定によりその全額につき支給を停止されている年金たる保険給付を除く。）は、その受給権者の申出により、その全額の支給を停止することとされている。ただし、厚生年金保険法の他の規定又は他の法令の規定によりその額の一部につき支給を停止されているときは、停止されていない部分の額の支給を停止する。

エ 現在55歳の自営業者の甲は、20歳から5年間会社に勤めていたので、厚生年金保険の被保険者期間が5年あり、この他の期間はすべて国民年金の第1号被保険者期間で保険料はすべて納付済みとなっている。もし、甲が現時点で死亡した場合、一定要件を満たす遺族に支給される遺族厚生年金の額は、厚生年金保険の被保険者期間を300月として計算した額となる。

オ 2以上の種別の被保険者であった期間を有する者に係る脱退一時金については、その者の2以上の被保険者の種別に係る被保険者であった期間に係る被保険者期間を合算し、一の期間に係る被保険者期間のみを有する者に係るものとみなして支給要件を判定する。

A（アとイ）　　**B**（アとウ）　　**C**（イとエ）

D（ウとオ）　　**E**（エとオ）

国民年金法

問1 国民年金法に関する次の記述のうち、誤っているものはどれか。

令和6年度（第56回）

択一式

A 被保険者は、出産の予定日（厚生労働省令で定める場合にあっては、出産の日）の属する月の前月（多胎妊娠の場合においては、3か月前）から出産予定月の翌々月までの期間に係る保険料は、納付することを要しない。

B 国民年金法第90条の3第1項各号のいずれかに該当する、学生等である被保険者又は学生等であった被保険者から申請があったときは、厚生労働大臣は、その指定する期間に係る保険料につき、既に納付されたものを除き、これを納付することを要しないものとし、申請のあった日以後、当該保険料に係る期間を保険料全額免除期間（国民年金法第94条第1項の規定により追納が行われた場合にあっては、当該追納に係る期間を除く。）に算入することができる。

C 国民年金法第93条第1項の規定による保険料の前納は、厚生労働大臣が定める期間につき、月を単位として行うものとし、厚生労働大臣が定める期間のすべての保険料（既に前納されたものを除く。）をまとめて前納する場合においては、6か月又は年を単位として行うことを要する。

D 基礎年金拠出金の額は、保険料・拠出金算定対象額に当該年度における被保険者の総数に対する当該年度における当該政府及び実施機関に係る被保険者の総数の比率に相当するものとして毎年度政令で定めるところにより算定した率を乗じて得た額とする。

E 国民年金事業の事務の一部は、法律によって組織された共済組合、国家公務員共済組合連合会、全国市町村職員共済組合連合会、地方公務員共済組合連合会又は日本私立学校振興・共済事業団に行わせることができる。

問2 国民年金法に関する次のアからオの記述のうち、正しいものの組合せは、後記AからEまでのうちどれか。

ア 障害基礎年金を受けることができる者とは、初診日に、被保険者であること又は被保険者であった者であって日本国内に住所を有し、かつ、60歳以上65歳未満であることのいずれかに該当する者であり、障害認定日に政令で定める障害の状態にある者である。なお、保険料納付要件は満たしているものとする。

イ 国民年金法第30条の4の規定による障害基礎年金は、受給権者の前年の所得が、その者の所得税法に規定する同一生計配偶者及び扶養親族の有無及び数に応じて、政令で定める額を超えるときは、その年の10月から翌年の9月まで、政令で定めるところにより、その全部又は3分の1に相当する部分の支給を停止する。

ウ 障害基礎年金を受けることができる者とは、初診日の前日において、初診日の属する月の前々月までに被保険者期間があり、国民年金の保険料納付済期間と保険料免除期間を合算した期間が3分の2以上である者、あるいは初診日が令和8年4月1日前にあるときは、初診日において65歳未満であれば、初診日の前日において、初診日の属する月の前々月までの1年間（当該初診日において被保険者でなかった者については、当該初診日の属する月の前々月以前における直近の被保険者期間に係る月までの1年間）に保険料の未納期間がない者である。なお、障害認定日に政令で定める障害の状態にあるものとする。

エ 国民年金基金の加入の申出をした者は、その申出をした日に、加入員の資格を取得するものとする。

オ 国民年金基金の加入員が、第1号被保険者の資格を喪失したときは、その被保険者の資格を喪失した日の翌日に、加入員の資格を喪失する。

A（アとイとエ）　　**B**（アとイとオ）　　**C**（アとウとエ）

D（イとウとオ）　　**E**（ウとエとオ）

問3 国民年金法に関する次の記述のうち、誤っているものはどれか。

A 国民年金法第101条第1項に規定する処分の取消の訴えは、当該処分についての再審査請求に対する社会保険審査会の裁定を経た後でなければ、提起することができない。

B　労働基準法の規定による障害補償を受けることができるときにおける障害基礎年金並びに同法の規定による遺族補償が行われるべきものであるときにおける遺族基礎年金又は寡婦年金については、6年間、その支給を停止する。

C　国民年金基金連合会は、厚生労働大臣の認可を受けることによって、国民年金基金が支給する年金及び一時金につき一定額が確保されるよう、国民年金基金の拠出金等を原資として、国民年金基金の積立金の額を付加する事業を行うことができる。

D　積立金の運用は、厚生労働大臣が、国民年金法第75条の目的に沿った運用に基づく納付金の納付を目的として、年金積立金管理運用独立行政法人に対し、積立金を寄託することにより行うものとする。

E　国民年金事務組合は、その構成員である被保険者の委託を受けて、当該被保険者に係る資格の取得及び喪失並びに種別の変更に関する事項、氏名及び住所の変更に関する事項の届出をすることができる。

問4　国民年金の適用に関する次の記述のうち、正しいものはどれか。

A　技能実習の在留資格で日本に在留する外国人は、実習実施者が厚生年金保険の適用事業所の場合、講習期間及び実習期間は厚生年金保険の対象となるため、国民年金には加入する必要がない。

B　日本から外国に留学する20歳以上65歳未満の日本国籍を有する留学生は、留学前に居住していた市町村（特別区を含む。）の窓口に、海外への転出届を提出して住民票を消除している場合であっても、国民年金の被保険者になることができる。

C　留学の在留資格で中長期在留者として日本に在留する20歳以上60歳未満の留学生は、住民基本台帳法第30条の46の規定による届出をした年月日に第1号被保険者の資格を取得する。

D　第3号被保険者が配偶者を伴わずに単身で日本から外国に留学すると、日本国内居住要件を満たさなくなるため、第3号被保険者の資格を喪失する。

E 第2号被保険者は、原則として70歳に到達して厚生年金保険の被保険者の資格を喪失した時に第2号被保険者の資格を喪失するため、当該第2号被保険者の配偶者である第3号被保険者は、それに連動してその資格を喪失することになる。

問5 国民年金法に関する次の記述のうち、正しいものはどれか。

A 第1号被保険者が国民年金法第88条の2の規定による産前産後期間の保険料免除制度を利用するには、同期間終了日以降に年金事務所又は市町村（特別区を含む。以下本問において同じ。）の窓口に申出書を提出しなければならない。

B 学生納付特例制度を利用することができる学生には高等学校に在籍する生徒も含まれるが、定時制及び通信制課程の生徒は、学生納付特例制度を利用することができない。

C 矯正施設の収容者は、市町村に住民登録がなく、所得に係る税の申告が行えないため、保険料免除制度を利用できない。

D 第1号被保険者が国民年金法第88条の2の規定による産前産後期間の保険料免除制度を利用すると、将来、受給する年金額を計算する時に当該制度を利用した期間も保険料を納付した期間とするため、産前産後期間については保険料納付済期間として老齢基礎年金が支給される。

E 配偶者から暴力を受けて避難している被保険者が、配偶者の前年所得を免除の審査対象としない特例免除を利用するには、配偶者と住民票上の住居が異ならなければならないことに加えて、女性相談支援センター等が発行する配偶者からの暴力の被害者の保護に関する証明書によって配偶者から暴力があった事実を証明しなければならない。

問6 国民年金法に関する次の記述のうち、正しいものはどれか。

A 障害基礎年金を受給している者に、更に障害基礎年金を支給すべき事由が生じた時は、前後の障害を併合した障害の程度による障害基礎年金の受給権を取得するが、後発の障害に基づく障害基礎年金が、労働基準法の規定による障害補償を受けることができるために支給停止される場合は、当該期間は先発の障害に基づく障害基礎年金も併合認定された障害基礎年金も支給停止される。

B 障害基礎年金の受給権者は、障害の程度が増進した場合に障害基礎年金の額の改定を請求することができるが、それは、当該障害基礎年金の受給権を取得した日から起算して1年6か月を経過した日より後でなければ行うことができない。

C 障害基礎年金の受給権者であった者が死亡した時には、その者の保険料納付済期間、保険料免除期間及び合算対象期間を合算した期間が25年未満である場合でも、その者の18歳に達する日以後の最初の3月31日までの間にある子のいない配偶者に対して遺族基礎年金が支給される。

D 老齢基礎年金の受給権者であった者が死亡した時には、その者の保険料納付済期間と保険料免除期間を合算した期間が10年以上ある場合（保険料納付済期間、保険料免除期間及び合算対象期間を合算して10年以上ある場合を含む。）は、死亡した者の配偶者又は子に遺族基礎年金が支給される。

E 国民年金の被保険者である者が死亡した時には、死亡日の前日において、死亡日の属する月の前々月までの被保険者期間があり、かつ、当該被保険者期間に係る保険料納付済期間と保険料免除期間を合算した期間が、当該被保険者期間の3分の2以上ある場合は、死亡した者の配偶者又は子に遺族基礎年金が支給される。

問7 国民年金法に関する次のアからオの記述のうち、誤っているものの組合せは、後記AからEまでのうちどれか。

ア 65歳に達するまでの間は、遺族厚生年金を受給している者が老齢基礎年金を繰り上げて受給することを選択した場合、遺族厚生年金の支給は停止される。

イ 繰り上げた老齢基礎年金を受給している者が、20歳に達する日より前に初診日がある傷病（障害認定日に政令で定める障害の状態に該当しないものとする。）が悪化したことにより、繰り上げた老齢基礎年金の受給開始後、65歳に達する日より前に障害等級に該当する程度の障害の状態になった場合であっても、障害基礎年金を請求することはできない。

ウ 繰り上げた老齢基礎年金を受給している者が、20歳に達した日より後に初診日がある傷病（障害認定日に政令で定める障害の状態に該当しないものとする。）が悪化したことにより、繰り上げた老齢基礎年金の受給開始後、65歳に達する日より前に障害等級に該当する程度の障害の状態になった場合には、障害基礎年金を請求することができる。

エ 昭和27年4月2日以後生まれの者が、70歳に達した日より後に老齢基礎年金を請求し、かつ請求時点における繰下げ受給を選択しない時は、請求の5年前に繰下げの申出があったものとみなして算定された老齢基礎年金を支給する。

オ 老齢基礎年金の受給権を有する者が65歳以後の繰下げ待機期間中に死亡した時に支給される未支給年金は、その者の配偶者、子、父母、孫、祖父母又は兄弟姉妹以外は請求できない。

A（アとイ）　　　**B**（アとウ）　　　**C**（イとエ）

D（ウとオ）　　　**E**（エとオ）

問8 国民年金法に関する次の記述のうち、正しいものはいくつあるか。

ア 国民年金法第4条の3第1項の規定により、政府は、少なくとも5年ごとに、保険料及び国庫負担の額並びにこの法律による給付に要する費用の額その他の国民年金事業の財政に係る収支についてその現況及び財政均衡期間における見通しを作成しなければならない。

イ 年金の給付は、毎年2月、4月、6月、8月、10月及び12月の6期に、それぞれの前月までの分が支払われることになっており、前支払期月に支払われるべきであった年金又は権利が消滅した場合若しくは年金の支給を停止した場合におけるその期の年金であっても、その支払期月でない月に支払われることはない。

ウ 付加保険料の納付は、国民年金法第88条の2の規定により保険料を納付することを要しないものとされた第1号被保険者の産前産後期間の各月については行うことができないとされている。

エ 年金給付の支給は、これを支給すべき事由が生じた日の属する月の翌月から始め、権利が消滅した日の属する月で終わるものとする。一方、その支給を停止すべき事由が生じたときは、その事由が生じた日の属する月の翌月からその事由が消滅した日の属する月までの分の支給を停止するが、これらの日が同じ月に属する場合は、支給を停止しない。

オ 国民年金法第20条第1項の併給の調整の規定により、支給停止された年金給付については、同条第2項の支給停止の解除申請により選択受給することができるが、申請時期は、毎年、厚生労働大臣が受給権者に係る現況の確認を行う際に限られる。

A 一つ

B 二つ

C 三つ

D 四つ

E 五つ

問9 国民年金法に関する次の記述のうち、正しいものはどれか。

A 甲（昭和34年4月20日生まれ）は、20歳以後の学生であった期間は国民年金の加入が任意であったため加入していない。大学卒業後7年間は厚生年金保険の被保険者であったが、30歳で結婚してから15年間は第3号被保険者であった。その後、45歳から20年間、再び厚生年金保険の被保険者となっていたが65歳の誕生日で退職した。甲の老齢基礎年金は満額にならないため、65歳以降国民年金に任意加入して保険料を納付することができる。

B 老齢基礎年金の受給権を有する者であって66歳に達する前に当該老齢基礎年金を請求していなかった者が、65歳に達した日から66歳に達した日までの間において遺族厚生年金の受給権者となったが、実際には遺族厚生年金は受給せず老齢厚生年金を受給する場合は、老齢基礎年金の支給繰下げの申出をすることができる。

C 政府は、国民年金事業に要する費用に充てるため、被保険者期間の計算の基礎となる各月につき保険料を徴収することとなっているが、被保険者は、将来の一定期間の保険料を前納することができる。その場合、国民年金法第87条第3項の表に定める額に保険料改定率を乗じて得た額となり、前納による控除は適用されない。

D 積立金の運用は、積立金が国民年金の被保険者から徴収された保険料の一部であり、かつ、将来の給付の貴重な財源となるものであることに特に留意し、専ら国民年金の被保険者の利益のために、長期的な観点から、安全かつ効率的に行うことにより、将来にわたって、国民年金事業の運営の安定に資することを目的として行うものとされている。

E 国民年金基金は、加入員又は加入員であった者に対し、年金の支給を行い、あわせて加入員又は加入員であった者の死亡に関しても、年金の支給を行うものとする。

問10 国民年金法に関する次の記述のうち、正しいものはどれか。

A 被保険者又は被保険者であった者の死亡の当時その者によって生計を維持していた配偶者は、遺族基礎年金を受けることができる子と生計を同じくし、かつ、その当時日本国内に住所を有していなければ遺族基礎年金を受けることができない。なお、死亡した被保険者又は被保険者であった者は保険料の納付要件を満たしているものとする。

B 第2号被保険者である50歳の妻が死亡し、その妻により生計を維持されていた50歳の夫に遺族基礎年金の受給権が発生し、16歳の子に遺族基礎年金と遺族厚生年金の受給権が発生した。この場合、子が遺族基礎年金と遺族厚生年金を受給し、その間は夫の遺族基礎年金は支給停止される。

C 死亡日の前日において死亡日の属する月の前月までの第1号被保険者としての被保険者期間に係る保険料半額免除期間を48月有し、かつ、4分の1免除期間を12月有している者で、所定の要件を満たす被保険者が死亡した場合に、その被保険者の死亡によって遺族基礎年金又は寡婦年金を受給できる者はいないが、死亡一時金を受給できる遺族がいるときは、その遺族に死亡一時金が支給される。

D 国民年金法第30条の3に規定するいわゆる基準障害による障害基礎年金は、65歳に達する日の前日までに、基準障害と他の障害とを併合して初めて障害等級1級又は2級に該当する程度の障害の状態となった場合に支給される。ただし、請求によって受給権が発生し、支給は請求のあった月からとなる。

E 保険料その他この法律の規定による徴収金を滞納する者があるときは、厚生労働大臣は、督促状により期限を指定して督促することができるが、この期限については、督促状を発する日から起算して10日以上を経過した日でなければならない。

令和 5 年度
（2023年度・第55回）
本試験問題
選択式

本試験実施時間

10：30～11：50（80分）

法令等略記凡例

法令等名称	法令等略称
労働者災害補償保険法	労災保険法
労働保険の保険料の徴収等に関する法律	労働保険徴収法
労働者派遣事業の適正な運営の確保及び派遣労働者の保護等に関する法律	労働者派遣法
短時間労働者及び有期雇用労働者の雇用管理の改善等に関する法律	パートタイム・有期雇用労働法
高齢者の医療の確保に関する法律	高齢者医療確保法

労働基準法及び労働安全衛生法

問1 次の文中の ［　　　］ の部分を選択肢の中の最も適切な語句で埋め、完全な
文章とせよ。

1　労働基準法の規定による災害補償その他の請求権（賃金の請求権を除く。）
はこれを行使することができる時から ［　**A**　］ 間行わない場合においては、時
効によって消滅することとされている。

2　最高裁判所は、労働者の指定した年次有給休暇の期間が開始し又は経過した
後にされた使用者の時季変更権行使の効力が問題となった事件において、次の
ように判示した。

　「労働者の年次有給休暇の請求（時季指定）に対する使用者の時季変更権の行
使が、労働者の指定した休暇期間が開始し又は経過した後にされた場合であつ
ても、労働者の休暇の請求自体がその指定した休暇期間の始期にきわめて接近
してされたため使用者において時季変更権を行使するか否かを事前に判断する
時間的余裕がなかつたようなときには、それが事前にされなかつたことのゆえ
に直ちに時季変更権の行使が不適法となるものではなく、客観的に右時季変更
権を行使しうる事由が存し、かつ、その行使が ［　**B**　］ されたものである場合
には、適法な時季変更権の行使があつたものとしてその効力を認めるのが相当
である。」

3　最高裁判所は、マンションの住み込み管理員が所定労働時間の前後の一定の
時間に断続的な業務に従事していた場合において、上記一定の時間が、管理員
室の隣の居室に居て実作業に従事していない時間を含めて労働基準法上の労働
時間に当たるか否かが問題となった事件において、次のように判示した。

　「労働基準法32条の労働時間（以下「労基法上の労働時間」という。）とは、
労働者が使用者の指揮命令下に置かれている時間をいい、実作業に従事してい
ない時間（以下「不活動時間」という。）が労基法上の労働時間に該当するか
否かは、労働者が不活動時間において使用者の指揮命令下に置かれていたもの
と評価することができるか否かにより客観的に定まるものというべきである
〔…（略）…〕。そして、不活動時間において、労働者が実作業に従事していな
いというだけでは、使用者の指揮命令下から離脱しているということはでき

ず、当該時間に労働者が労働から離れることを保障されていて初めて、労働者が使用者の指揮命令下に置かれていないものと評価することができる。したがって、不活動時間であっても　C　が保障されていない場合には労基法上の労働時間に当たるというべきである。そして、当該時間において労働契約上の役務の提供が義務付けられていると評価される場合には、　C　が保障されているとはいえず、労働者は使用者の指揮命令下に置かれているというのが相当である」。

4　労働安全衛生法第35条は、重量の表示について、「一の貨物で、重量が　D　以上のものを発送しようとする者は、見やすく、かつ、容易に消滅しない方法で、当該貨物にその重量を表示しなければならない。ただし、包装されていない貨物で、その重量が一見して明らかであるものを発送しようとするときは、この限りでない。」と定めている。

5　労働安全衛生法第68条は、「事業者は、伝染性の疾病その他の疾病で、厚生労働省令で定めるものにかかつた労働者については、厚生労働省令で定めるところにより、　E　しなければならない。」と定めている。

選択肢

① 2年　② 3年　③ 5年　④ 10年
⑤ 100キログラム　⑥ 500キログラム
⑦ 1トン　⑧ 3トン
⑨ 役務の提供における諾否の自由
⑩ 企業運営上の必要性から　⑪ 休業を勧奨
⑫ 行政官庁の許可を受けて　⑬ 厚生労働省令で定めるところにより
⑭ 使用者の指揮命令下に置かれていない場所への移動
⑮ その就業を禁止　⑯ 遅滞なく
⑰ 当該時間の自由利用　⑱ 必要な療養を勧奨
⑲ 病状回復のために支援　⑳ 労働からの解放

労働者災害補償保険法

問2 次の文中の ◻︎ の部分を選択肢の中の最も適切な語句で埋め、完全な文章とせよ。

1 労災保険法第14条第1項は、「休業補償給付は、労働者が業務上の負傷又は疾病による ◻A◻ のため労働することができないために賃金を受けない日の第 ◻B◻ 日目から支給するものとし、その額は、一日につき給付基礎日額の ◻C◻ に相当する額とする。ただし、労働者が業務上の負傷又は疾病による ◻A◻ のため所定労働時間のうちその一部分についてのみ労働する日若しくは賃金が支払われる休暇（以下この項において「部分算定日」という。）又は複数事業労働者の部分算定日に係る休業補償給付の額は、給付基礎日額（第8条の2第2項第2号に定める額（以下この項において「最高限度額」という。）を給付基礎日額とすることとされている場合にあつては、同号の規定の適用がないものとした場合における給付基礎日額）から部分算定日に対して支払われる賃金の額を控除して得た額（当該控除して得た額が最高限度額を超える場合にあつては、最高限度額に相当する額）の ◻C◻ に相当する額とする。」と規定している。

2 社会復帰促進等事業とは、労災保険法第29条によれば、①療養施設及びリハビリテーション施設の設置及び運営その他被災労働者の円滑な社会復帰促進に必要な事業、②被災労働者の療養生活・介護の援護、その遺族の就学の援護、被災労働者及びその遺族への資金貸付けによる援護その他被災労働者及びその遺族の援護を図るために必要な事業、③業務災害防止活動に対する援助、◻D◻ に関する施設の設置及び運営その他労働者の安全及び衛生の確保、保険給付の適切な実施の確保並びに ◻E◻ の支払の確保を図るために必要な事業である。

┌─ 選択肢 ───┐

① 100分の50 ② 100分の60 ③ 100分の70 ④ 100分の80

⑤ 2 ⑥ 3 ⑦ 4 ⑧ 7

⑨ 苦痛 ⑩ 健康診断 ⑪ 災害時避難 ⑫ 食費

⑬ 治療費 ⑭ 賃金 ⑮ 通院 ⑯ 能力喪失

⑰ 防災訓練 ⑱ 保護具費 ⑲ 療養 ⑳ 老人介護

└──┘

令和 5 年度
(第55回)

選択式

雇用保険法

問3 次の文中の _____ の部分を選択肢の中の最も適切な語句で埋め、完全な文章とせよ。

1 技能習得手当は、受給資格者が公共職業安定所長の指示した公共職業訓練等を受ける場合に、その公共職業訓練等を受ける期間について支給する。技能習得手当は、受講手当及び **A** とする。受講手当は、受給資格者が公共職業安定所長の指示した公共職業訓練等を受けた日（基本手当の支給の対象となる日（雇用保険法第19条第1項の規定により基本手当が支給されないこととなる日を含む。）に限る。）について、**B** 分を限度として支給するものとする。

2 雇用保険法第45条において、日雇労働求職者給付金は、日雇労働被保険者が失業した場合において、その失業の日の属する月の前2月間に、その者について、労働保険徴収法第10条第2項第4号の印紙保険料が「**C** 分以上納付されているとき」に、他の要件を満たす限り、支給することとされている。また、雇用保険法第53条に規定する特例給付について、同法第54条において「日雇労働求職者給付金の支給を受けることができる期間及び日数は、基礎期間の最後の月の翌月以後4月の期間内の失業している日について、**D** 分を限度とする。」とされている。

3 60歳の定年に達した受給資格者であり、かつ、基準日において雇用保険法第22条第2項に規定する就職が困難なものに該当しない者が、定年に達したことを機に令和4年3月31日に離職し、同年5月30日に6か月間求職の申込みをしないことを希望する旨を管轄公共職業安定所長に申し出て受給期間の延長が認められた後、同年8月1日から同年10月31日まで疾病により引き続き職業に就くことができなかった場合、管轄公共職業安定所長にその旨を申し出ることにより受給期間の延長は令和5年 **E** まで認められる。

┌─ 選択肢 ─────────────────────────────────────

① 7月31日　② 9月30日　③ 10月31日　④ 12月31日

⑤ 30日　⑥ 40日　⑦ 50日　⑧ 60日

⑨ 移転費　⑩ 各月13日　⑪ 各月15日　⑫ 各月26日

⑬ 各月30日　　　　　　⑭ 寄宿手当

⑮ 教育訓練給付金　　　⑯ 通算して26日

⑰ 通算して30日　　　　⑱ 通算して52日

⑲ 通算して60日　　　　⑳ 通所手当

└──

令和5年度
（第55回）

選択式

労務管理その他の労働に関する一般常識

問4 次の文中の □□□□ の部分を選択肢の中の最も適切な語句で埋め、完全な文章とせよ。

1　最高裁判所は、会社から採用内定を受けていた大学卒業予定者に対し、会社が行った採用内定取消は解約権の濫用に当たるか否かが問題となった事件において、次のように判示した。

　　大学卒業予定者（被上告人）が、企業（上告人）の求人募集に応募し、その入社試験に合格して採用内定の通知（以下「本件採用内定通知」という。）を受け、企業からの求めに応じて、大学卒業のうえは間違いなく入社する旨及び一定の取消事由があるときは採用内定を取り消されても異存がない旨を記載した誓約書（以下「本件誓約書」という。）を提出し、その後、企業から会社の近況報告その他のパンフレットの送付を受けたり、企業からの指示により近況報告書を送付したなどのことがあり、他方、企業において、「　A　ことを考慮するとき、上告人からの募集（申込みの誘引）に対し、被上告人が応募したのは、労働契約の申込みであり、これに対する上告人からの採用内定通知は、右申込みに対する承諾であつて、被上告人の本件誓約書の提出とあいまつて、これにより、被上告人と上告人との間に、被上告人の就労の始期を昭和44年大学卒業直後とし、それまでの間、本件誓約書記載の5項目の採用内定取消事由に基づく解約権を留保した労働契約が成立したと解するのを相当とした原審の判断は正当であつて、原判決に所論の違法はない。」企業の留保解約権に基づく大学卒業予定者の「採用内定の取消事由は、採用内定当時　B　、これを理由として採用内定を取消すことが解約権留保の趣旨、目的に照らして客観的に合理的と認められ社会通念上相当として是認することができるものに限られると解するのが相当である。」

2　労働者派遣法第35条の3は、「派遣元事業主は、派遣先の事業所その他派遣就業の場所における組織単位ごとの業務について、　C　年を超える期間継続して同一の派遣労働者に係る労働者派遣（第40条の2第1項各号のいずれかに該当するものを除く。）を行つてはならない。」と定めている。

3　最低賃金制度とは、最低賃金法に基づき国が賃金の最低限度を定め、使用者

は、その最低賃金額以上の賃金を支払わなければならないとする制度である。仮に最低賃金額より低い賃金を労働者、使用者双方の合意の上で定めても、それは法律によって無効とされ、最低賃金額と同額の定めをしたものとされる。したがって、最低賃金未満の賃金しか支払わなかった場合には、最低賃金額との差額を支払わなくてはならない。また、地域別最低賃金額以上の賃金を支払わない場合については、最低賃金法に罰則（50万円以下の罰金）が定められており、特定（産業別）最低賃金額以上の賃金を支払わない場合については、　D　の罰則（30万円以下の罰金）が科せられる。

なお、一般の労働者より著しく労働能力が低いなどの場合に、最低賃金を一律に適用するとかえって雇用機会を狭めるおそれなどがあるため、精神又は身体の障害により著しく労働能力の低い者、試の使用期間中の者等については、使用者が　E　の許可を受けることを条件として個別に最低賃金の減額の特例が認められている。

---選択肢---

① 1　　　　　② 2　　　　　③ 3　　　　　④ 5

⑤ 厚生労働省労働基準局長　　⑥ 厚生労働大臣

⑦ 知ることができず、また事業の円滑な運営の観点から看過できないような事実であつて

⑧ 知ることができず、また知ることが期待できないような事実であつて

⑨ 知ることができたが、調査の結果を待つていた事実であつて

⑩ 知ることができたが、被上告人が自ら申告しなかつた事実であつて

⑪ 賃金の支払の確保等に関する法律

⑫ 都道府県労働局長　　⑬ パートタイム・有期雇用労働法

⑭ 本件採用内定通知に上告人の就業規則を同封していた

⑮ 本件採用内定通知により労働契約が成立したとはいえない旨を記載していなかつた

⑯ 本件採用内定通知の記載に基づいて採用内定式を開催し、制服の採寸及び職務で使用する物品の支給を行つていた

⑰ 本件採用内定通知のほかには労働契約締結のための特段の意思表示をすることが予定されていなかつた

⑱ 労働契約法　　⑲ 労働基準監督署長

⑳ 労働基準法

MEMO

令和 5 年度
(第55回)

選択式

社会保険に関する一般常識

問5 次の文中の 　　　 の部分を選択肢の中の最も適切な語句で埋め、完全な
文章とせよ。なお、本問の「5」は「令和4年版厚生労働白書（厚生労働
省）」を参照しており、当該白書又は当該白書が引用している調査による用
語及び統計等を利用している。

1　船員保険法第69条第5項の規定によると、傷病手当金の支給期間は、同一の
疾病又は負傷及びこれにより発した疾病に関しては、その支給を始めた日から
通算して　 **A** 　間とされている。

2　高齢者医療確保法第20条の規定によると、保険者は、特定健康診査等実施計
画に基づき、厚生労働省令で定めるところにより、　 **B** 　以上の加入者に対
し、特定健康診査を行うものとする。ただし、加入者が特定健康診査に相当す
る健康診査を受け、その結果を証明する書面の提出を受けたとき、又は同法第
26条第2項の規定により特定健康診査に関する記録の送付を受けたときは、こ
の限りでない。

3　確定給付企業年金法第57条では、「掛金の額は、給付に要する費用の額の予
想額及び予定運用収入の額に照らし、厚生労働省令で定めるところにより、将
来にわたって　 **C** 　ができるように計算されるものでなければならない。」
と規定している。

4　3歳以上支給対象児童1人を監護し、かつ、この児童と生計を同じくしてい
る日本国内に住所を有する父に支給する児童手当の額は、1か月につき
　 D 　である。なお、この児童は施設入所等児童ではないものとする。（改
題）

5　高齢化が更に進行し、「団塊の世代」の全員が75歳以上となる2025（令和7）
年の日本では、およそ　 **E** 　人に1人が75歳以上高齢者となり、認知症の高
齢者の割合や、世帯主が高齢者の単独世帯・夫婦のみの世帯の割合が増加して
いくと推計されている。

┌─ 選択肢 ─────────────────────────────────────┐

① 3.5 　　　　　　　　② 5.5

③ 7.5 　　　　　　　　④ 9.5

⑤ 1年 　　　　　　　　⑥ 1年6か月

⑦ 2年 　　　　　　　　⑧ 3年

⑨ 35歳 　　　　　　　　⑩ 40歳

⑪ 65歳 　　　　　　　　⑫ 75歳

⑬ 10,000円 　　　　　　⑭ 15,000円

⑮ 20,000円 　　　　　　⑯ 30,000円

⑰ 掛金を負担すること 　⑱ 財政の均衡を保つこと

⑲ 積立金の額が最低積立基準額を満たすこと

⑳ 必要な給付を行うこと

└───┘

健康保険法

問6 次の文中の◻◻◻の部分を選択肢の中の最も適切な語句で埋め、完全な
文章とせよ。

1 健康保険法第5条第2項によると、全国健康保険協会が管掌する健康保険の
事業に関する業務のうち、被保険者の資格の取得及び喪失の確認、標準報酬月
額及び標準賞与額の決定並びに保険料の徴収（任意継続被保険者に係るものを
除く。）並びにこれらに附帯する業務は、 **A** が行う。

2 健康保険法施行令第42条によると、高額療養費多数回該当の場合とは、療養
のあった月以前の **B** 以内に既に高額療養費が支給されている月数が3か
月以上ある場合をいい、4か月目からは一部負担金等の額が多数回該当の高額
療養費算定基準額を超えたときに、その超えた分が高額療養費として支給され
る。70歳未満の多数回該当の高額療養費算定基準額は、標準報酬月額が83万円
以上の場合、 **C** と定められている。

また、全国健康保険協会管掌健康保険の被保険者から健康保険組合の被保険
者に変わる等、管掌する保険者が変わった場合、高額療養費の支給回数は
D 。

3 健康保険法第102条によると、被保険者（任意継続被保険者を除く。）が出産
したときは、出産の日（出産の日が出産の予定日後であるときは、出産の予定
日）以前42日（多胎妊娠の場合においては、 **E** 日）から出産の日後56日
までの間において労務に服さなかった期間、出産手当金を支給する。

┌─ 選択肢 ─────────────────────────────────────┐

① 84 　　　　　　　　② 91

③ 98 　　　　　　　　④ 105

⑤ 1年6か月 　　　　　⑥ 2年

⑦ 6か月 　　　　　　　⑧ 12か月

⑨ 70歳以上の者は通算される 　⑩ 44,000円

⑪ 93,000円 　　　　　⑫ 140,100円

⑬ 670,000円 　　　　　⑭ 厚生労働大臣

⑮ 全国健康保険協会支部 　⑯ 全国健康保険協会本部

⑰ 通算されない 　　　　⑱ 通算される

⑲ 日本年金機構 　　　　⑳ 保険者の判断により通算される

└──┘

厚生年金保険法

問7 次の文中の ▢ の部分を選択肢の中の最も適切な語句で埋め、完全な文章とせよ。

1　厚生年金保険法第100条の９の規定によると、同法に規定する厚生労働大臣の権限（同法第100条の５第１項及び第２項に規定する厚生労働大臣の権限を除く。）は、厚生労働省令（同法第28条の４に規定する厚生労働大臣の権限にあっては、政令）で定めるところにより、▢ A ▢ に委任することができ、▢ A ▢ に委任された権限は、厚生労働省令（同法第28条の４に規定する厚生労働大臣の権限にあっては、政令）で定めるところにより、▢ B ▢ に委任することができるとされている。

2　甲は20歳の誕生日に就職し、厚生年金保険の被保険者の資格を取得したが、40代半ばから物忘れによる仕事でのミスが続き、46歳に達した日に退職をし、その翌日に厚生年金保険の被保険者の資格を喪失した。退職した後、物忘れが悪化し、退職の３か月後に、当該症状について初めて病院で診察を受けたところ、若年性認知症の診断を受けた。その後、当該認知症に起因する障害により、障害認定日に障害等級２級に該当する程度の障害の状態にあると認定された。これにより、甲は障害年金を受給することができたが、障害等級２級に該当する程度の障害の状態のまま再就職することなく、令和５年４月に52歳で死亡した。甲には、死亡の当時、生計を同一にする50歳の妻（乙）と17歳の未婚の子がおり、乙の前年収入は年額500万円、子の前年収入は０円であった。この事例において、甲が受給していた障害年金と乙が受給できる遺族年金をすべて挙げれば、▢ C ▢ となる。

3　令和Ｘ年度の年金額改定に用いる物価変動率がプラス0.2％、名目手取り賃金変動率がマイナス0.2％、マクロ経済スライドによるスライド調整率がマイナス0.3％、前年度までのマクロ経済スライドの未調整分が０％だった場合、令和Ｘ年度の既裁定者（令和Ｘ年度が68歳到達年度以後である受給権者）の年金額は、前年度から▢ D ▢ となる。なお、令和Ｘ年度においても、現行の年金額の改定ルールが適用されているものとする。

4　厚生年金保険法第67条第１項の規定によれば、配偶者又は子に対する遺族厚

生年金は、その配偶者又は子の所在が　　E　　以上明らかでないときは、遺族
厚生年金の受給権を有する子又は配偶者の申請によって、その所在が明らかで
なくなったときにさかのぼって、その支給を停止する。

┌─ 選択肢 ──────────────────────────────┐

① 0.1％の引下げ 　　　　② 0.2％の引下げ

③ 0.5％の引下げ 　　　　④ 1か月

⑤ 1年 　　　　　　　　　⑥ 3か月

⑦ 3年 　　　　　　　　　⑧ 国税庁長官

⑨ 財務大臣 　　　　　　 ⑩ 市町村長

⑪ 障害基礎年金、遺族基礎年金

⑫ 障害基礎年金、遺族基礎年金、遺族厚生年金

⑬ 障害基礎年金、障害厚生年金、遺族基礎年金

⑭ 障害基礎年金、障害厚生年金、遺族基礎年金、遺族厚生年金

⑮ 据置き 　　　　　　　 ⑯ 地方厚生局長

⑰ 地方厚生支局長 　　　 ⑱ 都道府県知事

⑲ 日本年金機構理事長 　 ⑳ 年金事務所長

└──────────────────────────────────┘

令和5年度
（第55回）

選択式

国民年金法

問8 次の文中の 　　　　 の部分を選択肢の中の最も適切な語句で埋め、完全な文章とせよ。

1　国民年金法第74条第1項の規定によると、政府は、国民年金事業の円滑な実施を図るため、国民年金に関し、次に掲げる事業を行うことができるとされている。

(1)　 **A** を行うこと。

(2)　被保険者、受給権者その他の関係者（以下本問において「被保険者等」という。）に対し、 **B** を行うこと。

(3)　被保険者等に対し、被保険者等が行う手続に関する情報その他の被保険者等の **C** に資する情報を提供すること。

2　国民年金法第2条では、「国民年金は、前条の目的を達成するため、国民の老齢、障害又は死亡に関して **D** を行うものとする。」と規定されている。

3　国民年金法第7条第1項の規定によると、第1号被保険者、第2号被保険者及び第3号被保険者の被保険者としての要件については、いずれも **E** 要件が不要である。

選択肢

① 教育及び広報　　　　　　　② 国籍

③ 国内居住　　　　　　　　　④ 助言及び支援

⑤ 生活水準の向上　　　　　　⑥ 生計維持

⑦ 相談その他の援助　　　　　⑧ 積立金の運用

⑨ 年金額の通知　　　　　　　⑩ 年金記録の整備

⑪ 年金記録の通知　　　　　　⑫ 年金財政の開示

⑬ 年金支給　　　　　　　　　⑭ 年金制度の信頼増進

⑮ 年金の給付　　　　　　　　⑯ 年齢

⑰ 必要な給付　　　　　　　　⑱ 福祉の増進

⑲ 保険給付　　　　　　　　　⑳ 利便の向上

令和**5**年度
（2023年度・第55回）

本試験問題
択一式

本試験実施時間

13：20～16：50（210分）

法令等略記凡例

法令等名称	法令等略称
労働者災害補償保険法	労災保険法
労働保険の保険料の徴収等に関する法律	労働保険徴収法
労働保険の保険料の徴収等に関する法律施行規則	労働保険徴収法施行規則
障害者の雇用の促進等に関する法律	障害者雇用促進法
高年齢者等の雇用の安定等に関する法律	高年齢者雇用安定法
高齢者の医療の確保に関する法律	高齢者医療確保法

労働基準法及び労働安全衛生法

問1 下記のとおり賃金を支払われている労働者が使用者の責に帰すべき事由により半日休業した場合、労働基準法第26条の休業手当に関する次の記述のうち、正しいものはどれか。

　　賃　　金：日給　1日10,000円

　　半日休業とした日の賃金は、半日分の5,000円が支払われた。

　　平均賃金：7,000円

A 使用者は、以下の算式により2,000円の休業手当を支払わなければならない。

　　7,000円－5,000円＝2,000円

B 半日は出勤し労働に従事させており、労働基準法第26条の休業には該当しないから、使用者は同条の休業手当ではなく通常の1日分の賃金10,000円を支払わなければならない。

C 使用者は、以下の算式により1,000円の休業手当を支払わなければならない。

　　10,000円×0.6－5,000円＝1,000円

D 使用者は、以下の算式により1,200円の休業手当を支払わなければならない。

　　（7,000円－5,000円）×0.6＝1,200円

E 使用者が休業手当として支払うべき金額は発生しない。

問2 労働基準法第34条（以下本問において「本条」という。）に定める休憩時間に関する次のアからオの記述のうち、正しいものの組合せは、後記AからEまでのうちどれか。

ア 休憩時間は、本条第2項により原則として一斉に与えなければならないとされているが、道路による貨物の運送の事業、倉庫における貨物の取扱いの事業には、この規定は適用されない。

イ 一昼夜交替制勤務は労働時間の延長ではなく二日間の所定労働時間を継続して勤務する場合であるから、本条の条文の解釈（一日の労働時間に対する休憩と解する）により一日の所定労働時間に対して1時間以上の休憩を与えるべきものと解して、2時間以上の休憩時間を労働時間の途中に与えなければならないとされている。

ウ 休憩時間中の外出について所属長の許可を受けさせるのは、事業場内において自由に休息し得る場合には必ずしも本条第3項（休憩時間の自由利用）に違反しない。

エ 本条第1項に定める「6時間を超える場合においては少くとも45分」とは、一勤務の実労働時間の総計が6時間を超え8時間までの場合は、その労働時間の途中に少なくとも45分の休憩を与えなければならないという意味であり、休憩時間の置かれる位置は問わない。

オ 工場の事務所において、昼食休憩時間に来客当番として待機させた場合、結果的に来客が1人もなかったとしても、休憩時間を与えたことにはならない。

令和5年度
（第55回）

択一式

A （アとイとウ）　　**B** （アとイとエ）　　**C** （アとエとオ）

D （イとウとオ）　　**E** （ウとエとオ）

問3 労働基準法の年少者及び妊産婦等に係る規定に関する次の記述のうち、誤っているものはどれか。

A 年少者を坑内で労働させてはならないが、年少者でなくても、妊娠中の女性及び坑内で行われる業務に従事しない旨を使用者に申し出た女性については、坑内で行われるすべての業務に就かせてはならない。

B 女性労働者が妊娠中絶を行った場合、産前6週間の休業の問題は発生しないが、妊娠4か月（1か月28日として計算する。）以後行った場合には、産後の休業について定めた労働基準法第65条第2項の適用がある。

C 6週間以内に出産する予定の女性労働者が休業を請求せず引き続き就業している場合は、労働基準法第19条の解雇制限期間にはならないが、その期間中は女性労働者を解雇することのないよう行政指導を行うこととされている。

D 災害等による臨時の必要がある場合の時間外労働等を規定した労働基準法第33条第１項は年少者にも適用されるが、妊産婦が請求した場合においては、同項を適用して時間外労働等をさせることはできない。

E 年少者の、深夜業に関する労働基準法第61条の「使用してはならない」、危険有害業務の就業制限に関する同法第62条の「業務に就かせてはならない」及び坑内労働の禁止に関する同法第63条の「労働させてはならない」は、それぞれ表現が異なっているが、すべて現実に労働させることを禁止する趣旨である。

問4 労働基準法の総則（第１条～第12条）に関する次の記述のうち、正しいものはどれか。

A 労働基準法第２条により、「労働条件は、労働者と使用者が、対等の立場において決定すべきもの」であるが、個々の労働者と使用者の間では「対等の立場」は事実上困難であるため、同条は、使用者は労働者に労働組合の設立を促すように努めなければならないと定めている。

B 特定の思想、信条に従って行う行動が企業の秩序維持に対し重大な影響を及ぼす場合、その秩序違反行為そのものを理由として差別的取扱いをすることは、労働基準法第３条に違反するものではない。

C 労働基準法第５条に定める「監禁」とは、物質的障害をもって一定の区画された場所から脱出できない状態に置くことによって、労働者の身体を拘束することをいい、物質的障害がない場合には同条の「監禁」に該当することはない。

D 法人が業として他人の就業に介入して利益を得た場合、労働基準法第６条違反が成立するのは利益を得た法人に限定され、法人のために違反行為を計画し、かつ実行した従業員については、その者が現実に利益を得ていなければ同条違反は成立しない。

E 労働基準法第10条にいう「使用者」は、企業内で比較的地位の高い者として一律に決まるものであるから、同法第９条にいう「労働者」に該当する者が、同時に同法第10条にいう「使用者」に該当することはない。

問5 労働基準法に定める労働契約等に関する次の記述のうち、誤っているものはどれか。

A 労働基準法第14条第1項に規定する期間を超える期間を定めた労働契約を締結した場合は、同条違反となり、当該労働契約は、期間の定めのない労働契約となる。

B 社宅が単なる福利厚生施設とみなされる場合においては、社宅を供与すべき旨の条件は労働基準法第15条第1項の「労働条件」に含まれないから、労働契約の締結に当たり同旨の条件を付していたにもかかわらず、社宅を供与しなかったときでも、同条第2項による労働契約の解除権を行使することはできない。

C 使用者が労働者からの申出に基づき、生活必需品の購入等のための生活資金を貸付け、その後この貸付金を賃金から分割控除する場合においても、その貸付の原因、期間、金額、金利の有無等を総合的に判断して労働することが条件となっていないことが極めて明白な場合には、労働基準法第17条の規定は適用されない。

D 労働者が、労働基準法第22条に基づく退職時の証明を求める回数については制限はない。

E 従来の取引事業場が休業状態となり、発注品がないために事業が金融難に陥った場合には、労働基準法第19条及び第20条にいう「やむを得ない事由のために事業の継続が不可能となつた場合」に該当しない。

令和5年度（第55回）択一式

問6 労働基準法に定める賃金等に関する次の記述のうち、正しいものはどれか。

A 労働基準法第24条第1項に定めるいわゆる直接払の原則は、労働者と無関係の第三者に賃金を支払うことを禁止するものであるから、労働者の親権者その他法定代理人に支払うことは直接払の原則に違反しないが、労働者の委任を受けた任意代理人に支払うことは直接払の原則に違反する。

B いかなる事業場であれ、労働基準法に規定する協定等をする者を選出することを明らかにして実施される投票、挙手等の方法による手続により選出された者であって、使用者の意向に基づき選出された者でないこと、という要件さえ満たせば、労働基準法第24条第1項ただし書に規定する当該事業場の「労働者の過半数を代表する者」に該当する。

C 賃金の所定支払日が休日に当たる場合に、その支払日を繰り上げることを定めることだけでなく、その支払日を繰り下げることを定めることも労働基準法第24条第2項に定めるいわゆる一定期日払に違反しない。

D 使用者は、労働者が出産、疾病、災害その他厚生労働省令で定める非常の場合の費用に充てるために請求する場合においては、支払期日前であっても、既往の労働に対する賃金を支払わなければならないが、その支払いには労働基準法第24条第1項の規定は適用されない。

E 会社に法令違反の疑いがあったことから、労働組合がその改善を要求して部分ストライキを行った場合に、同社がストライキに先立ち、労働組合の要求を一部受け入れ、一応首肯しうる改善案を発表したのに対し、労働組合がもっぱら自らの判断によって当初からの要求の貫徹を目指してストライキを決行したという事情があるとしても、法令違反の疑いによって本件ストライキの発生を招いた点及びストライキを長期化させた点について使用者側に過失があり、同社が労働組合所属のストライキ不参加労働者の労働が社会観念上無価値となったため同労働者に対して命じた休業は、労働基準法第26条の「使用者の責に帰すべき事由」によるものであるとして、同労働者は同条に定める休業手当を請求することができるとするのが、最高裁判所の判例である。

問7 労働基準法に定める労働時間等に関する次の記述のうち、誤っているものはどれか。

A 労働基準法第32条の3に定めるフレックスタイム制において同法第36条第1項の協定(以下本問において「時間外・休日労働協定」という。)を締結する際、1日について延長することができる時間を協定する必要はなく、1か月及び1年について協定すれば足りる。

B　労使当事者は、時間外・休日労働協定において労働時間を延長し、又は休日に労働させることができる業務の種類について定めるに当たっては、業務の区分を細分化することにより当該業務の範囲を明確にしなければならない。

C　労働基準法に定められた労働時間規制が適用される労働者が事業主を異にする複数の事業場で労働する場合、労働基準法第38条第1項により、当該労働者に係る同法第32条・第40条に定める法定労働時間及び同法第34条に定める休憩に関する規定の適用については、労働時間を通算することとされている。

D　労働基準法第39条第5項ただし書にいう「事業の正常な運営を妨げる場合」か否かの判断に当たり、勤務割による勤務体制がとられている事業場において、「使用者としての通常の配慮をすれば、勤務割を変更して代替勤務者を配置することが客観的に可能な状況にあると認められるにもかかわらず、使用者がそのための配慮をしないことにより代替勤務者が配置されないときは、必要配置人員を欠くものとして事業の正常な運営を妨げる場合に当たるということはできないと解するのが相当である。」とするのが、最高裁判所の判例である。

E　使用者は、労働時間の適正な把握を行うべき労働者の労働日ごとの始業・終業時刻を確認し、これを記録することとされているが、その方法としては、原則として「使用者が、自ら現認することにより確認し、適正に記録すること」、「タイムカード、ICカード、パソコンの使用時間の記録等の客観的な記録を基礎として確認し、適正に記録すること」のいずれかの方法によることとされている。

問8　労働安全衛生法第37条第1項の「特定機械等」（特に危険な作業を必要とする機械等であって、これを製造しようとする者はあらかじめ都道府県労働局長の許可を受けなければならないもの）として、労働安全衛生法施行令に掲げられていないものはどれか。ただし、いずれも本邦の地域内で使用されないことが明らかな場合を除くものとする。

A　「ボイラー（小型ボイラー並びに船舶安全法の適用を受ける船舶に用いられるもの及び電気事業法（昭和39年法律第170号）の適用を受けるものを除く。）」

B　「つり上げ荷重が3トン以上（スタッカー式クレーンにあっては、1トン以上）のクレーン」

C 「つり上げ荷重が３トン以上の移動式クレーン」

D 「積載荷重（エレベーター（簡易リフト及び建設用リフトを除く。以下同じ。）、簡易リフト又は建設用リフトの構造及び材料に応じて、これらの搬器に人又は荷をのせて上昇させることができる最大の荷重をいう。以下同じ。）が１トン以上のエレベーター」

E 「機体重量が３トン以上の車両系建設機械」

問9 労働安全衛生法の対象となる作業・業務について、同法に基づく規則に関する次の記述のうち、誤っているものはどれか。

A 金属をアーク溶接する作業には、特定化学物質障害予防規則の適用がある。

B 自然換気が不十分な場所におけるはんだ付けの業務には、鉛中毒予防規則の適用がある。

C 重量の５パーセントを超えるトルエンを含む塗料を用いて行う塗装の業務には、有機溶剤中毒予防規則の適用がある。

D 潜水業務（潜水器を用い、かつ、空気圧縮機若しくは手押しポンプによる送気又はボンベからの給気を受けて、水中において行う業務をいう。）には、酸素欠乏症等防止規則の適用がある。

E フォークリフトを用いて行う作業には、労働安全衛生規則の適用がある。

問10 労働安全衛生法の健康診断に係る規定に関する次の記述のうち、正しいものはどれか。

A 事業者は、労働安全衛生法第66条第１項の規定による健康診断の結果（当該健康診断の項目に異常の所見があると診断された労働者に係るものに限る。）に基づき、当該労働者の健康を保持するために必要な措置について、厚生労働省令で定めるところにより、医師又は歯科医師の意見を聴かなければならない。

B　事業者は、常時使用する労働者を雇い入れるときは、当該労働者に対し、所定の項目について医師による健康診断を行わなければならないが、医師による健康診断を受けた後、6月を経過しない者を雇い入れる場合において、その者が当該健康診断の結果を証明する書面を提出したときは、当該健康診断の項目に相当する項目については、この限りでない。

C　事業者（常時100人以上の労働者を使用する事業者に限る。）は、労働安全衛生規則第44条の定期健康診断又は同規則第45条の特定業務従事者の健康診断（定期のものに限る。）を行ったときは、遅滞なく、電子情報処理組織を使用して、所定の事項を所轄労働基準監督署長に報告しなければならない。（改題）

D　事業者は、労働安全衛生規則第44条の定期健康診断を受けた労働者に対し、遅滞なく、当該健康診断の結果（当該健康診断の項目に異常の所見があると診断された労働者に係るものに限る。）を通知しなければならない。

E　労働者は、労働安全衛生法の規定により事業者が行う健康診断を受けなければならない。ただし、事業者の指定した医師又は歯科医師が行う健康診断を受けることを希望しない場合において、その旨を明らかにする書面を事業者に提出したときは、この限りでない。

令和5年度
（第55回）

択一式

労働者災害補償保険法（労働保険の保険料の徴収等に関する法律を含む。）

問1 「心理的負荷による精神障害の認定基準について」（令和5年9月1日付け基発0901第2号）における「業務による心理的負荷の強度の判断」のうち、出来事が複数ある場合の全体評価に関する次の記述のうち誤っているものはどれか。（改題）

A 複数の出来事のうち、いずれかの出来事が「強」の評価となる場合は、業務による心理的負荷を「強」と判断する。

B 複数の出来事が関連して生じている場合、「中」である出来事があり、それに関連する別の出来事（それ単独では「中」の評価）が生じた場合には、後発の出来事は先発の出来事の出来事後の状況とみなし、当該後発の出来事の内容、程度により「強」又は「中」として全体を評価する。

C 単独の出来事の心理的負荷が「中」である複数の出来事が関連なく生じている場合、全体評価は「中」又は「強」となる。

D 単独の出来事の心理的負荷が「中」である出来事一つと、「弱」である複数の出来事が関連なく生じている場合、原則として全体評価も「中」となる。

E 単独の出来事の心理的負荷が「弱」である複数の出来事が関連なく生じている場合、原則として全体評価は「中」又は「弱」となる。

問2 業務上の災害により、ひじ関節の機能に障害を残し（第12級の6）、かつ、四歯に対し歯科補てつを加えた（第14級の2）場合の、障害補償給付を支給すべき身体障害の障害等級として正しいものはどれか。

A 併合第10級

B 併合第11級

C 併合第12級

D 併合第13級

E 併合第14級

問3 「血管病変等を著しく増悪させる業務による脳血管疾患及び虚血性心疾患等の認定基準について」（令和3年9月14日付け基発0914第1号）で取り扱われる対象疾病に含まれるものは、次のアからオの記述のうちいくつあるか。

ア 狭心症

イ 心停止（心臓性突然死を含む。）

ウ 重篤な心不全

エ くも膜下出血

オ 大動脈解離

A 一つ

B 二つ

C 三つ

D 四つ

E 五つ

問4 労災年金と厚生年金・国民年金との間の併給調整に関する次のアからオの記述のうち、正しいものはいくつあるか。

　　なお、昭和60年改正前の厚生年金保険法、船員保険法又は国民年金法の規定による年金給付が支給される場合については、考慮しない。また、調整率を乗じて得た額が、調整前の労災年金額から支給される厚生年金等の額を減じた残りの額を下回る場合も考慮しない。

ア 同一の事由により障害補償年金と障害厚生年金及び障害基礎年金を受給する場合、障害補償年金の支給額は、0.73の調整率を乗じて得た額となる。

イ 障害基礎年金のみを既に受給している者が新たに障害補償年金を受け取る場合、障害補償年金の支給額は、0.83の調整率を乗じて得た額となる。

ウ 障害基礎年金のみを受給している者が遺族補償年金を受け取る場合、遺族補償年金の支給額は、0.88の調整率を乗じて得た額となる。

エ 同一の事由により遺族補償年金と遺族厚生年金及び遺族基礎年金を受給する場合、遺族補償年金の支給額は、0.80の調整率を乗じて得た額となる。

オ 遺族基礎年金のみを受給している者が障害補償年金を受け取る場合、障害補償年金の支給額は、0.88の調整率を乗じて得た額となる。

A 一つ

B 二つ

C 三つ

D 四つ

E 五つ

問5 遺族補償年金に関する次の記述のうち、正しいものはどれか。

A 妻である労働者の死亡当時、無職であった障害の状態にない50歳の夫は、労働者の死亡の当時その収入によって生計を維持していたものであるから、遺族補償年金の受給資格者である。

B 労働者の死亡当時、負傷又は疾病が治らず、身体の機能又は精神に労働が高度の制限を受ける程度以上の障害があるものの、障害基礎年金を受給していた子は、労働者の死亡の当時その収入によって生計を維持していたものとはいえないため、遺族補償年金の受給資格者ではない。

C 労働者の死亡当時、胎児であった子は、労働者の死亡の当時その収入によって生計を維持していたものとはいえないため、出生後も遺族補償年金の受給資格者ではない。

D 労働者が就職後極めて短期間の間に死亡したため、死亡した労働者の収入で生計を維持するに至らなかった遺族でも、労働者が生存していたとすればその収入によって生計を維持する関係がまもなく常態となるに至ったであろうことが明らかな場合は、遺族補償年金の受給資格者である。

E 労働者の死亡当時、30歳未満であった子のない妻は、遺族補償年金の受給開始から5年が経つと、遺族補償年金の受給権を失う。

問6 労災保険給付に関する決定（処分）に不服がある場合の救済手続に関する次の記述のうち、正しいものはどれか。

A 労災保険給付に関する決定に不服のある者は、都道府県労働局長に対して審査請求を行うことができる。

B 審査請求をした日から1か月を経過しても審査請求についての決定がないときは、審査請求は棄却されたものとみなすことができる。

C 処分の取消しの訴えは、再審査請求に対する労働保険審査会の決定を経た後でなければ、提起することができない。

D 医師による傷病の治ゆ認定は、療養補償給付の支給に影響を与えることから、審査請求の対象となる。

E 障害補償給付の不支給処分を受けた者が審査請求前に死亡した場合、その相続人は、当該不支給処分について審査請求人適格を有する。

問7 新卒で甲会社に正社員として入社した労働者Pは、入社1年目の終了時に、脳血管疾患を発症しその日のうちに死亡した。Pは死亡前の1年間、毎週月曜から金曜に1日8時間甲会社で働くと同時に、学生時代からパートタイム労働者として勤務していた乙会社との労働契約も継続し、日曜に乙会社で働いていた。また、死亡6か月前から4か月前は丙会社において、死亡3か月前から死亡時までは丁会社において、それぞれ3か月の期間の定めのある労働契約でパートタイム労働者として、毎週月曜から金曜まで甲会社の勤務を終えた後に働いていた。Pの遺族は、Pの死亡は業務災害又は複数業務要因災害によるものであるとして所轄労働基準監督署長に対し遺族補償給付又は複数事業労働者遺族給付の支給を求めた。当該署長は、甲会社の労働時間のみでは業務上の過重負荷があったとはいえず、Pの死亡は業務災害によるものとは認められず、また甲会社と乙会社の労働時間を合計しても業務上の過重負荷があったとはいえないが、甲会社と丙会社・丁会社の労働時間を合計した場合には業務上の過重負荷があったと評価でき、個体側要因や業務以外の過重負荷により発症したとはいえないことから、Pの死亡は複数業務要因災害によるものと認められると判断した。Pの遺族への複数事業労働者遺族給付を行う場合における給付基礎日額の算定に当たって基礎とする額に関する次の記述のうち、正しいものはどれか。

A 甲会社につき算定した給付基礎日額である。

B 甲会社・乙会社それぞれにつき算定した給付基礎日額に相当する額を合算した額である。

C 甲会社・丁会社それぞれにつき算定した給付基礎日額に相当する額を合算した額である。

D 甲会社・丙会社・丁会社それぞれにつき算定した給付基礎日額に相当する額を合算した額である。

E 甲会社・乙会社・丁会社それぞれにつき算定した給付基礎日額に相当する額を合算した額である。

問8 労働保険の保険料の徴収等に関する次の記述のうち、誤っているものはどれか。

なお、本問においては保険年度の中途に特別加入者の事業の変更や異動等はないものとする。

A 中小事業主等が行う事業に係る労災保険率が1,000分の４であり、当該中小事業主等が労災保険法第34条第１項の規定により保険給付を受けることができることとされた者である場合、当該者に係る給付基礎日額が12,000円のとき、令和５年度の保険年度１年間における第１種特別加入保険料の額は17,520円となる。

B 有期事業について、中小事業主等が労災保険法第34条第１項の規定により保険給付を受けることができることとされた者である場合、当該者が概算保険料として納付すべき第１種特別加入保険料の額は、同項の承認に係る全期間における特別加入保険料算定基礎額の総額の見込額に当該事業についての第１種特別加入保険料率を乗じて算定した額とされる。

C 労災保険法第35条第１項の規定により労災保険の適用を受けることができることとされた者に係る給付基礎日額が12,000円である場合、当該者の事業又は作業の種類がいずれであっても令和５年度の保険年度１年間における第２種特別加入保険料の額が227,760円を超えることはない。

D フードデリバリーの自転車配達員が労災保険法の規定により労災保険に特別加入をすることができる者とされた場合、当該者が納付する特別加入保険料は第２種特別加入保険料である。

E 中小事業主等が行う事業に係る労災保険率が1,000分の9であり、当該中小事業主等に雇用される者が労災保険法第36条第1項の規定により保険給付を受けることができることとされた者である場合、当該者に係る給付基礎日額が12,000円のとき、令和5年度の保険年度1年間における第3種特別加入保険料の額は39,420円となる。

問9 労働保険の保険料の徴収等に関する次の記述のうち、誤っているものはどれか。

A 労働保険事務組合の主たる事務所が所在する都道府県に主たる事務所を持つ事業の事業主のほか、他の都道府県に主たる事務所を持つ事業の事業主についても、当該労働保険事務組合に労働保険事務を委託することができる。

B 労働保険事務組合の主たる事務所の所在地を管轄する都道府県労働局長は、必要があると認めたときは、当該労働保険事務組合に対し、当該労働保険事務組合が労働保険事務の処理の委託を受けることができる事業の行われる地域について必要な指示をすることができる。

C 労働保険事務組合は労働保険徴収法第33条第2項に規定する厚生労働大臣の認可を受けることによって全く新しい団体が設立されるわけではなく、既存の事業主の団体等がその事業の一環として、事業主が処理すべき労働保険事務を代理して処理するものである。

D 労働保険事務組合事務処理規約に規定する期限までに、確定保険料申告書を作成するための事実を事業主が報告したにもかかわらず、労働保険事務組合が労働保険徴収法の定める申告期限までに確定保険料申告書を提出しなかったため、所轄都道府県労働局歳入徴収官が確定保険料の額を認定決定し、追徴金を徴収することとした場合、当該事業主が当該追徴金を納付するための金銭を当該労働保険事務組合に交付しなかったときは、当該労働保険事務組合は政府に対して当該追徴金の納付責任を負うことはない。

E 清掃業を主たる事業とする事業主は、その使用する労働者数が臨時に増加し一時的に300人を超えることとなった場合でも、常態として300人以下であれば労働保険事務の処理を労働保険事務組合に委託することができる。

問10 労働保険の保険料の徴収等に関する次の記述のうち、誤っているものはどれか。

A 事業主が同一人である2以上の事業（有期事業以外の事業に限る。）であって、労働保険徴収法施行規則第10条で定める要件に該当するものに関し、当該事業主が当該2以上の事業について成立している保険関係の全部又は一部を一の保険関係とすることを継続事業の一括という。

B 継続事業の一括に当たって、労災保険に係る保険関係が成立している事業のうち二元適用事業と、一元適用事業であって労災保険及び雇用保険の両保険に係る保険関係が成立している事業とは、一括できない。

C 継続事業の一括に当たって、雇用保険に係る保険関係が成立している事業のうち二元適用事業については、それぞれの事業が労災保険率表による事業の種類を同じくしている必要はない。

D 暫定任意適用事業にあっては、継続事業の一括の申請前に労働保険の保険関係が成立していなくとも、任意加入の申請と同時に一括の申請をして差し支えない。

E 労働保険徴収法第9条の継続事業の一括の認可を受けようとする事業主は、所定の申請書を同条の規定による厚生労働大臣の一の事業の指定を受けることを希望する事業に係る所轄都道府県労働局長に提出しなければならないが、指定される事業は当該事業主の希望する事業と必ずしも一致しない場合がある。

雇用保険法（労働保険の保険料の徴収等に関する法律を含む。）

問1 雇用保険の被保険者に関する次の記述のうち、誤っているものはどれか。

A 名目的に就任している監査役であって、常態的に従業員として事業主との間に明確な雇用関係があると認められる場合は、被保険者となる。

B 専ら家事に従事する家事使用人は、被保険者とならない。

C 個人事業の事業主と同居している親族は、当該事業主の業務上の指揮命令を受け、就業の実態が当該事業所における他の労働者と同様であり、賃金もこれに応じて支払われ、取締役等に該当しない場合には、被保険者となる。

D ワーキング・ホリデー制度による入国者は、旅行資金を補うための就労が認められるものであることから、被保険者とならない。

E 日本の民間企業等に技能実習生（在留資格「技能実習1号イ」、「技能実習1号ロ」、「技能実習2号イ」及び「技能実習2号ロ」の活動に従事する者）として受け入れられ、講習を経て技能等の修得をする活動を行う者は被保険者とならない。

令和5年度
（第55回）

択一式

問2 失業の認定に関する次の記述のうち、正しいものはどれか。

A 基本手当に係る失業の認定日において、前回の認定日から今回の認定日の前日までの期間の日数が14日未満となる場合、求職活動を行った実績が1回以上確認できた場合には、当該期間に属する、他に不認定となる事由がある日以外の各日について、失業の認定が行われる。

B 許可・届出のある民間職業紹介機関へ登録し、同日に職業相談、職業紹介等を受けなかったが求人情報を閲覧した場合、求職活動実績に該当する。

C 失業の認定日が就職日の前日である場合、当該認定日において就労していない限り、前回の認定日から当該認定日の翌日までの期間について失業の認定をすることができる。

D 求職活動実績の確認のためには、所定の失業認定申告書に記載された受給資格者の自己申告のほか、求職活動に利用した機関や応募先事業所の確認印がある証明書が必要である。

E 受給資格者が被保険者とならないような登録型派遣就業を行った場合、当該派遣就業に係る雇用契約期間につき失業の認定が行われる。

問3 雇用保険法における賃金に関する次の記述のうち、誤っているものはどれか。

A 退職金相当額の全部又は一部を労働者の在職中に給与に上乗せする等により支払う、いわゆる「前払い退職金」は、臨時に支払われる賃金及び３か月を超える期間ごとに支払われる賃金に該当する場合を除き、原則として、賃金日額の算定の基礎となる賃金の範囲に含まれる。

B 支給額の計算の基礎が月に対応する住宅手当の支払が便宜上年３回以内にまとめて支払われる場合、当該手当は賃金日額の算定の基礎に含まれない。

C 基本手当の受給資格者が、失業の認定を受けた期間中に自己の労働によって収入を得た場合であって、当該収入を得るに至った日の後における最初の失業の認定日にその旨の届出をしないとき、公共職業安定所長は、当該失業の認定日において失業の認定をした日分の基本手当の支給の決定を次の基本手当を支給すべき日まで延期することができる。

D 雇用保険法第18条第３項に規定する最低賃金日額は、同条第１項及び第２項の規定により変更された自動変更対象額が適用される年度の４月１日に効力を有する地域別最低賃金の額について、一定の地域ごとの額を労働者の人数により加重平均して算定した額に20を乗じて得た額を７で除して得た額とされる。

E 介護休業に伴う勤務時間短縮措置により賃金が低下している期間に倒産、解雇等の理由により離職し、受給資格を取得し一定の要件を満たした場合であって、離職時に算定される賃金日額が当該短縮措置開始時に離職したとみなした場合に算定される賃金日額に比べて低い場合は、当該短縮措置開始時に離職したとみなした場合に算定される賃金日額により基本手当の日額が算定される。

問4 訓練延長給付に関する次の記述のうち、正しいものはどれか。

A 訓練延長給付の支給を受けようとする者は、公共職業安定所長が指示した公共職業訓練等を初めて受講した日以降の失業認定日において受講証明書を提出することにより、当該公共職業訓練等を受け終わるまで失業の認定を受けることはない。

B 受給資格者が公共職業安定所長の指示した公共職業訓練等を受けるために待期している期間内の失業している日は、訓練延長給付の支給対象とならない。

C 公共職業安定所長がその指示した公共職業訓練等を受け終わってもなお就職が相当程度に困難であると認めた者は、30日から当該公共職業訓練等を受け終わる日における基本手当の支給残日数（30日に満たない場合に限る。）を差し引いた日数の訓練延長給付を受給することができる。

令和5年度
（第55回）
択一式

D 訓練延長給付を受ける者が所定の訓練期間終了前に中途退所した場合、訓練延長給付に係る公共職業訓練等受講開始時に遡って訓練延長給付を返還しなければならない。

E 公共職業安定所長は、職業訓練の実施等による特定求職者の就職の支援に関する法律第4条第2項に規定する認定職業訓練を、訓練延長給付の対象となる公共職業訓練等として指示することができない。

問5 就職促進給付に関する次のアからオの記述のうち、正しいもの又は正しいものの組合せは、後記AからEまでのうちどれか。（改題）

ア 障害者雇用促進法に定める身体障害者が1年以上引き続き雇用されることが確実であると認められる職業に就いた場合、当該職業に就いた日の前日における基本手当の支給残日数が所定給付日数の3分の1未満であれば就業促進手当を受給することができない。

イ 受給資格者が1年を超えて引き続き雇用されることが確実であると認められる職業に就いた日前3年の期間内に厚生労働省令で定める安定した職業に就いたことにより就業促進手当の支給を受けたことがあるときは、就業促進手当を受給することができない。

ウ 受給資格者が公共職業安定所の紹介した雇用期間が1年未満の職業に就くためその住居又は居所を変更する場合、移転費を受給することができる。

エ （改正により削除）

オ 受給資格者が公共職業安定所の職業指導に従って行う再就職の促進を図るための職業に関する教育訓練を修了した場合、当該教育訓練の受講のために支払った費用につき、教育訓練給付金の支給を受けていないときに、その費用の額の100分の30（その額が10万円を超えるときは、10万円）が短期訓練受講費として支給される。

A （アとイ）　　　B （アとウ）　　　C （イ）

D （ウとオ）　　　E （オ）

問6 次の場合の第１子に係る育児休業給付金の支給単位期間の合計月数として正しいものはどれか。

　　令和３年10月１日、初めて一般被保険者として雇用され、継続して週５日勤務していた者が、令和５年11月１日産前休業を開始した。同年12月９日第１子を出産し、翌日より令和６年２月３日まで産後休業を取得した。翌日より育児休業を取得し、同年５月４日職場復帰した。その後同年６月10日から再び育児休業を取得し、同年８月10日職場復帰した後、同年11月９日から同年12月８日まで雇用保険法第61条の７第２項の厚生労働省令で定める場合に該当しない３度目の育児休業を取得して翌日職場復帰した。

A　０か月

B　３か月

C　４か月

D　５か月

E　６か月

問7 教育訓練給付金の支給申請手続に関する次の記述のうち、正しいものには○、誤っているものには×をつけよ。（改題）

A 特定一般教育訓練期間中に被保険者資格を喪失した場合であっても、対象特定一般教育訓練開始日において支給要件期間を満たす者については、対象特定一般教育訓練に係る修了の要件を満たす限り、特定一般教育訓練給付金の支給対象となる。

B 一般教育訓練給付金の支給を受けようとする支給対象者は、疾病又は負傷、在職中であることその他やむを得ない理由がなくとも社会保険労務士により支給申請を行うことができる。

C 特定一般教育訓練に係る教育訓練給付金の支給を受けようとする者は、管轄公共職業安定所長に教育訓練給付金及び教育訓練支援給付金受給資格確認票を提出する際、職務経歴等記録書を添付しないことができる。

D 一般教育訓練に係る教育訓練給付金の支給を受けようとする者は、当該教育訓練給付金の支給に係る一般教育訓練の修了予定日の1か月前までに教育訓練給付金支給申請書を管轄公共職業安定所長に提出しなければならない。

E 専門実践教育訓練に係る教育訓練給付金の支給を受けようとする者は、当該専門実践教育訓練の受講開始後遅滞なく所定の書類を添えるなどにより教育訓練給付金及び教育訓練支援給付金受給資格確認票を管轄公共職業安定所長に提出しなければならない。

問8 労働保険の保険料の徴収等に関する次の記述のうち、正しいものはどれか。

A 不動産業を継続して営んできた事業主が令和5年7月10日までに確定保険料申告書を提出しなかった場合、所轄都道府県労働局歳入徴収官が労働保険料の額を決定し、これを当該事業主に通知するとともに労働保険徴収法第27条に基づく督促が行われる。

B 小売業を継続して営んできた事業主が令和4年10月31日限りで事業を廃止した場合、確定保険料申告書を同年12月10日までに所轄都道府県労働局歳入徴収官あてに提出しなければならない。

C 令和4年6月1日に労働保険の保険関係が成立し、継続して交通運輸事業を営んできた事業主は、概算保険料の申告及び納付手続と確定保険料の申告及び納付手続とを令和5年度の保険年度において同一の用紙により一括して行うことができる。

D 令和4年4月1日に労働保険の保険関係が成立して以降金融業を継続して営んでおり、労働保険事務組合に労働保険事務の処理を委託している事業主は、令和5年度の保険年度の納付すべき概算保険料の額が10万円であるとき、その延納の申請を行うことはできない。

E 令和4年5月1日から令和6年2月28日までの期間で道路工事を行う事業について、事業主が納付すべき概算保険料の額が120万円であったとき、延納の申請により第1期に納付すべき概算保険料の額は24万円とされる。

問9 労働保険の保険料の徴収等に関する次の記述のうち、正しいものはどれか。

A 日雇労働被保険者が負担すべき額を賃金から控除する場合において、労働保険徴収法施行規則第60条第2項に定める一般保険料控除計算簿を作成し、事業場ごとにこれを備えなければならないが、その形式のいかんを問わないため賃金台帳をもってこれに代えることができる。

B 事業主は、雇用保険印紙を購入しようとするときは、あらかじめ、労働保険徴収法施行規則第42条第1項に掲げる事項を記載した申請書を所轄都道府県労働局歳入徴収官に提出して、雇用保険印紙購入通帳の交付を受けなければならない。

C 印紙保険料納付計器を厚生労働大臣の承認を受けて設置した事業主は、使用した日雇労働被保険者に賃金を支払う都度、その使用した日の被保険者手帳における該当日欄に納付印をその使用した日数に相当する回数だけ押した後、納付すべき印紙保険料の額に相当する金額を所轄都道府県労働局歳入徴収官に納付しなければならない。

D 事業主は、雇用保険印紙が変更されたときは、その変更された日から1年間、雇用保険印紙を販売する日本郵便株式会社の営業所に雇用保険印紙購入通帳を提出し、その保有する雇用保険印紙の買戻しを申し出ることができる。

E 日雇労働被保険者を使用する事業主が、正当な理由がないと認められるにもかかわらず、雇用保険印紙を日雇労働被保険者手帳に貼付することを故意に怠り、1,000円以上の額の印紙保険料を納付しなかった場合、労働保険徴収法第46条の罰則が適用され、6月以下の懲役又は所轄都道府県労働局歳入徴収官が認定決定した印紙保険料及び追徴金の額を含む罰金に処せられる。

問10 労働保険の保険料の徴収等に関する次の記述のうち、正しいものはどれか。

A 労働保険徴収法における「賃金」のうち、食事、被服及び住居の利益の評価に関し必要な事項は、所轄労働基準監督署長又は所轄公共職業安定所長が定めることとされている。

B 国の行う立木の伐採の事業であって、賃金総額を正確に算定することが困難なものについては、特例により算定した額を当該事業に係る賃金総額とすることが認められている。

C 雇用保険率は、雇用保険法の規定による保険給付及び社会復帰促進等事業に要する費用の予想額に照らし、将来にわたって、雇用保険の事業に係る財政の均衡を保つことができるものでなければならないものとされる。

D 厚生労働大臣は、労働保険徴収法第12条第5項の場合において、必要があると認めるときは、労働政策審議会の意見を聴いて、各保険年度の1年間単位で失業等給付費等充当徴収保険率を同項に定める率の範囲内において変更することができるが、1年間より短い期間で変更することはできない。（改題）

E 一般の事業について、雇用保険率が1,000分の15.5であり、二事業費充当徴収保険率が1,000分の3.5のとき、事業主負担は1,000分の9.5、被保険者負担は1,000分の6となる。（改題）

労務管理その他の労働及び社会保険に関する一般常識

問1 我が国の女性雇用等に関する次の記述のうち、誤っているものはどれか。

なお、本問は、「令和3年度雇用均等基本調査（企業調査）（厚生労働省）」を参照しており、当該調査による用語及び統計等を利用している。

A 女性の正社員・正職員に占める各職種の割合は、一般職が最も高く、次いで総合職、限定総合職の順となっている。他方、男性の正社員・正職員に占める各職種の割合は、総合職が最も高く、次いで一般職、限定総合職の順となっている。

B 令和3年春卒業の新規学卒者を採用した企業について採用区分ごとにみると、総合職については「男女とも採用」した企業の割合が最も高く、次いで「男性のみ採用」の順となっている。

C 労働者の職種、資格や転勤の有無によっていくつかのコースを設定して、コースごとに異なる雇用管理を行う、いわゆるコース別雇用管理制度が「あり」とする企業割合は、企業規模5,000人以上では約8割を占めている。

D 課長相当職以上の女性管理職（役員を含む。）を有する企業割合は約5割、係長相当職以上の女性管理職（役員を含む。）を有する企業割合は約6割を占めている。

E 不妊治療と仕事との両立のために利用できる制度を設けている企業について、制度の内容別に内訳をみると、「時間単位で取得可能な年次有給休暇制度」の割合が最も高く、次いで「特別休暇制度（多目的であり、不妊治療にも利用可能なもの）」、「短時間勤務制度」となっている。

問2 我が国の能力開発や人材育成に関する次の記述のうち、誤っているものはどれか。

なお、本問は、「令和3年度能力開発基本調査（事業所調査）（厚生労働省）」を参照しており、当該調査による用語及び統計等を利用している。

A 能力開発や人材育成に関して何らかの問題があるとする事業所のうち、問題点の内訳は、「指導する人材が不足している」の割合が最も高く、「人材育成を行う時間がない」、「人材を育成しても辞めてしまう」と続いている。

B 正社員を雇用する事業所のうち、正社員の自己啓発に対する支援を行っている事業所の支援の内容としては、「教育訓練機関、通信教育等に関する情報提供」の割合が最も高く、「受講料などの金銭的援助」、「自己啓発を通して取得した資格等に対する報酬」と続いている。

C キャリアコンサルティングを行う仕組みを導入している事業所のうち、正社員に対してキャリアコンサルティングを行う上で問題があるとする事業所における問題の内訳をみると、「キャリアに関する相談を行っても、その効果が見えにくい」の割合が最も高く、「労働者からのキャリアに関する相談件数が少ない」、「キャリアコンサルタント等相談を受けることのできる人材を内部で育成することが難しい」と続いている。

D 労働者の主体的なキャリア形成に向けて実施した取組は、「上司による定期的な面談（1 on 1ミーティング等）」の割合が最も高く、「職務の遂行に必要なスキル・知識等に関する情報提供」、「自己啓発に対する支援」と続いている。

E 職業能力評価を行っている事業所における職業能力評価の活用方法は、「人事考課（賞与、給与、昇格・降格、異動・配置転換等）の判断基準」の割合が最も高く、「人材配置の適正化」、「労働者に必要な能力開発の目標」と続いている。

問3 我が国のパートタイム・有期雇用労働者の雇用に関する次の記述のうち、正しいものはどれか。

　なお、本問は、「令和3年パートタイム・有期雇用労働者総合実態調査（事業所調査）（厚生労働省）」を参照しており、当該調査による用語及び統計等を利用している。

A パートタイム・有期雇用労働者の雇用状況をみると、「パートタイム・有期雇用労働者を雇用している」企業の割合は7割を超えている。

B 「パートタイム・有期雇用労働者を雇用している」企業について、雇用している就業形態（複数回答）をみると、「有期雇用パートタイムを雇用している」の割合が最も高く、次いで「無期雇用パートタイムを雇用している」、「有期雇用フルタイムを雇用している」の順となっている。

C 正社員とパートタイム・有期雇用労働者を雇用している企業について、パートタイム・有期雇用労働者を雇用する理由（複数回答）をみると、「有期雇用フルタイム」では「定年退職者の再雇用のため」、「仕事内容が簡単なため」、「人を集めやすいため」が上位3つを占めている。「有期雇用パートタイム」では「定年退職者の再雇用のため」の割合が6割を超えている。

D 正社員とパートタイム・有期雇用労働者を雇用している企業が行っている教育訓練の種類（複数回答）について、正社員に実施し、うち「無期雇用パートタイム」「有期雇用パートタイム」「有期雇用フルタイム」にも実施している企業の割合をみると、いずれの就業形態においても「入職時のガイダンス（Off-JT）」が最も高くなっている。

E 「無期雇用パートタイム」「有期雇用パートタイム」「有期雇用フルタイム」のいずれかの就業形態に適用される正社員転換制度がある企業について、正社員に転換するに当たっての基準（複数回答）別企業の割合をみると、「パートタイム・有期雇用労働者の所属する部署の上司の推薦」の割合が最も高く、次いで「人事評価の結果」、「（一定の）職務経験年数」の順となっている。

問4 労働関係法規に関する次の記述のうち、誤っているものはどれか。

A 「使用者が誠実交渉義務に違反する不当労働行為をした場合には、当該団体交渉に係る事項に関して合意の成立する見込みがないときであっても、労働委員会は、誠実交渉命令〔使用者が誠実交渉義務に違反している場合に、これに対して誠実に団体交渉に応ずべき旨を命ずることを内容とする救済命令〕を発することができると解するのが相当である。」とするのが、最高裁判所の判例である。

B　職業紹介事業者、求人者、労働者の募集を行う者、募集受託者、特定募集情報等提供事業者、労働者供給事業者及び労働者供給を受けようとする者は、特別な職業上の必要性が存在することその他業務の目的の達成に必要不可欠であって、収集目的を示して本人から収集する場合でなければ、「人種、民族、社会的身分、門地、本籍、出生地その他社会的差別の原因となるおそれのある事項」「思想及び信条」「労働組合への加入状況」に関する求職者、募集に応じて労働者になろうとする者又は供給される労働者の個人情報を収集することができない。

C　事業主は、労働者が当該事業主に対し、当該労働者又はその配偶者が妊娠し、又は出産したことその他これに準ずるものとして厚生労働省令で定める事実を申し出たときは、厚生労働省令で定めるところにより、当該労働者に対して、育児休業に関する制度その他の厚生労働省令で定める事項を知らせるとともに、育児休業申出等に係る当該労働者の意向を確認するための面談その他の厚生労働省令で定める措置を講じなければならない。

D　高年齢者雇用安定法に定める義務として継続雇用制度を導入する場合、事業主に定年退職者の希望に合致した労働条件での雇用を義務付けるものではなく、事業主の合理的な裁量の範囲の条件を提示していれば、労働者と事業主との間で労働条件等についての合意が得られず、結果的に労働者が継続雇用されることを拒否したとしても、高年齢者雇用安定法違反となるものではない。

E　厚生労働大臣は、常時雇用する労働者の数が300人以上の事業主からの申請に基づき、当該事業主について、青少年の募集及び採用の方法の改善、職業能力の開発及び向上並びに職場への定着の促進に関する取組に関し、その実施状況が優良なものであることその他の厚生労働省令で定める基準に適合するものである旨の認定を行うことができ、この制度は「ユースエール認定制度」と呼ばれている。

問5　社会保険労務士法令に関する次の記述のうち、正しいものはどれか。

A　社会保険労務士は、社会保険労務士法第2条の2に規定する出頭及び陳述に関する事務を受任しようとする場合に、依頼をしようとする者が請求しなかったときには、この者に対し、あらかじめ報酬の基準を明示する義務はない。

B 他人の求めに応じ報酬を得て、社会保険労務士法第2条に規定する事務を業として行う社会保険労務士は、その業務に関する帳簿を備え、これに事件の名称（必要な場合においては事件の概要）、依頼を受けた年月日、受けた報酬の額、依頼者の住所及び氏名又は名称を記載し、当該帳簿をその関係書類とともに、帳簿閉鎖の時から1年間保存しなければならない。

C 社会保険労務士法人を設立するには、主たる事務所の所在地において設立の登記をし、当該法人の社員になろうとする社会保険労務士が、定款を定めた上で、厚生労働大臣の認可を受けなければならない。

D 社会保険労務士法人の社員が自己又は第三者のためにその社会保険労務士法人の業務の範囲に属する業務を行ったときは、当該業務によって当該社員又は第三者が得た利益の額は、社会保険労務士法人に生じた損害の額と推定する。

E 裁判所は、社会保険労務士法人の解散及び清算の監督に必要な調査をさせるため、検査役を選任することができ、この検査役の選任の裁判に不服のある者は、選任に関する送達を受けた日から2週間以内に上級の裁判所に対して控訴をすることができる。

問6 確定拠出年金法に関する次の記述のうち、正しいものはどれか。

A 確定拠出年金法第2条第12項によると、「個人別管理資産」とは、個人型年金加入者又は個人型年金加入者であった者のみに支給する給付に充てるべきものとして、個人型年金のみにおいて積み立てられている資産をいう。

B 同時に2以上の企業型年金の企業型年金加入者となる資格を有する者は、確定拠出年金法第9条の規定にかかわらず、その者の選択する1つの企業型年金以外の企業型年金の企業型年金加入者としないものとする。この場合、その者が2以上の企業型年金の企業型年金加入者となる資格を有するに至った日から起算して20日以内に、1つの企業型年金を選択しなければならない。

C 企業型年金加入者又は企業型年金加入者であった者（当該企業型年金に個人別管理資産がある者に限る。）が確定拠出年金法第33条の規定により老齢給付金の支給を請求することなく75歳に達したときは、資産管理機関は、その者に、企業型記録関連運営管理機関等の裁定に基づいて、老齢給付金を支給する。

D 個人型年金加入者は、政令で定めるところにより、年2回以上、定期的に掛金を拠出する。

E 個人型年金加入者は、個人型年金規約で定めるところにより、個人型年金加入者掛金を確定拠出年金運営管理機関に納付するものとする。

問7 船員保険法に関する次の記述のうち、誤っているものはどれか。

A 被保険者（疾病任意継続被保険者を除く。）は、船員として船舶所有者に使用されるに至った日から、被保険者の資格を取得する。

B 船舶所有者は、厚生労働省令で定めるところにより、被保険者の資格の取得及び喪失並びに報酬月額及び賞与額に関する事項を厚生労働大臣に届け出なければならない。

C 被保険者であった者（後期高齢者医療の被保険者等である者を除く。）がその資格を喪失した日後に出産したことにより船員保険法第73条第1項の規定による出産育児一時金の支給を受けるには、被保険者であった者がその資格を喪失した日より6か月以内に出産したこと及び被保険者であった期間が支給要件期間であることを要する。

D 行方不明手当金の支給を受ける期間は、被保険者が行方不明となった日の翌日から起算して2か月を限度とする。

E 厚生労働大臣は、船員保険事業に要する費用（前期高齢者納付金等及び後期高齢者支援金等、介護納付金並びに流行初期医療確保拠出金等の納付に要する費用を含む。）に充てるため、保険料（疾病任意継続被保険者に関する保険料を除く。）を徴収する。（改題）

問8 介護保険法に関する次の記述のうち、正しいものはどれか。

A 都道府県及び市町村（特別区を含む。以下本問において同じ。）は、介護保険法の定めるところにより、介護保険を行うものとする。

B 「介護保険施設」とは、指定介護老人福祉施設（都道府県知事が指定する介護老人福祉施設）、介護専用型特定施設及び介護医療院をいう。

C 要介護認定は、市町村が当該認定をした日からその効力を生ずる。

D 要介護認定を受けた被保険者は、その介護の必要の程度が現に受けている要介護認定に係る要介護状態区分以外の要介護状態区分に該当すると認めるときは、厚生労働省令で定めるところにより、市町村に対し、要介護状態区分の変更の認定の申請をすることができる。

E 保険給付に関する処分（被保険者証の交付の請求に関する処分及び要介護認定又は要支援認定に関する処分を含む。）に不服がある者は、介護保険審査会に審査請求をすることができる。介護保険審査会の決定に不服がある者は、社会保険審査会に対して再審査請求をすることができる。

問9 社会保険審査官及び社会保険審査会法に関する次の記述のうち、誤っているものはどれか。

A 社会保険審査官（以下本問において「審査官」という。）は、厚生労働省の職員のうちから厚生労働大臣が命じ、各地方厚生局（地方厚生支局を含む。）に置かれる。

B 審査請求は、原処分の執行を停止しない。ただし、審査官は、原処分の執行により生ずることのある償うことの困難な損害を避けるため緊急の必要があると認めるときは、職権でその執行を停止することができる。その執行の停止は、審査請求があった日から 2 か月以内に審査請求についての決定がない場合において、審査請求人が、審査請求を棄却する決定があったものとみなして再審査請求をしたときは、その効力を失う。

C 審査請求の決定は、審査請求人に送達されたときに、その効力を生じる。決定の送達は、決定書の謄本を送付することによって行う。ただし、送達を受けるべき者の所在が知れないとき、その他決定書の謄本を送付することができないときは、公示の方法によってすることができる。

D 社会保険審査会（以下本問において「審査会」という。）は、審査会が定める場合を除き、委員長及び委員のうちから、審査会が指名する者 3 人をもって構成する合議体で、再審査請求又は審査請求の事件を取り扱う。審査会の合議は、公開しない。

E 審査会は、必要があると認めるときは、申立てにより又は職権で、利害関係のある第三者を当事者として再審査請求又は審査請求の手続に参加させることができるが、再審査請求又は審査請求への参加は、代理人によってすることができない。

問10 高齢者医療確保法に関する次の記述のうち、正しいものはどれか。

A 都道府県は、年度ごとに、保険者から、後期高齢者支援金及び後期高齢者関係事務費拠出金を徴収する。

B 都道府県は、医療費適正化基本方針に即して、6年ごとに、6年を1期として、当該都道府県における医療費適正化を推進するための計画を定めるものとする。

C 都道府県は、後期高齢者医療の事務（保険料の徴収の事務及び被保険者の便益の増進に寄与するものとして政令で定める事務を除く。）を処理するため、都道府県の区域ごとに当該区域内のすべての市町村が加入する広域連合（以下本問において「後期高齢者医療広域連合」という。）を設けるものとする。

D 市町村は、後期高齢者医療に要する費用に充てるため、保険料を徴収し、後期高齢者医療広域連合に対し納付する。市町村による保険料の徴収については、市町村が老齢等年金給付を受ける被保険者（政令で定める者を除く。）から老齢等年金給付の支払をする者に保険料を徴収させ、かつ、その徴収すべき保険料を納入させる普通徴収の方法による場合を除くほか、地方自治法の規定により納入の通知をすることによって保険料を徴収する特別徴収の方法によらなければならない。

E 都道府県は、被保険者の死亡に関しては、高齢者医療確保法の定めるところにより、葬祭費の支給又は葬祭の給付を行うものとする。ただし、特別の理由があるときは、その全部又は一部を行わないことができる。

令和5年度
（第55回）
択一式

健康保険法

問1 健康保険法に関する次の記述のうち、正しいものはどれか。

A 適用業種である事業の事業所であって、常時5人以上の従業員を使用する事業所は適用事業所とされるが、事業所における従業員の員数の算定においては、適用除外の規定によって被保険者とすることができない者であっても、当該事業所に常時使用されている者は含まれる。

B 厚生労働大臣は、全国健康保険協会（以下本問において「協会」という。）の事業若しくは財産の管理若しくは執行が法令、定款若しくは厚生労働大臣の処分に違反していると認めるときは、期間を定めて、協会又はその役員に対し、その事業若しくは財産の管理若しくは執行について違反の是正又は改善のため必要な措置を採るべき旨を命ずることができる。協会又はその役員が上記の是正・改善命令に違反したときは、厚生労働大臣は協会に対し、期間を定めて、理事長及び当該違反に係る役員の解任を命ずることができる。

C 協会は、役員として、理事長1人、理事6人以内及び監事2人を置く。役員の任期は3年とする。理事長に事故があるとき、又は理事長が欠けたときは、理事の互選により選ばれた者がその職務を代理し、又はその職務を行う。

D 健康保険組合の役員若しくは職員又はこれらの職にあった者は、健康保険事業に関して職務上知り得た秘密をその理由の如何を問わず漏らしてはならない。

E 食事の提供である療養であって入院療養と併せて行うもの（療養病床への入院及びその療養に伴う世話その他の看護であって、当該療養を受ける際、65歳に達する日の属する月の翌月以後である被保険者に係るものを除く。）は、療養の給付に含まれる。

問2 健康保険法に関する次の記述のうち、誤っているものはどれか。

A 夫婦共同扶養の場合における被扶養者の認定について、夫婦の一方が被用者保険の被保険者で、もう一方が国民健康保険の被保険者の場合には、被用者保険の被保険者については年間収入を、国民健康保険の被保険者については直近の年間所得で見込んだ年間収入を比較し、いずれか多い方を主として生計を維持する者とする。

B 高額療養費は公的医療保険による医療費だけを算定の対象にするのではなく、食事療養標準負担額、生活療養標準負担額又は保険外併用療養に係る自己負担分についても算定の対象とされている。

C X事業所では、新たに在宅勤務手当を設けることとしたが、当該手当は実費弁償分であることが明確にされている部分とそれ以外の部分があるものとなった。この場合には、当該実費弁償分については「報酬等」に含める必要はなく、それ以外の部分は「報酬等」に含まれる。また、当該手当について、月々の実費弁償分の算定に伴い実費弁償分以外の部分の金額に変動があったとしても、固定的賃金の変動に該当しないことから、随時改定の対象にはならない。

D 日雇特例被保険者の被扶養者が出産したときは、日雇特例被保険者に対し、家族出産育児一時金が支給されるが、日雇特例被保険者が家族出産育児一時金の支給を受けるには、出産の日の属する月の前2か月間に通算して26日分以上又は当該月の前6か月間に通算して78日分以上の保険料が、その日雇特例被保険者について、納付されていなければならない。

E 特例退職被保険者が、特例退職被保険者でなくなることを希望する旨を、厚生労働省令で定めるところにより、特定健康保険組合に申し出た場合において、その申出が受理された日の属する月の末日が到来したときは、その日の翌日からその資格を喪失する。

問3 健康保険法に関する次のアからオの記述のうち、正しいものはいくつある
か。

ア 産前産後休業終了時改定の規定によって改定された標準報酬月額は、産前産
後休業終了日の翌日から起算して2か月を経過した日の属する月の翌月からそ
の年の8月までの各月の標準報酬月額とされる。当該翌月が7月から12月まで
のいずれかの月である場合は、翌年8月までの各月の標準報酬月額とする。な
お、当該期間中に、随時改定、育児休業等を終了した際の標準報酬月額の改定
又は産前産後休業を終了した際の標準報酬月額の改定を受けないものとする。

イ 保険者は、保険医療機関又は保険薬局から療養の給付に関する費用の請求が
あったときは、その費用の請求に関する審査及び支払に関する事務を社会保険
診療報酬支払基金又は健康保険組合連合会に委託することができる。

ウ 任意継続被保険者は、将来の一定期間の保険料を前納することができるが、
前納された保険料については、前納に係る期間の各月の初日が到来したとき
に、それぞれその月の保険料が納付されたものとみなす。

エ 71歳で市町村民税非課税者である被保険者甲が、同一の月にA病院で受けた
外来療養による一部負担金の額が8,000円を超える場合、その超える額が高額
療養費として支給される。

オ 療養の給付又は入院時食事療養費、入院時生活療養費、保険外併用療養費、
療養費、訪問看護療養費、家族療養費若しくは家族訪問看護療養費の支給を受
けた被保険者又は被保険者であった者（日雇特例被保険者又は日雇特例被保険
者であった者を含む。）が、厚生労働大臣に報告を命ぜられ、正当な理由がな
くてこれに従わず、又は行政庁職員の質問に対して、正当な理由がなくて答弁
せず、若しくは虚偽の答弁をしたときは、30万円以下の罰金に処せられる。

A 一つ

B 二つ

C 三つ

D 四つ

E 五つ

問4 健康保険法に関する次の記述のうち、正しいものはどれか。

A 厚生労働大臣は、入院時生活療養費に係る生活療養の費用の額の算定に関する基準を定めようとするときは、社会保障審議会に諮問するものとする。

B 傷病手当金の継続給付を受けている者（傷病手当金を受けることができる日雇特例被保険者又は日雇特例被保険者であった者を含む。）に、老齢基礎年金や老齢厚生年金等が支給されるようになったときは、傷病手当金は打ち切られる。

C 健康保険組合は、毎事業年度末において、当該事業年度及びその直前の2事業年度内において行った保険給付に要した費用の額（被保険者又はその被扶養者が健康保険法第63条第3項第3号に掲げる健康保険組合が開設した病院若しくは診療所又は薬局から受けた療養に係る保険給付に要した費用の額及び出産育児交付金の額を除く。）の1事業年度当たりの平均額の12分の3（当分の間12分の2）に相当する額と当該事業年度及びその直前の2事業年度内において行った前期高齢者納付金等、後期高齢者支援金等及び日雇拠出金、介護納付金並びに流行初期医療確保拠出金等の納付に要した費用の額（前期高齢者交付金がある場合には、これを控除した額）の1事業年度当たりの平均額の12分の2に相当する額とを合算した額に達するまでは、当該事業年度の剰余金の額を準備金として積み立てなければならない。（改題）

D 保険料の納付義務者が、国税、地方税その他の公課の滞納により、滞納処分を受けるときは、保険者は、保険料の納期が到来したときに初めて強制的に保険料を徴収することができる。

E 令和5年4月1日以降、被保険者の被扶養者が産科医療補償制度に加入する医療機関等で医学的管理の下、妊娠週数22週以降に双子を出産した場合、家族出産育児一時金として、被保険者に対し100万円が支給される。

令和5年度
（第55回）

択一式

問5 健康保険法に関する次の記述のうち、誤っているものはどれか。

A 健康保険の被保険者が、労働協約又は就業規則により雇用関係は存続するが会社より賃金の支給を停止された場合、例えば病気休職であって実務に服する見込みがあるときは、賃金の支払停止は一時的なものであり使用関係は存続するものとみられるため、被保険者資格は喪失しない。

B 訪問看護療養費は、厚生労働省令で定めるところにより、保険者が必要と認める場合に限り、支給するものとされている。指定訪問看護を受けられる者の基準は、疾病又は負傷により、居宅において継続して療養を受ける状態にある者であって、主治医が訪問看護の必要性について、被保険者の病状が安定し、又はこれに準ずる状態にあり、かつ、居宅において看護師等が行う療養上の世話及び必要な診療の補助を要する状態に適合すると認めた者である。なお、看護師等とは、看護師、保健師、助産師、准看護師、理学療法士、作業療法士及び言語聴覚士をいう。

C 高額療養費の支給は、償還払いを原則としており、被保険者からの請求に基づき支給する。この場合において、保険者は、診療報酬請求明細書（家族療養費が療養費払いである場合は当該家族療養費の支給申請書に添付される証拠書類）に基づいて高額療養費を支給するものであり、法令上、請求書に証拠書類を添付することが義務づけられている。

D 任意継続被保険者が任意の資格喪失の申出をしたが、申出のあった日が保険料納付期日の10日より前であり、当該月の保険料をまだ納付していなかった場合、健康保険法第38条第3号の規定に基づき、当該月の保険料の納付期日の翌日から資格を喪失する。

E 健康保険法第172条によると、保険料は、納付義務者が破産手続開始の決定を受けたときは、納期前であっても、すべて徴収することができる。

問6 健康保険法に関する次の記述のうち、正しいものはどれか。

A 別居している兄弟が共に被保険者であり、その父は弟と同居しているが、兄弟が共に父を等分の扶養により生計を維持している場合、父が死亡したときの家族埋葬料は、兄弟の両方に支給される。

B 療養の給付に係る事由又は入院時食事療養費、入院時生活療養費若しくは保険外併用療養費の支給に係る事由が第三者の行為によって生じたものであるときは、被保険者は、30日以内に、届出に係る事実並びに第三者の氏名及び住所又は居所（氏名又は住所若しくは居所が明らかでないときは、その旨）及び被害の状況を記載した届書を保険者に提出しなければならない。

C 被保険者に係る療養の給付又は入院時食事療養費、入院時生活療養費、保険外併用療養費、療養費、訪問看護療養費、移送費、家族療養費、家族訪問看護療養費若しくは家族移送費の支給は、同一の疾病又は負傷について、他の法令の規定により国又は地方公共団体の負担で療養又は療養費の支給を受けたときは、その限度において、行わない。

D 被保険者又は被保険者であった者が、少年院その他これに準ずる施設に収容されたとき又は刑事施設、労役場その他これらに準ずる施設に拘禁されたときのいずれかに該当する場合には、疾病、負傷又は出産につき、その期間に係る保険給付（傷病手当金及び出産手当金の支給にあっては、厚生労働省令で定める場合に限る。）は行わないが、その被扶養者に係る保険給付も同様に行わない。

E 厚生労働大臣は、指定訪問看護事業を行う者の指定の申請があった場合において、申請者が、社会保険料について、当該申請をした日の前日までに、社会保険各法又は地方税法の規定に基づく滞納処分を受け、かつ、当該処分を受けた日から正当な理由なく3か月以上の期間にわたり、当該処分を受けた日以降に納期限の到来した社会保険料又は地方税法に基づく税を一部でも引き続き滞納している者であるときは、その指定をしてはならない。

問7 健康保険法に関する次の記述のうち、誤っているものはどれか。

A 現に海外にいる被保険者からの療養費の支給申請は、原則として、事業主等を経由して行わせ、その受領は事業主等が代理して行うものとし、国外への送金は行わない。

B 健康保険組合は、毎年度終了後6か月以内に、厚生労働省令で定めるところにより、事業及び決算に関する報告書を作成し、厚生労働大臣に提出しなければならず、当該報告書は健康保険組合の主たる事務所に備え付けて置かなければならない。

C 単に保険医の診療が不評だからとの理由によって、保険診療を回避して保険医以外の医師の診療を受けた場合には、療養費の支給は認められない。

D 一般労働者派遣事業の事業所に雇用される登録型派遣労働者は、派遣就業に係る１つの雇用契約の終了後、１か月以内に同一の派遣元事業主のもとでの派遣就業に係る次回の雇用契約（１か月以上のものに限る。）が確実に見込まれる場合であっても、前回の雇用契約を終了した日の翌日に被保険者資格を喪失する。

E 適用事業所に臨時に使用される者で、当初の雇用期間が２か月以内の期間を定めて使用される者であっても、就業規則や雇用契約書その他の書面において、その雇用契約が更新される旨又は更新される場合がある旨が明示されていることなどから、２か月以内の雇用契約が更新されることが見込まれる場合には、最初の雇用契約期間の開始時から被保険者となる。

問8 健康保険法に関する次の記述のうち、正しいものはどれか。

A 令和４年10月１日より、弁護士、公認会計士その他政令で定める者が法令の規定に基づき行うこととされている法律又は会計に係る業務を行う事業に該当する個人事業所のうち、常時５人以上の従業員を雇用している事業所は、健康保険の適用事業所となったが、外国法事務弁護士はこの適用の対象となる事業に含まれない。

B 強制適用事業所が、健康保険法第３条第３項各号に定める強制適用事業所の要件に該当しなくなった場合において、当該事業所の被保険者の２分の１以上が任意適用事業所となることを希望したときは、当該事業所の事業主は改めて厚生労働大臣に任意適用の認可を申請しなければならない。

C 事業所の休業にかかわらず、事業主が休業手当を健康保険の被保険者に支給する場合、当該被保険者の健康保険の被保険者資格は喪失する。

D 被保険者等からの暴力等を受けた被扶養者の取扱いについて、当該被害者が被扶養者から外れるまでの間の受診については、加害者である被保険者を健康保険法第57条に規定する第三者と解することにより、当該被害者は保険診療による受診が可能であると取り扱う。

E　保険料の免除期間について、育児休業等の期間と産前産後休業の期間が重複する場合は、産前産後休業期間中の保険料免除が優先されることから、育児休業等から引き続いて産前産後休業を取得した場合は、産前産後休業を開始した日の前日が育児休業等の終了日となる。この場合において、育児休業等の終了時の届出が必要である。

問9　健康保険法に関する次のアからオの記述のうち、正しいものの組合せは、後記AからEまでのうちどれか。

ア　被保険者甲の産前産後休業開始日が令和4年12月10日で、産前産後休業終了日が令和5年3月8日の場合は、令和4年12月から令和5年2月までの期間中の当該被保険者に関する保険料は徴収されない。

イ　被保険者乙の育児休業等開始日が令和5年1月10日で、育児休業等終了日が令和5年3月31日の場合は、令和5年1月から令和5年3月までの期間中の当該被保険者に関する保険料は徴収されない。

ウ　被保険者丙の育児休業等開始日が令和5年1月4日で、育児休業等終了日が令和5年1月16日の場合は、令和5年1月の当該被保険者に関する保険料は徴収されない。

エ　入院時食事療養費の額は、当該食事療養につき食事療養に要する平均的な費用の額を勘案して厚生労働大臣が定める基準により算定した費用の額（その額が現に当該食事療養に要した費用の額を超えるときは、当該現に食事療養に要した費用の額）とする。

オ　特定長期入院被保険者（療養病床に入院する65歳以上の被保険者）が、厚生労働省令で定めるところにより、保険医療機関等である病院又は診療所のうち自己の選定するものから、電子資格確認等により、被保険者であることの確認を受け、療養の給付と併せて受けた生活療養に要した費用について、入院時食事療養費を支給する。

A（アとイ）　　**B**（アとウ）　　**C**（イとウ）

D（ウとオ）　　**E**（エとオ）

問10 傷病手当金に関する次の記述のうち、正しいものはどれか。

A　被保険者（任意継続被保険者を除く。）が業務外の疾病により労務に服することができないときは、その労務に服することができなくなった日から起算して 4 日を経過した日から労務に服することができない期間、傷病手当金を支給する。

B　傷病手当金の待期期間について、疾病又は負傷につき最初に療養のため労務不能となった場合のみ待期が適用され、その後労務に服し同じ疾病又は負傷につき再度労務不能になった場合は、待期の適用がない。

C　傷病手当金を受ける権利の消滅時効は 2 年であるが、その起算日は労務不能であった日ごとにその当日である。

D　令和 5 年 4 月 1 日に被保険者の資格を喪失した甲は、資格喪失日の前日まで引き続き 1 年以上の被保険者（任意継続被保険者、特例退職被保険者又は共済組合の組合員である被保険者ではないものとする。）期間を有する者であった。甲は、令和 5 年 3 月27日から療養のため労務に服することができない状態となったが、業務の引継ぎのために令和 5 年 3 月28日から令和 5 年 3 月31日までの間は出勤した。この場合、甲は退職後に被保険者として受けることができるはずであった期間、傷病手当金の継続給付を受けることができる。

E　傷病手当金の支給期間中に被保険者が死亡した場合、当該傷病手当金は当該被保険者の死亡日の前日分まで支給される。

厚生年金保険法

問1 厚生年金保険法第26条に規定する3歳に満たない子を養育する被保険者等の標準報酬月額の特例（以下本問において「本特例」という。）に関する次の記述のうち、正しいものはどれか。

A 本特例についての実施機関に対する申出は、第1号厚生年金被保険者又は第4号厚生年金被保険者はその使用される事業所の事業主を経由して行い、第2号厚生年金被保険者又は第3号厚生年金被保険者は事業主を経由せずに行う。

B 本特例が適用される場合には、老齢厚生年金の額の計算のみならず、保険料額の計算に当たっても、実際の標準報酬月額ではなく、従前標準報酬月額が用いられる。

C 甲は、第1号厚生年金被保険者であったが、令和4年5月1日に被保険者資格を喪失した。その後、令和5年6月15日に3歳に満たない子の養育を開始した。更に、令和5年7月1日に再び第1号厚生年金被保険者の被保険者資格を取得した。この場合、本特例は適用される。

D 第1子の育児休業終了による職場復帰後に本特例が適用された被保険者乙の従前標準報酬月額は30万円であったが、育児休業等終了時改定に該当し標準報酬月額は24万円に改定された。その後、乙は第2子の出産のため厚生年金保険法第81条の2の2第1項の適用を受ける産前産後休業を取得し、第2子を出産し産後休業終了後に職場復帰したため第2子の養育に係る本特例の申出を行った。第2子の養育に係る本特例が適用された場合、被保険者乙の従前標準報酬月額は24万円である。

E 本特例の適用を受けている被保険者の養育する第1子が満3歳に達する前に第2子の養育が始まり、この第2子の養育にも本特例の適用を受ける場合は、第1子の養育に係る本特例の適用期間は、第2子が3歳に達した日の翌日の属する月の前月までとなる。

令和5年度（第55回）
択一式

問2 厚生年金保険法に関する次の記述のうち、誤っているものはどれか。

A 船舶所有者は、その住所に変更があったときは、5日以内に、所定の届書を日本年金機構に提出しなければならない。

B 住民基本台帳法第30条の9の規定により、厚生労働大臣が機構保存本人確認情報の提供を受けることができない被保険者（適用事業所に使用される高齢任意加入被保険者又は第4種被保険者等ではないものとする。）は、その氏名を変更したときは、速やかに、変更後の氏名を事業主に申し出なければならない。

C 受給権者又は受給権者の属する世帯の世帯主その他その世帯に属する者は、厚生労働省令の定めるところにより、厚生労働大臣に対し、厚生労働省令の定める事項を届け出、かつ、厚生労働省令の定める書類その他の物件を提出しなければならない。

D 老齢厚生年金の受給権者は、行政手続における特定の個人を識別するための番号の利用等に関する法律第2条第5項に規定する個人番号を変更したときは、速やかに、所定の事項を記載した届書を、日本年金機構に提出しなければならないが、老齢厚生年金の受給権者が同時に老齢基礎年金の受給権を有する場合において、当該受給権者が国民年金法施行規則第20条の2第1項の届出を行ったときは、本届出を行ったものとみなされる。

E 適用事業所の事業主は、被保険者（船員被保険者を除く。）の資格の取得に関する事項を厚生労働大臣に届け出なければならないが、この届出は、当該事実があった日から5日以内に、所定の届書等を日本年金機構に提出することによって行うものとされている。

問3 厚生年金保険法に関する次の記述のうち、正しいものはどれか。

A 任意適用事業所の事業主は、厚生労働大臣の認可を受けることにより当該事業所を適用事業所でなくすることができるが、このためには、当該事業所に使用される者の全員の同意を得ることが必要である。なお、当該事業所には厚生年金保険法第12条各号のいずれかに該当する者又は特定4分の3未満短時間労働者に該当する者はいないものとする。

B 死亡した被保険者に死亡の当時生計を維持していた妻と子があった場合、妻が国民年金法による遺族基礎年金の受給権を有しない場合であって、子が当該遺族基礎年金の受給権を有していても、その間、妻に対する遺族厚生年金は支給される。

C 適用事業所に使用される70歳未満の者は、厚生年金保険の被保険者となるが、船舶所有者に臨時に使用される船員であって日々雇い入れられる者は被保険者とはならない。

D 老齢厚生年金における加給年金額の加算対象となる配偶者が、繰上げ支給の老齢基礎年金の支給を受けるときは、当該配偶者に係る加給年金額は支給が停止される。

E 被保険者であった70歳以上の者で、日々雇い入れられる者として船舶所有者以外の適用事業所に臨時に使用されている場合（1か月を超えて引き続き使用されるに至っていないものとする。）、その者は、厚生年金保険法第27条で規定する「70歳以上の使用される者」には該当しない。

問4 厚生年金保険法に関する次のアからオの記述のうち、正しいものはいくつあるか。

ア 被保険者期間を計算する場合には、月によるものとし、被保険者の資格を取得した月からその資格を喪失した月の前月までをこれに算入する。

イ 厚生年金保険の適用事業所で使用される70歳以上の者であっても、厚生年金保険法第12条各号に規定する適用除外に該当する者は、在職老齢年金の仕組みによる老齢厚生年金の支給停止の対象とはならない。

ウ 被保険者が同時に2以上の事業所に使用される場合における各事業主の負担すべき標準賞与額に係る保険料の額は、各事業所についてその月に各事業主が支払った賞与額をその月に当該被保険者が受けた賞与額で除して得た数を当該被保険者の保険料の額に乗じて得た額とされている。

エ 中高齢寡婦加算が加算された遺族厚生年金の受給権者である妻が、被保険者又は被保険者であった者の死亡について遺族基礎年金の支給を受けることができるときは、その間、中高齢寡婦加算は支給が停止される。

オ 経過的寡婦加算が加算された遺族厚生年金の受給権者である妻が、障害基礎年金の受給権を有し、当該障害基礎年金の支給がされているときは、その間、経過的寡婦加算は支給が停止される。

A 一つ

B 二つ

C 三つ

D 四つ

E 五つ

問5 遺族厚生年金に関する次の記述のうち、誤っているものはどれか。

A 夫の死亡による遺族厚生年金を受給している者が、死亡した夫の血族との姻族関係を終了させる届出を提出した場合でも、遺族厚生年金の受給権は失権しない。

B 夫の死亡による遺族基礎年金と遺族厚生年金を受給していた甲が、新たに障害厚生年金の受給権を取得した。甲が障害厚生年金の受給を選択すれば、夫の死亡当時、夫によって生計を維持されていた甲の子（現在10歳）に遺族厚生年金が支給されるようになる。

C 船舶が行方不明となった際、現にその船舶に乗っていた被保険者若しくは被保険者であった者の生死が3か月間分からない場合は、遺族厚生年金の支給に関する規定の適用については、当該船舶が行方不明になった日に、その者は死亡したものと推定される。

D 配偶者と離別した父子家庭の父が死亡し、当該死亡の当時、生計を維持していた子が遺族厚生年金の受給権を取得した場合、当該子が死亡した父の元配偶者である母と同居することになったとしても、当該子に対する遺族厚生年金は支給停止とはならない。

E 被保険者又は被保険者であった者の死亡の当時、その者と生計を同じくしていた配偶者で、前年収入が年額800万円であった者は、定期昇給によって、近い将来に収入が年額850万円を超えることが見込まれる場合であっても、その被保険者又は被保険者であった者によって生計を維持していたと認められる。

問6 特別支給の老齢厚生年金に関する次の記述のうち、正しいものはどれか。

A 第2号厚生年金被保険者期間のみを有する昭和36年1月1日生まれの女性で、特別支給の老齢厚生年金の受給資格要件を満たす場合、報酬比例部分の支給開始年齢は64歳である。

B 特別支給の老齢厚生年金の受給資格要件の1つは、1年以上の被保険者期間を有することであるが、この被保険者期間には、離婚時みなし被保険者期間を含めることができる。

C 特別支給の老齢厚生年金については、雇用保険法による高年齢雇用継続給付との併給調整が行われる。ただし、在職老齢年金の仕組みにより、老齢厚生年金の全部又は一部が支給停止されている場合は、高年齢雇用継続給付との併給調整は行われない。

D 報酬比例部分のみの特別支給の老齢厚生年金の受給権を有する者であって、受給権を取得した日から起算して1年を経過した日前に当該老齢厚生年金を請求していなかった場合は、当該老齢厚生年金の支給繰下げの申出をすることができる。

E 報酬比例部分のみの特別支給の老齢厚生年金の受給権を有する者が、被保険者でなく、かつ、障害の状態にあるときは、老齢厚生年金の額の計算に係る特例の適用を請求することができる。ただし、ここでいう障害の状態は、厚生年金保険の障害等級1級又は2級に該当する程度の障害の状態に限定される。

問7 厚生年金保険法に関する次の記述のうち、正しいものはどれか。

A 老齢厚生年金に係る子の加給年金額は、その対象となる子の数に応じて加算される。1人当たりの金額は、第2子までは配偶者の加給年金額と同額だが、第3子以降は、配偶者の加給年金額の3分の2の額となる。

B 昭和9年4月2日以後に生まれた老齢厚生年金の受給権者については、配偶者の加給年金額に更に特別加算が行われる。特別加算額は、受給権者の生年月日によって異なり、その生年月日が遅いほど特別加算額が少なくなる。

C 甲は、厚生年金保険に加入しているときに生じた障害により、障害等級2級の障害基礎年金と障害厚生年金を受給している。現在は、自営業を営み、国民年金に加入しているが、仕事中の事故によって、新たに障害等級2級に該当する程度の障害の状態に至ったため、甲に対して更に障害基礎年金を支給すべき事由が生じた。この事例において、前後の障害を併合した障害の程度が障害等級1級と認定される場合、新たに障害等級1級の障害基礎年金の受給権が発生するとともに、障害厚生年金の額も改定される。

D 乙は、視覚障害で障害等級3級の障害厚生年金（その権利を取得した当時から引き続き障害等級1級又は2級に該当しない程度の障害の状態にあるものとする。）を受給している。現在も、厚生年金保険の適用事業所で働いているが、新たな病気により、障害等級3級に該当する程度の聴覚障害が生じた。後発の障害についても、障害厚生年金に係る支給要件が満たされている場合、厚生年金保険法第48条の規定により、前後の障害を併合した障害等級2級の障害厚生年金が乙に支給され、従前の障害厚生年金の受給権は消滅する。

E 障害手当金の額は、厚生年金保険法第50条第1項の規定の例により計算した額の100分の200に相当する額である。ただし、その額が、障害基礎年金2級の額に2を乗じて得た額に満たないときは、当該額が障害手当金の額となる。

問8 厚生年金保険法に関する次の記述のうち、正しいものはどれか。

A 特定4分の3未満短時間労働者に対して厚生年金保険が適用されることとなる特定適用事業所とは、事業主が同一である1又は2以上の適用事業所であって、当該1又は2以上の適用事業所に使用される労働者の総数が常時50人を超える事業所のことである。（改題）

B 毎年12月31日における全被保険者の標準報酬月額を平均した額の100分の200に相当する額が標準報酬月額等級の最高等級の標準報酬月額を超える場合において、その状態が継続すると認められるときは、政令で、当該最高等級の上に更に等級を加える標準報酬月額の等級区分の改定を行わなければならない。

C 政府は、令和元年8月に、国民年金及び厚生年金に係る財政の現況及び見通しを公表した。そのため、遅くとも令和7年12月末までには、新たな国民年金及び厚生年金に係る財政の現況及び見通しを作成しなければならない。

D 国民年金法による年金たる給付及び厚生年金保険法による年金たる保険給付については、モデル年金の所得代替率が100分の50を上回ることとなるような給付水準を将来にわたり確保するものとされている。この所得代替率の分母の基準となる額は、当該年度の前年度の男子被保険者の平均的な標準報酬額に相当する額から当該額に係る公租公課の額を控除して得た額に相当する額である。

E 厚生年金保険の任意単独被保険者となっている者は、厚生労働大臣の認可を受けて、被保険者の資格を喪失することができるが、資格喪失に際しては、事業主の同意を得る必要がある。

問9 厚生年金保険法に関する次の記述のうち、正しいものはどれか。

A 今年度65歳に達する被保険者甲と乙について、20歳に達した日の属する月から60歳に達した日の属する月の前月まで厚生年金保険に加入した甲と、20歳に達した日の属する月から65歳に達した日の属する月の前月まで厚生年金保険に加入した乙とでは、老齢厚生年金における経過的加算の額は異なる。

B 老齢厚生年金の支給繰下げの申出をした者に支給する繰下げ加算額は、老齢厚生年金の受給権を取得した日の属する月までの被保険者期間を基礎として計算した老齢厚生年金の額と在職老齢年金の仕組みによりその支給を停止するものとされた額を勘案して、政令で定める額とする。

C 65歳到達時に老齢厚生年金の受給権が発生していた者が、72歳のときに老齢厚生年金の裁定請求をし、かつ、請求時に繰下げの申出をしない場合には、72歳から遡って5年分の年金給付が一括支給されることになるが、支給される年金には繰下げ加算額は加算されない。

D 厚生年金保険法第43条第2項の在職定時改定の規定において、基準日が被保険者の資格を喪失した日から再び被保険者の資格を取得した日までの間に到来し、かつ、当該被保険者の資格を喪失した日から再び被保険者の資格を取得した日までの期間が1か月以内である場合は、基準日の属する月前の被保険者であった期間を老齢厚生年金の額の計算の基礎として、基準日の属する月の翌月から年金の額を改定するものとする。

E 被保険者である受給権者がその被保険者の資格を喪失し、かつ、再び被保険者となることなくして被保険者の資格を喪失した日から起算して1か月を経過したときは、その被保険者の資格を喪失した月以前における被保険者であった期間を老齢厚生年金の額の計算の基礎とするものとし、資格を喪失した日から起算して1か月を経過した日の属する月から、年金の額を改定する。

問10 厚生年金保険法に関する次のアからオの記述のうち、誤っているものの組合せは、後記AからEまでのうちどれか。

ア 障害厚生年金の給付事由となった障害について、国民年金法による障害基礎年金を受けることができない場合において、障害厚生年金の額が障害等級2級の障害基礎年金の額に2分の1を乗じて端数処理をして得た額に満たないときは、当該額が最低保障額として保障される。なお、配偶者についての加給年金額は加算されない。

イ 甲は、障害等級3級の障害厚生年金の支給を受けていたが、63歳のときに障害等級3級に該当する程度の障害の状態でなくなったために当該障害厚生年金の支給が停止された。その後、甲が障害等級に該当する程度の障害の状態に該当することなく65歳に達したとしても、障害厚生年金の受給権は65歳に達した時点では消滅しない。

ウ 遺族厚生年金を受けることができる遺族のうち、夫については、被保険者又は被保険者であった者の死亡の当時その者によって生計を維持していた者で、55歳以上であることが要件とされており、かつ、60歳に達するまでの期間はその支給が停止されるため、国民年金法による遺族基礎年金の受給権を有するときも、55歳から遺族厚生年金を受給することはない。

エ 遺族厚生年金は、障害等級1級又は2級に該当する程度の障害の状態にある障害厚生年金の受給権者が死亡したときにも、一定の要件を満たすその者の遺族に支給されるが、その支給要件において、その死亡した者について保険料納付要件を満たすかどうかは問わない。

オ 遺族厚生年金と当該遺族厚生年金と同一の支給事由に基づく遺族基礎年金の受給権も有している妻が、30歳に到達する日前に当該遺族基礎年金の受給権が失権事由により消滅した場合、遺族厚生年金の受給権は当該遺族基礎年金の受給権が消滅した日から5年を経過したときに消滅する。

A （アとイ）　　**B** （アとウ）　　**C** （イとエ）

D （ウとオ）　　**E** （エとオ）

国民年金法

問1 国民年金法に関する次の記述のうち、正しいものはどれか。

A 保険料の全額免除の規定により、納付することを要しないとの厚生労働大臣の承認を受けたことのある老齢基礎年金の受給権者が、当該老齢基礎年金を請求していない場合、その承認を受けた日から10年以内の期間に係る保険料について追納することができる。

B 付加年金は、第1号被保険者及び第3号被保険者としての被保険者期間を有する者が老齢基礎年金の受給権を取得したときに支給されるが、第2号被保険者期間を有する者について、当該第2号被保険者期間は付加年金の対象とされない。

C 厚生労働大臣は、被保険者から保険料の口座振替納付を希望する旨の申出があった場合には、その納付が確実と認められるときに限り、その申出を承認することができる。

D 被保険者ではなかった19歳のときに初診日のある傷病を継続して治療中の者が、その傷病の初診日から起算して1年6か月を経過した当該傷病による障害認定日（20歳に達した日後とする。）において、当該傷病により障害等級2級以上に該当する程度の障害の状態にあるときには、その者に障害基礎年金を支給する。

E 寡婦年金の額は、死亡した夫の老齢基礎年金の計算の例によって計算した額の4分の3に相当する額であるが、当該夫が3年以上の付加保険料納付済期間を有していた場合には、上記の額に8,500円を加算した額となる。

令和5年度
（第55回）

択一式

問2 国民年金法に関する次の記述のうち、誤っているものはどれか。

A 学生納付特例による保険料納付猶予の適用を受けている第1号被保険者が、新たに保険料の法定免除の要件に該当した場合には、その該当するに至った日の属する月の前月から、これに該当しなくなる日の属する月までの期間、法定免除の適用の対象となる。

B 老齢基礎年金と付加年金の受給権を有する者が、老齢基礎年金の支給繰下げの申出をした場合、付加年金は当該申出のあった日の属する月の翌月から支給が開始され、支給額は老齢基礎年金と同じ率で増額される。

C 死亡した甲の妹である乙は、甲の死亡当時甲と生計を同じくしていたが、甲によって生計を維持していなかった。この場合、乙は甲の死亡一時金の支給を受けることができる遺族とはならない。なお、甲には、乙以外に死亡一時金を受けることができる遺族はいないものとする。

D 国民年金第2号被保険者としての保険料納付済期間が15年であり、他の被保険者としての保険料納付済期間及び保険料免除期間を有しない夫が死亡した場合、当該夫の死亡当時生計を維持し、婚姻関係が15年以上継続した60歳の妻があった場合でも、寡婦年金は支給されない。なお、死亡した夫は、老齢基礎年金又は障害基礎年金の支給を受けたことがないものとする。

E 国民年金法第104条によると、市町村長（地方自治法第252条の19第1項の指定都市においては、区長又は総合区長とする。）は、厚生労働大臣又は被保険者、被保険者であった者若しくは受給権者に対して、当該市町村の条例の定めるところにより、被保険者、被保険者であった者若しくは受給権者又は遺族基礎年金の支給若しくは障害基礎年金若しくは遺族基礎年金の額の加算の要件に該当する子の戸籍に関し、無料で証明を行うことができる。

問3 国民年金法に関する次の記述のうち、正しいものはどれか。

A 故意に障害又はその直接の原因となった事故を生じさせた者の当該障害については、これを支給事由とする障害基礎年金を支給する。

B 国民年金法による保険料の納付猶予制度及び学生納付特例制度は、いずれも国民年金法本則に規定されている。

C 65歳以上70歳未満の特例による任意加入被保険者で昭和28年10月1日生まれの者は、老齢基礎年金、老齢厚生年金その他の老齢又は退職を支給事由とする年金給付の受給権を取得するなど、他の失権事由に該当しないとしても、令和5年9月30日に70歳に達することによりその日に被保険者の資格を喪失する。

D 62歳の特別支給の老齢厚生年金の受給権者が、厚生年金保険の被保険者である場合、第2号被保険者にはならない。

E 国民年金の給付を受ける権利は、譲り渡し、担保に供し、又は差し押さえることができない。ただし、老齢基礎年金又は遺族基礎年金を受ける権利を別に法律で定めるところにより担保に供する場合及び国税滞納処分（その例による処分を含む。）により差し押さえる場合は、この限りでない。

問4 国民年金法に関する次の記述のうち、誤っているものはどれか。

令和5年度（第55回）択一式

A 被保険者が、被保険者の資格を取得した日の属する月にその資格を喪失したときは、その月を1か月として被保険者期間に算入するが、その月に更に被保険者の資格を取得したときは、前後の被保険者期間を合算し、被保険者期間2か月として被保険者期間に算入する。

B 老齢基礎年金の受給権を裁定した場合において、その受給権者が老齢厚生年金（特別支給の老齢厚生年金を含む。）の年金証書の交付を受けているときは、当該老齢厚生年金の年金証書は、当該老齢基礎年金の年金証書とみなされる。

C 解散した国民年金基金又は国民年金基金連合会が、正当な理由がなくて、解散に伴いその解散した日において年金の支給に関する義務を負っている者に係る政令の定めに従い算出された責任準備金相当額を督促状に指定する期限までに納付しないときは、その代表者、代理人又は使用人その他の従業者でその違反行為をした者は、6か月以下の懲役又は50万円以下の罰金に処せられる。

D 老齢基礎年金の支給の繰上げをした者には寡婦年金は支給されず、国民年金の任意加入被保険者になることもできない。

E 国民年金法第26条によると、老齢基礎年金は、保険料納付済期間又は保険料免除期間（学生納付特例及び納付猶予の規定により納付することを要しないものとされた保険料に係るものを除く。）を有する者が65歳に達したときに、その者に支給される。ただし、その者の保険料納付済期間と保険料免除期間とを合算した期間が10年に満たないときは、この限りでない。なお、その者は合算対象期間を有しないものとする。

問5 国民年金法に関する次の記述のうち、正しいものはどれか。

A 保険料の一部免除の規定によりその一部の額につき納付することを要しないものとされた保険料について、保険料4分の1免除の規定が適用されている者は、免除されないその残余の4分の3の部分（額）が納付又は徴収された場合、当該納付又は徴収された期間は、保険料納付済期間となる。

B 保険料の産前産後免除期間が申請免除又は納付猶予の終期と重なる場合又はその終期をまたぐ場合でも、翌周期の継続免除又は継続納付猶予対象者として取り扱う。例えば、令和3年7月から令和4年6月までの継続免除承認者が、令和4年5月から令和4年8月まで保険料の産前産後免除期間に該当した場合、令和4年9月から令和5年6月までの保険料に係る継続免除審査を行う。

C 第2号被保険者としての被保険者期間のうち、20歳に達した日の属する月前の期間及び60歳に達した日の属する月以後の期間は、老齢基礎年金の年金額の計算に関しては保険料納付済期間に算入され、合算対象期間に算入されない。

D 4月に第1号被保険者としての保険料を納付した者が、同じ月に第2号被保険者への種別の変更があった場合には、4月は第2号被保険者であった月とみなし、第1号被保険者としての保険料の納付をもって第2号被保険者としての保険料を徴収したものとみなす。

E 20歳前傷病による障害基礎年金は、受給権者が刑事施設等に収容されている場合、その該当する期間は、その支給が停止されるが、判決の確定していない未決勾留中の者についても、刑事施設等に収容されている間は、その支給が停止される。

問6 国民年金法に関する次の記述のうち、誤っているものはどれか。

A 震災、風水害、火災その他これに類する災害により、自己又は所得税法に規定する同一生計配偶者若しくは扶養親族の所有に係る住宅、家財又は政令で定めるその他の財産につき、被害金額（保険金、損害賠償金等により補充された金額を除く。）が、その価格のおおむね2分の1以上である損害を受けた者（以下「被災者」という。）がある場合は、その損害を受けた月から翌年の9月までの20歳前傷病による障害基礎年金については、その損害を受けた年の前年又は前々年における当該被災者の所得を理由とする支給の停止は行わない。

B 未支給の年金の支給の請求は、老齢基礎年金の受給権者が同時に老齢厚生年金の受給権を有していた場合であって、未支給の年金の支給の請求を行う者が当該受給権者の死亡について厚生年金保険法第37条第1項の請求を行うことができる者であるときは、当該請求に併せて行わなければならない。

C 老齢基礎年金と老齢厚生年金の受給権を有する者であって支給繰下げの申出をすることができるものが、老齢基礎年金の支給繰下げの申出を行う場合、老齢厚生年金の支給繰下げの申出と同時に行わなければならない。

D 第三者の行為による事故の被害者が受給することとなる障害基礎年金、第三者の行為による事故の被害者の遺族が受給することとなる遺族基礎年金及び寡婦年金は、損害賠償額との調整の対象となるが、死亡一時金については、保険料の掛け捨て防止の考え方に立った給付であり、その給付額にも鑑み、損害賠償を受けた場合であっても、損害賠償額との調整は行わない。

E 遺族基礎年金の受給権を有する配偶者と子のうち、すべての子が直系血族又は直系姻族の養子となった場合、配偶者の有する遺族基礎年金の受給権は消滅するが、子の有する遺族基礎年金の受給権は消滅しない。

問7 国民年金法に関する次の記述のうち、正しいものはどれか。

A 保険料の納付受託者が、国民年金法第92条の5第1項の規定により備え付けなければならない帳簿は、国民年金保険料納付受託記録簿とされ、納付受託者は厚生労働省令で定めるところにより、これに納付事務に関する事項を記載し、及びこれをその完結の日から3年間保存しなければならない。

B 国民年金・厚生年金保険障害認定基準によると、障害の程度について、1級は、例えば家庭内の極めて温和な活動（軽食作り、下着程度の洗濯等）はできるが、それ以上の活動はできない状態又は行ってはいけない状態、すなわち、病院内の生活でいえば、活動範囲がおおむね病棟内に限られる状態であり、家庭内でいえば、活動の範囲がおおむね家屋内に限られる状態であるとされている。

C 被保険者又は被保険者であった者（以下「被保険者等」という。）の死亡の当時胎児であった子が生まれたときは、その子は、当該被保険者等の死亡の当時その者によって生計を維持していたものとみなされるとともに、配偶者は、その者の死亡の当時その子と生計を同じくしていたものとみなされ、その子の遺族基礎年金の受給権は被保険者等の死亡当時にさかのぼって発生する。

D 国民年金法第21条の2によると、年金給付の受給権者が死亡したためその受給権が消滅したにもかかわらず、その死亡の日の属する月の翌月以降の分として当該年金給付の過誤払が行われた場合において、当該過誤払による返還金に係る債権に係る債務の弁済をすべき者に支払うべき年金給付があるときは、その過誤払が行われた年金給付は、債務の弁済をすべき者の年金給付の内払とみなすことができる。

E 国民年金法附則第5条第1項によると、第2号被保険者及び第3号被保険者を除き、日本国籍を有する者その他政令で定める者であって、日本国内に住所を有しない20歳以上70歳未満の者は、厚生労働大臣に申し出て、任意加入被保険者となることができる。

問8 国民年金法に関する次の記述のうち、正しいものはどれか。

A 令和5年度の老齢基礎年金の額は、名目手取り賃金変動率がプラスで物価変動率のプラスを上回ったことから、令和5年度において67歳以下の人（昭和31年4月2日以降生まれの人）は名目手取り賃金変動率を、令和5年度において68歳以上の人（昭和31年4月1日以前生まれの人）は物価変動率を用いて改定され、満額が異なることになったため、マクロ経済スライドによる調整は行われなかった。

B 令和5年度の実際の国民年金保険料の月額は、平成29年度に引き上げが完了した上限である16,900円（平成16年度水準）に、国民年金法第87条第3項及び第5項の規定に基づき名目賃金の変動に応じて改定された。

C 保険料の4分の3免除、半額免除及び4分の1免除の規定により、その一部の額につき納付することを要しないものとされた保険料について、追納を行うためには、その免除されていない部分である残余の額が納付されていなければならない。

D　昭和36年４月１日から平成４年３月31日までの間で、20歳以上60歳未満の学生であった期間は、国民年金の任意加入期間とされていたが、その期間中に加入せず、保険料を納付しなかった期間については、合算対象期間とされ、老齢基礎年金の受給資格期間には算入されるが、年金額の計算に関しては保険料納付済期間に算入されない。

E　保険料の全額免除期間については、保険料の全額免除の規定により納付することを要しないものとされた保険料をその後追納しなくても老齢基礎年金の年金額に反映されるが、それは免除期間に係る老齢基礎年金の給付に要する費用について国庫が負担しているからであり、更に、平成15年４月１日以降、国庫負担割合が３分の１から２分の１へ引き上げられたことから年金額の反映割合も免除の種類に応じて異なっている。

令和５年度
（第55回）

択一式

問9　国民年金法に関する次の記述のうち、正しいものはどれか。

A　老齢基礎年金の繰上げの請求をした場合において、付加年金については繰上げ支給の対象とはならず、65歳から支給されるため、減額されることはない。

B　在職しながら老齢厚生年金を受給している67歳の夫が、厚生年金保険法第43条第２項に規定する在職定時改定による年金額の改定が行われ、厚生年金保険の被保険者期間が初めて240月以上となった場合、夫により生計維持され老齢基礎年金のみを受給していた66歳の妻は、65歳時にさかのぼって振替加算を受給できるようになる。

C　年金額の増額を図る目的で、60歳以上65歳未満の間に国民年金に任意加入をする場合、当該期間については、第１号被保険者としての被保険者期間とみなされるため、申請すれば、一定期間保険料の免除を受けることができる。

D　毎支払期月ごとの年金額の支払において、その額に１円未満の端数が生じたときは、これを切り捨てるものとされている。また、毎年３月から翌年２月までの間において、切り捨てた金額の合計額（１円未満の端数が生じたときは、これを切り捨てた額）については、これを当該２月の支払期月の年金額に加算して支払うものとされている。

E 国民年金基金の加入員は、国民年金保険料の免除規定により、その全部又は一部の額について、保険料を納付することを要しないものとされたときは、該当するに至った日の翌日に加入員の資格を喪失する。

問10 国民年金法に関する次のアからオの記述のうち、正しいものの組合せは、後記AからEまでのうちどれか。

ア 20歳前傷病による障害基礎年金は、受給権者の前年の所得が、その者の所得税法に規定する同一生計配偶者及び扶養親族の有無及び数に応じて、政令で定める額を超えるときは、その年の10月から翌年の9月まで、その全部又は3分の1に相当する部分の支給が停止される。

イ 障害の程度が増進したことによる障害基礎年金の額の改定請求については、障害の程度が増進したことが明らかである場合として厚生労働省令で定める場合を除き、当該障害基礎年金の受給権を取得した日又は国民年金法第34条第1項の規定による厚生労働大臣の障害の程度の診査を受けた日から起算して1年を経過した日後でなければ行うことができない。

ウ 65歳以上の場合、異なる支給事由による年金給付であっても併給される場合があり、例えば老齢基礎年金と遺族厚生年金は併給される。一方で、障害基礎年金の受給権者が65歳に達した後、遺族厚生年金の受給権を取得した場合は併給されることはない。

エ 配偶者の有する遺族基礎年金の受給権は、生計を同じくする当該遺族基礎年金の受給権を有する子がいる場合において、当該配偶者が国民年金の第2号被保険者になったときでも、当該配偶者が有する遺族基礎年金の受給権は消滅しない。

オ 老齢基礎年金を受給している者が、令和5年6月26日に死亡した場合、未支給年金を請求する者は、死亡した者に支給すべき年金でまだその者に支給されていない同年5月分と6月分の年金を未支給年金として請求することができる。なお、死亡日前の直近の年金支払日において、当該受給権者に支払うべき年金で支払われていないものはないものとする。

A （アとウ）　　**B** （アとエ）　　**C** （イとエ）

D （イとオ）　　**E** （ウとオ）

令和 4 年度

（2022年度・第54回）

本試験問題
選択式

本試験実施時間

10：30〜11：50（80分）

法令等略記凡例

法令等名称	法令等略称
労働者災害補償保険法	労災保険法
労働保険の保険料の徴収等に関する法律	労働保険徴収法
労働保険の保険料の徴収等に関する法律施行規則	労働保険徴収法施行規則

労働基準法及び労働安全衛生法

問1 次の文中の 　　　　 の部分を選択肢の中の最も適切な語句で埋め、完全な文章とせよ。

1　労働基準法第20条により、いわゆる解雇予告手当を支払うことなく９月30日の終了をもって労働者を解雇しようとする使用者は、その解雇の予告は、少なくとも 　**A**　 までに行わなければならない。

2　最高裁判所は、全国的規模の会社の神戸営業所勤務の大学卒営業担当従業員に対する名古屋営業所への転勤命令が権利の濫用に当たるということができるか否かが問題となった事件において、次のように判示した。

「使用者は業務上の必要に応じ、その裁量により労働者の勤務場所を決定することができるものというべきであるが、転勤、特に転居を伴う転勤は、一般に、労働者の生活関係に少なからぬ影響を与えずにはおかないから、使用者の転勤命令権は無制約に行使することができるものではなく、これを濫用することの許されないことはいうまでもないところ、当該転勤命令につき業務上の必要性が存しない場合又は業務上の必要性が存する場合であつても、当該転勤命令が 　**B**　 なされたものであるとき若しくは労働者に対し通常 　**C**　 とき等、特段の事情の存する場合でない限りは、当該転勤命令は権利の濫用になるものではないというべきである。右の業務上の必要性についても、当該転勤先への異動が余人をもつては容易に替え難いといつた高度の必要性に限定することは相当でなく、労働力の適正配置、業務の能率増進、労働者の能力開発、勤務意欲の高揚、業務運営の円滑化など企業の合理的運営に寄与する点が認められる限りは、業務上の必要性の存在を肯定すべきである。」

3　労働安全衛生法第59条において、事業者は、労働者を雇い入れたときは、当該労働者に対し、厚生労働省令で定めるところにより、その従事する業務に関する安全又は衛生のための教育を行わなければならないが、この教育は、 　**D**　 についても行わなければならないとされている。

4 労働安全衛生法第3条において、「事業者は、単にこの法律で定める労働災害の防止のための最低基準を守るだけでなく、 E と労働条件の改善を通じて職場における労働者の安全と健康を確保するようにしなければならない。また、事業者は、国が実施する労働災害の防止に関する施策に協力するようにしなければならない。」と規定されている。

選択肢

① 8月30日

② 8月31日

③ 9月1日

④ 9月16日

⑤ 行うべき転居先の環境の整備をすることなくなされたものである

⑥ 快適な職場環境の実現

⑦ 甘受すべき程度を著しく超える不利益を負わせるものである

⑧ 現在の業務に就いてから十分な期間をおくことなく

⑨ 他の不当な動機・目的をもって

⑩ 当該転勤先への異動を希望する他の労働者がいるにもかかわらず

⑪ 配慮すべき労働条件に関する措置が講じられていない

⑫ 予想し得ない転勤命令がなされたものである

⑬ より高度な基準の自主設定

⑭ 労働災害の絶滅に向けた活動

⑮ 労働災害の防止に関する新たな情報の活用

⑯ 労働者が90日以上欠勤等により業務を休み、その業務に復帰したとき

⑰ 労働者が再教育を希望したとき

⑱ 労働者が労働災害により30日以上休業し、元の業務に復帰したとき

⑲ 労働者に対する事前の説明を経ることなく

⑳ 労働者の作業内容を変更したとき

令和4年度
（第54回）

選択式

労働者災害補償保険法

問2 次の文中の _____ の部分を選択肢の中の最も適切な語句で埋め、完全な文章とせよ。

1　業務災害により既に１下肢を１センチメートル短縮していた（13級の８）者が、業務災害により新たに同一下肢を３センチメートル短縮（10級の７）し、かつ１手の小指を失った（12級の８の２）場合の障害等級は **A** 級であり、新たな障害につき給付される障害補償の額は給付基礎日額の **B** 日分である。

　　なお、８級の障害補償の額は給付基礎日額の503日分、９級は391日分、10級は302日分、11級は223日分、12級は156日分、13級は101日分である。

2　最高裁判所は、中小事業主が労災保険に特別加入する際に成立する保険関係について、次のように判示している（作題に当たり一部改変）。

　　労災保険法（以下「法」という。）が定める中小事業主の特別加入の制度は、労働者に関し成立している労災保険の保険関係（以下「保険関係」という。）を前提として、当該保険関係上、中小事業主又はその代表者を **C** とみなすことにより、当該中小事業主又はその代表者に対する法の適用を可能とする制度である。そして、法第３条第１項、労働保険徴収法第３条によれば、保険関係は、労働者を使用する事業について成立するものであり、その成否は当該事業ごとに判断すべきものであるところ、同法第４条の２第１項において、保険関係が成立した事業の事業主による政府への届出事項の中に「事業の行われる場所」が含まれており、また、労働保険徴収法施行規則第16条第１項に基づき労災保険率の適用区分である同施行規則別表第１所定の事業の種類の細目を定める労災保険率適用事業細目表において、同じ建設事業に附帯して行われる事業の中でも当該建設事業の現場内において行われる事業とそうでない事業とで適用される労災保険率の区別がされているものがあることなどに鑑みると、保険関係の成立する事業は、主として場所的な独立性を基準とし、当該一定の場所において一定の組織の下に相関連して行われる作業の一体を単位として区分されるものと解される。そうすると、土木、建築その他の工作物の建設、改造、保存、修理、変更、破壊若しくは解体又はその準備の事業（以下「建設の

事業」という。）を行う事業主については、個々の建設等の現場における建築工事等の業務活動と本店等の事務所を拠点とする営業、経営管理その他の業務活動とがそれぞれ別個の事業であって、それぞれその業務の中に　　D　　を前提に、各別に保険関係が成立するものと解される。

　したがって、建設の事業を行う事業主が、その使用する労働者を個々の建設等の現場における事業にのみ従事させ、本店等の事務所を拠点とする営業等の事業に従事させていないときは、営業等の事業につき保険関係の成立する余地はないから、営業等の事業について、当該事業主が特別加入の承認を受けることはできず、　　E　　に起因する事業主又はその代表者の死亡等に関し、その遺族等が法に基づく保険給付を受けることはできないものというべきである。

令和4年度（第54回）
選択式

選択肢

① 8 ② 9
③ 10 ④ 11
⑤ 122 ⑥ 201
⑦ 290 ⑧ 402
⑨ 営業等の事業に係る業務
⑩ 建設及び営業等以外の事業に係る業務
⑪ 建設及び営業等の事業に係る業務 ⑫ 建設の事業に係る業務
⑬ 事業主が自ら行うものがあること
⑭ 事業主が自ら行うものがないこと
⑮ 使用者 ⑯ 特別加入者
⑰ 一人親方 ⑱ 労働者
⑲ 労働者を使用するものがあること
⑳ 労働者を使用するものがないこと

雇用保険法

問3 次の文中の　　　　　の部分を選択肢の中の最も適切な語句で埋め、完全な
文章とせよ。（改題）

1　雇用保険法第13条の算定対象期間において、完全な賃金月が例えば12あると
　きは、　**A**　に支払われた賃金（臨時に支払われる賃金及び３か月を超える
　期間ごとに支払われる賃金を除く。）の総額を180で除して得た額を賃金日額と
　するのが原則である。賃金日額の算定は　**B**　に基づいて行われるが、同
　法第17条第４項によって賃金日額の最低限度額及び最高限度額が規定されてい
　るため、算定した賃金日額が2,500円のときの基本手当日額は　**C**　となる。
　　なお、同法第18条第１項、第２項の規定による賃金日額の最低限度額（自動
　変更対象額）は2,790円、同法同条第３項の規定による最低賃金日額は2,869円
　とする。

2　雇用保険法第60条の２に規定する教育訓練給付金に関して、具体例で確認す
　れば、平成25年中に教育訓練給付金を受給した者が、次のアからエまでの時系
　列において、いずれかの離職期間中に開始した教育訓練について一般教育訓練
　に係る給付金の支給を希望するとき、平成26年以降で最も早く支給要件期間を
　満たす離職の日は　**D**　である。ただし、同条第５項及び同法施行規則第
　101条の２の９において、教育訓練給付金の額として算定された額が　**E**　と
　きは、同給付金は支給しないと規定されている。

　ア　平成26年６月１日に新たにＡ社に就職し一般被保険者として就労したが、
　　平成28年７月31日にＡ社を離職した。このときの離職により基本手当を受給
　　した。

　イ　平成29年９月１日に新たにＢ社へ就職し一般被保険者として就労したが、
　　平成30年９月30日にＢ社を離職した。このときの離職により基本手当を受給
　　した。

　ウ　令和元年６月１日にＢ社へ再度就職し一般被保険者として就労したが、令
　　和３年８月31日にＢ社を離職した。このときの離職では基本手当を受給しな
　　かった。

エ　令和4年6月1日にB社へ再度就職し一般被保険者として就労したが、令和5年7月31日にB社を離職した。このときの離職では基本手当を受給しなかった。

選択肢

A	① 最後の完全な6賃金月	② 最初の完全な6賃金月
	③ 中間の完全な6賃金月	④ 任意の完全な6賃金月
B	① 雇用保険被保険者資格取得届	② 雇用保険被保険者資格喪失届
	③ 雇用保険被保険者証	④ 雇用保険被保険者離職票
C	① 1,395円	② 1,434円
	③ 2,232円	④ 2,295円
D	① 平成28年7月31日	② 平成30年9月30日
	③ 令和3年8月31日	④ 令和5年7月31日
E	① 2,000円を超えない	② 2,000円を超える
	③ 4,000円を超えない	④ 4,000円を超える

令和4年度
(第54回)

選択式

労務管理その他の労働に関する一般常識

問4 次の文中の　　　　　の部分を選択肢の中の最も適切な語句で埋め、完全な
文章とせよ。（改題）

1　全ての事業主は、従業員の一定割合（＝法定雇用率）以上の障害者を雇用す
　ることが義務付けられており、これを「障害者雇用率制度」という。現在の民
　間企業に対する法定雇用率は　　**A**　　パーセントである。

　　障害者の雇用に関する事業主の社会連帯責任を果たすため、法定雇用率を満
　たしていない事業主（常用雇用労働者　　**B**　　の事業主に限る。）から納付金
　を徴収する一方、障害者を多く雇用している事業主に対しては調整金、報奨金
　や各種の助成金を支給している。

　　障害者を雇用した事業主は、障害者の職場適応のために、　　**C**　　による支
　援を受けることができる。　　**C**　　には、配置型、訪問型、企業在籍型の３つ
　の形がある。

2　最高裁判所は、期間を定めて雇用される臨時員（上告人）の労働契約期間満
　了により、使用者（被上告人）が行った雇止めが問題となった事件において、
　次のように判示した。

　　「⑴上告人は、昭和45年12月１日から同月20日までの期間を定めて被上告人
　のＰ工場に雇用され、同月21日以降、期間２か月の本件労働契約が５回更新さ
　れて昭和46年10月20日に至つた臨時員である。⑵Ｐ工場の臨時員制度は、景気
　変動に伴う受注の変動に応じて雇用量の調整を図る目的で設けられたものであ
　り、臨時員の採用に当たつては、学科試験とか技能試験とかは行わず、面接に
　おいて健康状態、経歴、趣味、家族構成などを尋ねるのみで採用を決定すると
　いう簡易な方法をとつている。⑶被上告人が昭和45年８月から12月までの間に
　採用したＰ工場の臨時員90名のうち、翌46年10月20日まで雇用関係が継続した
　者は、本工採用者を除けば、上告人を含む14名である。⑷Ｐ工場においては、
　臨時員に対し、例外はあるものの、一般的には前作業的要素の作業、単純な作
　業、精度がさほど重要視されていない作業に従事させる方針をとつており、上
　告人も比較的簡易な作業に従事していた。⑸被上告人は、臨時員の契約更新に
　当たつては、更新期間の約１週間前に本人の意思を確認し、当初作成の労働契

約書の「４雇用期間」欄に順次雇用期間を記入し、臨時員の印を押捺せしめていた（もつとも、上告人が属する機械組においては、本人の意思が確認されたときは、給料の受領のために預かつてある印章を庶務係が本人に代わつて押捺していた。）ものであり、上告人と被上告人との間の５回にわたる本件労働契約の更新は、いずれも期間満了の都度新たな契約を締結する旨を合意することによつてされてきたものである。」「Ｐ工場の臨時員は、季節的労務や特定物の製作のような臨時的作業のために雇用されるものではなく、その雇用関係はある程度の　　 D 　　ものであり、上告人との間においても５回にわたり契約が更新されているのであるから、このような労働者を契約期間満了によつて雇止めにするに当たつては、解雇に関する法理が類推され、解雇であれば解雇権の濫用、信義則違反又は不当労働行為などに該当して解雇無効とされるような事実関係の下に使用者が新契約を締結しなかつたとするならば、期間満了後における使用者と労働者間の法律関係は　　 E 　　のと同様の法律関係となるものと解せられる。」

選択肢

① 2.4（令和８年６月30日までの間は2.2）

② 2.7（令和８年６月30日までの間は2.5）

③ 2.9（令和８年６月30日までの間は2.7）

④ 3.0（令和８年６月30日までの間は2.8）

⑤ 50人超　　　　⑥ 100人超　　　⑦ 200人超　　　⑧ 300人超

⑨ 安定性が合意されていた

⑩ 期間の定めのない労働契約が締結された

⑪ 継続が期待されていた　　　⑫ 厳格さが見込まれていた

⑬ 合理的理由が必要とされていた　　⑭ 採用内定通知がなされた

⑮ 従前の労働契約が更新された

⑯ 使用者が労働者に従前と同一の労働条件を内容とする労働契約の申込みをした

⑰ ジョブコーチ　　　　　　⑱ ジョブサポーター

⑲ ジョブマネジャー　　　　⑳ ジョブメンター

社会保険に関する一般常識

問5 次の文中の □□□ の部分を選択肢の中の最も適切な語句で埋め、完全な
文章とせよ。

1 厚生労働省から令和3年11月に公表された「令和元年度国民医療費の概況」
によると、令和元年度の国民医療費は44兆3,895億円である。年齢階級別国民
医療費の構成割合についてみると、「65歳以上」の構成割合は □A□ パーセ
ントとなっている。

2 企業型確定拠出年金の加入者又は企業型確定拠出年金の加入者であった者
（当該確定拠出年金に個人別管理資産がある者に限る。）が死亡したときは、そ
の者の遺族に、死亡した者の死亡の当時主としてその収入によって生計を維持
されていなかった配偶者及び実父母、死亡した者の死亡の当時主としてその収
入によって生計を維持されていた子、養父母及び兄弟姉妹がいた場合、死亡一
時金を受け取ることができる遺族の第1順位は、□B□ となる。ただし、死
亡した者は、死亡する前に死亡一時金を受ける者を指定してその旨を企業型記
録関連運営管理機関等に対して表示していなかったものとする。

3 （改正により削除）

4 介護保険法における「要介護状態」とは、□D□ があるために、入浴、排
せつ、食事等の日常生活における基本的な動作の全部又は一部について、
□E□ の期間にわたり継続して、常時介護を要すると見込まれる状態であっ
て、その介護の必要の程度に応じて厚生労働省令で定める区分のいずれかに該
当するもの（要支援状態に該当するものを除く。）をいう。ただし、「要介護状
態」にある40歳以上65歳未満の者であって、その「要介護状態」の原因である
□D□ が加齢に伴って生ずる心身の変化に起因する疾病であって政令で定め
るもの（以下「特定疾病」という。）によって生じたものであり、当該特定疾
病ががん（医師が一般に認められている医学的知見に基づき回復の見込みがな
い状態に至ったと判断したものに限る。）である場合の継続見込期間について
は、その余命が □E□ に満たないと判断される場合にあっては、死亡まで
の間とする。

┌─ 選択肢 ─────────────────────────────────

① 3か月 ② 6か月

③ 12か月

④ 15歳に達する日以後の最初の3月31日までの間にある者

⑤ 18か月

⑥ 18歳に達する日以後の最初の3月31日までの間にある者

⑦ 31.0 ⑧ 46.0

⑨ 61.0 ⑩ 76.0

⑪ 加齢に伴って生ずる心身の変化に起因する疾病

⑫ 義務教育就学前の児童

⑬ 子 ⑭ 実父母

⑮ 小学校終了前の児童

⑯ 心身の機能の低下 ⑰ 身体上又は精神上の障害

⑱ 配偶者 ⑲ 慢性的な認知機能の悪化

⑳ 養父母

└──────────────────────────────────────

令和4年度
（第54回）

選択式

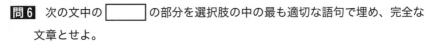

問6 次の文中の　　　　　の部分を選択肢の中の最も適切な語句で埋め、完全な文章とせよ。

1　健康保険法第３条第１項の規定によると、特定適用事業所に勤務する短時間労働者で、被保険者となることのできる要件の１つとして、報酬（最低賃金法に掲げる賃金に相当するものとして厚生労働省令で定めるものを除く。）が１か月当たり　　**A**　　であることとされている。

2　保険外併用療養費の対象となる選定療養とは、「被保険者の選定に係る特別の病室の提供その他の厚生労働大臣が定める療養」をいい、厚生労働省告示「厚生労働大臣の定める評価療養、患者申出療養及び選定療養」第２条に規定する選定療養として、第１号から第11号が掲げられている。

　　そのうち第４号によると、「病床数が　　**B**　　の病院について受けた初診（他の病院又は診療所からの文書による紹介がある場合及び緊急その他やむを得ない事情がある場合に受けたものを除く。）」と規定されており、第７号では、「別に厚生労働大臣が定める方法により計算した入院期間が　　**C**　　を超えた日以後の入院及びその療養に伴う世話その他の看護（別に厚生労働大臣が定める状態等にある者の入院及びその療養に伴う世話その他の看護を除く。）」と規定されている。

3　被保険者（日雇特例被保険者を除く。）は、同時に２以上の事業所に使用される場合において、保険者が２以上あるときは、その被保険者の保険を管掌する保険者を選択しなければならない。この場合は、同時に２以上の事業所に使用されるに至った日から　　**D**　　日以内に、被保険者の氏名及び生年月日等を記載した届書を、全国健康保険協会を選択しようとするときは　　**E**　　に、健康保険組合を選択しようとするときは健康保険組合に提出することによって行うものとする。

┌─ 選択肢 ─────────────────────────────────┐

① 5 　　　　　　　　　② 7

③ 10 　　　　　　　　④ 14

⑤ 90　日 　　　　　　⑥ 120日

⑦ 150以上 　　　　　⑧ 150日

⑨ 180以上 　　　　　⑩ 180日

⑪ 200以上 　　　　　⑫ 250以上

⑬ 63,000円以上 　　⑭ 85,000円以上

⑮ 88,000円以上 　　⑯ 108,000円以上

⑰ 厚生労働大臣 　　　⑱ 全国健康保険協会の都道府県支部

⑲ 全国健康保険協会の本部 　⑳ 地方厚生局長

└──────────────────────────────────────┘

令和4年度
(第54回)

選択式

厚生年金保険法

問7 次の文中の ▢ の部分を選択肢の中の最も適切な語句で埋め、完全な
文章とせよ。

1 厚生年金保険法第81条の２の２第１項の規定によると、産前産後休業をして
いる被保険者が使用される事業所の事業主が、主務省令で定めるところにより
実施機関に申出をしたときは、同法第81条第２項の規定にかかわらず当該被保
険者に係る保険料であってその産前産後休業を ▢**A**▢ からその産前産後休
業が ▢**B**▢ までの期間に係るものの徴収は行わないとされている。

2 厚生年金保険の被保険者であるＸ（50歳）は、妻であるＹ（45歳）及びＹと
Ｙの先夫との子であるＺ（10歳）と生活を共にしていた。ＸとＺは養子縁組を
していないが、事実上の親子関係にあった。また、Ｘは、Ｘの先妻であるＶ
（50歳）及びＸとＶとの子であるＷ（15歳）にも養育費を支払っていた。Ｖ及
びＷは、Ｘとは別の都道府県に在住している。この状況で、Ｘが死亡した場
合、遺族厚生年金が最初に支給されるのは、▢**C**▢ である。なお、遺族厚生
年金に係る保険料納付要件及び生計維持要件は満たされているものとする。

3 令和４年４月から、65歳未満の在職老齢年金制度が見直されている。令和４
年度では、総報酬月額相当額が41万円、老齢厚生年金の基本月額が10万円の場
合、支給停止額は ▢**D**▢ となる。

4 厚生年金保険法第47条の２によると、疾病にかかり、又は負傷し、かつ、そ
の傷病に係る初診日において被保険者であった者であって、障害認定日におい
て同法第47条第２項に規定する障害等級（以下「障害等級」という。）に該当
する程度の障害の状態になかったものが、障害認定日から同日後 ▢**E**▢ ま
での間において、その傷病により障害の状態が悪化し、障害等級に該当する程
度の障害の状態に該当するに至ったときは、その者は、その期間内に障害厚生
年金の支給を請求することができる。なお、障害厚生年金に係る保険料納付要
件は満たされているものとする。

┌─ 選択肢 ─────────────────────────────────

① 1年半を経過する日　　　　② 5年を経過する日

③ 60歳に達する日の前日　　　④ 65歳に達する日の前日

⑤ 開始した日の属する月　　　⑥ 開始した日の属する月の翌月

⑦ 開始した日の翌日が属する月

⑧ 開始した日の翌日が属する月の翌月

⑨ 月額2万円　　　　　　　　⑩ 月額4万円

⑪ 月額5万円　　　　　　　　⑫ 月額10万円

⑬ 終了する日の属する月　　　⑭ 終了する日の属する月の前月

⑮ 終了する日の翌日が属する月

⑯ 終了する日の翌日が属する月の前月

⑰ V　　　　　　　　　　　　⑱ W

⑲ Y　　　　　　　　　　　　⑳ Z

令和4年度
(第54回)

選択式

国民年金法

問8 次の文中の 　　　　　 の部分を選択肢の中の最も適切な語句で埋め、完全な文章とせよ。

1　国民年金法第36条第２項によると、障害基礎年金は、受給権者が障害等級に該当する程度の障害の状態に該当しなくなったときは、　A 、その支給を停止するとされている。

2　寡婦年金の額は、死亡日の属する月の前月までの第１号被保険者としての被保険者期間に係る死亡日の前日における保険料納付済期間及び保険料免除期間につき、国民年金法第27条の老齢基礎年金の額の規定の例によって計算した額の　B に相当する額とする。

3　国民年金法第128条第２項によると、国民年金基金は、加入員及び加入員であった者の　C ため、必要な施設をすることができる。

4　国民年金法第14条の５では、「厚生労働大臣は、国民年金制度に対する国民の　D ため、厚生労働省令で定めるところにより、被保険者に対し、当該被保険者の保険料納付の実績及び将来の給付に関する必要な情報を　E するものとする。」と規定している。

┌─ 選択肢 ─────────────────────────────────────┐

① 2分の1　　　　　　　　　② 3分の2

③ 4分の1　　　　　　　　　④ 4分の3

⑤ 厚生労働大臣が指定する期間

⑥ 受給権者が65歳に達するまでの間

⑦ 速やかに通知　　　　　　　⑧ 正確に通知

⑨ 生活の維持及び向上に寄与する　⑩ 生活を安定させる

⑪ その障害の状態に該当しない間

⑫ その障害の状態に該当しなくなった日から3年間

⑬ 知識を普及させ、及び信頼を向上させる

⑭ 遅滞なく通知

⑮ 福祉を増進する　　　　　　⑯ 福利向上を図る

⑰ 理解を増進させ、及びその信頼を向上させる

⑱ 理解を増進させ、及びその知識を普及させる

⑲ 利便の向上に資する　　　　⑳ 分かりやすい形で通知

└───┘

令和4年度
(第54回)

選択式

令和**4**年度

（2022年度・第54回）

本試験問題
択一式

本試験実施時間

13：20〜16：50（210分）

法令等略記凡例

法令等名称	法令等略称
労働者災害補償保険法	労災保険法
労働者災害補償保険法施行規則	労災保険法施行規則
労働保険の保険料の徴収等に関する法律	労働保険徴収法
労働保険の保険料の徴収等に関する法律施行規則	労働保険徴収法施行規則
高齢者の医療の確保に関する法律	高齢者医療確保法

労働基準法及び労働安全衛生法

問1 労働基準法の労働者に関する次の記述のうち、正しいものはどれか。

A 労働基準法の労働者であった者は、失業しても、その後継続して求職活動をしている間は、労働基準法の労働者である。

B 労働基準法の労働者は、民法第623条に定める雇用契約により労働に従事する者がこれに該当し、形式上といえども請負契約の形式を採るものは、その実体において使用従属関係が認められる場合であっても、労働基準法の労働者に該当することはない。

C 同居の親族のみを使用する事業において、一時的に親族以外の者が使用されている場合、この者は、労働基準法の労働者に該当しないこととされている。

D 株式会社の代表取締役は、法人である会社に使用される者であり、原則として労働基準法の労働者になるとされている。

E 明確な契約関係がなくても、事業に「使用」され、その対償として「賃金」が支払われる者であれば、労働基準法の労働者である。

問2 労働基準法の労働時間に関する次の記述のうち、正しいものはどれか。

A 労働安全衛生法により事業者に義務付けられている健康診断の実施に要する時間は、労働安全衛生規則第44条の定めによる定期健康診断、同規則第45条の定めによる特定業務従事者の健康診断等その種類にかかわらず、すべて労働時間として取り扱うものとされている。

B 定期路線トラック業者の運転手が、路線運転業務の他、貨物の積込を行うため、小口の貨物が逐次持ち込まれるのを待機する意味でトラック出発時刻の数時間前に出勤を命ぜられている場合、現実に貨物の積込を行う以外の全く労働の提供がない時間は、労働時間と解されていない。

C 労働安全衛生法第59条等に基づく安全衛生教育については、所定労働時間内に行うことが原則とされているが、使用者が自由意思によって行う教育であって、労働者が使用者の実施する教育に参加することについて就業規則上の制裁等の不利益取扱による出席の強制がなく自由参加とされているものについても、労働者の技術水準向上のための教育の場合は所定労働時間内に行うことが原則であり、当該教育が所定労働時間外に行われるときは、当該時間は時間外労働時間として取り扱うこととされている。

D 事業場に火災が発生した場合、既に帰宅している所属労働者が任意に事業場に出勤し消火作業に従事した場合は、一般に労働時間としないと解されている。

E 警備員が実作業に従事しない仮眠時間について、当該警備員が労働契約に基づき仮眠室における待機と警報や電話等に対して直ちに対応することが義務付けられており、そのような対応をすることが皆無に等しいなど実質的に上記義務付けがされていないと認めることができるような事情が存しないなどの事実関係の下においては、実作業に従事していない時間も含め全体として警備員が使用者の指揮命令下に置かれているものであり、労働基準法第32条の労働時間に当たるとするのが、最高裁判所の判例である。

令和4年度
（第54回）

択一式

問3 労働基準法第36条（以下本問において「本条」という。）に定める時間外及び休日の労働等に関する次の記述のうち、誤っているものはどれか。

A 使用者が労働基準法施行規則第23条によって日直を断続的勤務として許可を受けた場合には、本条第1項の協定がなくとも、休日に日直をさせることができる。

B 小売業の事業場で経理業務のみに従事する労働者について、対象期間を令和4年1月1日から同年12月31日までの1年間とする本条第1項の協定をし、いわゆる特別条項により、1か月について95時間、1年について700時間の時間外労働を可能としている事業場においては、同年の1月に90時間、2月に70時間、3月に85時間、4月に75時間、5月に80時間の時間外労働をさせることができる。

C 労働者が遅刻をし、その時間だけ通常の終業時刻を繰り下げて労働させる場合に、一日の実労働時間を通算すれば労働基準法第32条又は第40条の労働時間を超えないときは、本条第１項に基づく協定及び労働基準法第37条に基づく割増賃金支払の必要はない。

D 就業規則に所定労働時間を１日７時間、１週35時間と定めたときは、１週35時間を超え１週間の法定労働時間まで労働時間を延長する場合、各日の労働時間が８時間を超えずかつ休日労働を行わせない限り、本条第１項の協定をする必要はない。

E 本条第１項の協定は、事業場ごとに締結するよう規定されているが、本社において社長と当該会社の労働組合本部の長とが締結した本条第１項の協定に基づき、支店又は出張所がそれぞれ当該事業場の業務の種類、労働者数、所定労働時間等所要事項のみ記入して所轄労働基準監督署長に届け出た場合、当該組合が各事業場ごとにその事業場の労働者の過半数で組織されている限り、その取扱いが認められる。

問4 労働基準法の総則（第１条～第12条）に関する次の記述のうち、誤っているものはどれか。

A 労働基準法第１条にいう「労働関係の当事者」には、使用者及び労働者のほかに、それぞれの団体である使用者団体と労働組合も含まれる。

B 労働基準法第３条にいう「信条」には、特定の宗教的信念のみならず、特定の政治的信念も含まれる。

C 就業規則に労働者が女性であることを理由として、賃金について男性と差別的取扱いをする趣旨の規定がある場合、現実には男女差別待遇の事実がないとしても、当該規定は無効であり、かつ労働基準法第４条違反となる。

D 使用者の暴行があっても、労働の強制の目的がなく、単に「怠けたから」又は「態度が悪いから」殴ったというだけである場合、刑法の暴行罪が成立する可能性はあるとしても、労働基準法第５条違反とはならない。

E　法令の規定により事業主等に申請等が義務付けられている場合において、事務代理の委任を受けた社会保険労務士がその懈怠により当該申請等を行わなかった場合には、当該社会保険労務士は、労働基準法第10条にいう「使用者」に該当するので、当該申請等の義務違反の行為者として労働基準法の罰則規定に基づいてその責任を問われうる。

問5　労働基準法に定める労働契約等に関する次の記述のうち、正しいものはどれか。

A　社会保険労務士の国家資格を有する労働者について、労働基準法第14条に基づき契約期間の上限を5年とする労働契約を締結するためには、社会保険労務士の資格を有していることだけでは足りず、社会保険労務士の名称を用いて社会保険労務士の資格に係る業務を行うことが労働契約上認められている等が必要である。

B　労働基準法第15条第3項にいう「契約解除の日から14日以内」であるとは、解除当日から数えて14日をいい、例えば、9月1日に労働契約を解除した場合は、9月1日から9月14日までをいう。

C　労働基準法第16条のいわゆる「賠償予定の禁止」については、違約金又はあらかじめ定めた損害賠償額を現実に徴収したときにはじめて違反が成立する。

D　「前借金」とは、労働契約の締結の際又はその後に、労働することを条件として使用者から借り入れ、将来の賃金により弁済することを約する金銭をいい、労働基準法第17条は前借金そのものを全面的に禁止している。

E　労働基準法第22条第1項に基づいて交付される証明書は、労働者が同項に定める法定記載事項の一部のみが記入された証明書を請求した場合でも、法定記載事項をすべて記入しなければならない。

問6　労働基準法に定める賃金等に関する次の記述のうち、誤っているものはいくつあるか。

ア　通貨以外のもので支払われる賃金も、原則として労働基準法第12条に定める平均賃金等の算定基礎に含まれるため、法令に別段の定めがある場合のほかは、労働協約で評価額を定めておかなければならない。

イ 賃金の支払期限について、必ずしもある月の労働に対する賃金をその月中に支払うことを要せず、不当に長い期間でない限り、賃金の締切後ある程度の期間を経てから支払う定めをすることも差し支えない。

ウ 労働基準法第25条により労働者が非常時払を請求しうる事由の1つである「疾病」とは、業務上の疾病、負傷であると業務外のいわゆる私傷病であるとを問わない。

エ 「労働者が賃金の支払を受ける前に賃金債権を他に譲渡した場合においても、その支払についてはなお同条〔労働基準法第24条〕が適用され、使用者は直接労働者に対し賃金を支払わなければならず、したがつて、右賃金債権の譲受人は自ら使用者に対してその支払を求めることは許されないが、国家公務員等退職手当法〔現在の国家公務員退職手当法〕による退職手当の給付を受ける権利については、その譲渡を禁止する規定がない以上、退職手当の支給前にその受給権が他に適法に譲渡された場合においては、国または公社はもはや退職者に直接これを支払うことを要せず、したがつて、その譲受人から国または公社に対しその支払を求めることが許される」とするのが、最高裁判所の判例である。

オ 労働基準法第27条に定める出来高払制の保障給について、同種の労働を行っている労働者が多数ある場合に、個々の労働者の技量、経験、年齢等に応じて、その保障給額に差を設けることは差し支えない。

A 一つ

B 二つ

C 三つ

D 四つ

E 五つ

問7 労働基準法に定める労働時間等に関する次の記述のうち、正しいものはどれか。

A 使用者は、労働基準法別表第1第8号（物品の販売、配給、保管若しくは賃貸又は理容の事業）、第10号のうち映画の製作の事業を除くもの（映画の映写、演劇その他興行の事業）、第13号（病者又は虚弱者の治療、看護その他保健衛生の事業）及び第14号（旅館、料理店、飲食店、接客業又は娯楽場の事業）に掲げる事業のうち常時10人未満の労働者を使用するものについては、労働基準法第32条の規定にかかわらず、1週間について48時間、1日について10時間まで労働させることができる。

B 労働基準法第32条の2に定めるいわゆる1か月単位の変形労働時間制を労使協定を締結することにより採用する場合、当該労使協定を所轄労働基準監督署長に届け出ないときは1か月単位の変形労働時間制の効力が発生しない。

C 医療法人と医師との間の雇用契約において労働基準法第37条に定める時間外労働等に対する割増賃金を年俸に含める旨の合意がされていた場合、「本件合意は、上告人の医師としての業務の特質に照らして合理性があり、上告人が労務の提供について自らの裁量で律することができたことや上告人の給与額が相当高額であったこと等からも、労働者としての保護に欠けるおそれはないから、上告人の当該年俸のうち時間外労働等に対する割増賃金に当たる部分が明らかにされておらず、通常の労働時間の賃金に当たる部分と割増賃金に当たる部分とを判別することができないからといって不都合はなく、当該年俸の支払により、時間外労働等に対する割増賃金が支払われたということができる」とするのが、最高裁判所の判例である。

D 労働基準法第37条第3項に基づくいわゆる代替休暇を与えることができる期間は、同法第33条又は同法第36条第1項の規定によって延長して労働させた時間が1か月について60時間を超えた当該1か月の末日の翌日から2か月以内の範囲内で、労使協定で定めた期間とされている。

E 年次有給休暇の権利は、「労基法39条１、２項の要件が充足されることによつて法律上当然に労働者に生ずる権利ということはできず、労働者の請求をまつて始めて生ずるものと解すべき」であり、「年次〔有給〕休暇の成立要件として、労働者による『休暇の請求』や、これに対する使用者の『承認』を要する」とするのが、最高裁判所の判例である。

問8 下記に示す事業者が一の場所において行う建設業の事業に関する次の記述のうち、誤っているものはどれか。

なお、この場所では甲社の労働者及び下記乙①社から丙②社までの４社の労働者が作業を行っており、作業が同一の場所において行われることによって生じる労働災害を防止する必要がある。

甲社　　鉄骨造のビル建設工事の仕事を行う元方事業者
　　　　　当該場所において作業を行う労働者数　　常時５人

乙①社　甲社から鉄骨組立工事一式を請け負っている事業者
　　　　　当該場所において作業を行う労働者数　　常時10人

乙②社　甲社から壁面工事一式を請け負っている事業者
　　　　　当該場所において作業を行う労働者数　　常時10人

丙①社　乙①社から鉄骨組立作業を請け負っている事業者
　　　　　当該場所において作業を行う労働者数　　常時14人

丙②社　乙②社から壁材取付作業を請け負っている事業者
　　　　　当該場所において作業を行う労働者数　　常時14人

A 甲社は、統括安全衛生責任者を選任しなければならない。

B 甲社は、元方安全衛生管理者を選任しなければならない。

C 甲社は、当該建設工事の請負契約を締結している事業場に、当該建設工事における安全衛生の技術的事項に関する管理を行わせるため店社安全衛生管理者を選任しなければならない。

D 甲社は、労働災害を防止するために協議組織を設置し運営しなければならないが、この協議組織には自社が請負契約を交わした乙①社及び乙②社のみならず丙①社及び丙②社も参加する組織としなければならない。

E 甲社は、丙②社の労働者のみが使用するために丙②社が設置している足場であっても、その設置について労働安全衛生法又はこれに基づく命令の規定に違反しないよう必要な指導を行わなければならない。

問9 労働安全衛生法に定める作業主任者に関する次の記述のうち、正しいものはどれか。

A 労働安全衛生法施行令第6条第18号に該当する特定化学物質を取り扱う作業については特定化学物質作業主任者を選任しなければならないが、作業が交替制で行われる場合、作業主任者は各直ごとに選任する必要がある。

B 特定化学物質作業主任者の職務は、作業に従事する労働者が特定化学物質に汚染され、又はこれらを吸入しないように、作業の方法を決定し、労働者を指揮することにあり、当該作業のために設置されているものであっても、局所排気装置、除じん装置等の装置を点検することは、その職務に含まれない。

C 労働安全衛生法施行令第6条第18号に該当する特定化学物質を取り扱う作業については特定化学物質作業主任者を選任しなければならないが、金属製品を製造する工場において、関係請負人の労働者が当該作業に従事する場合、作業主任者は元方事業者が選任しなければならない。

D 事業者は、作業主任者を選任したときは、当該作業主任者の氏名及びその者に行わせる事項を作業場の見やすい箇所に掲示する等により関係労働者に周知するよう努めなければならないとされている。

E 労働安全衛生法第14条において、作業主任者は、選任を必要とする作業について、経験、知識、技能を勘案し、適任と判断される者のうちから、事業者が選任することと規定されている。

令和4年度
（第54回）

択一式

問10 労働安全衛生法に定める安全委員会、衛生委員会及び安全衛生委員会に関する次の記述のうち、正しいものはどれか。

A 衛生委員会は、企業全体で常時50人以上の労働者を使用する企業において、当該企業全体を統括管理する事業場に設置しなければならないとされている。

B 安全委員会は、政令で定める業種に限定してその設置が義務付けられているが、製造業、建設業、運送業、電気業、ガス業、通信業、各種商品小売業及び旅館業はこれに含まれる。

C 安全委員会及び衛生委員会を設けなければならないとされている場合において、事業者はそれぞれの委員会の設置に代えて、安全衛生委員会を設置することができるが、これは、企業規模が300人以下の場合に限られている。

D 安全委員会及び衛生委員会の委員には、労働基準法第41条第2号に定める監督若しくは管理の地位にある者又は機密の事務を取り扱う者を選任してはならないとされている。

E 事業者は、安全衛生委員会を構成する委員には、安全管理者及び衛生管理者のうちから指名する者を加える必要があるが、産業医を委員とすることについては努力義務とされている。

労働者災害補償保険法（労働保険の保険料の徴収等に関する法律を含む。）

問1 「血管病変等を著しく増悪させる業務による脳血管疾患及び虚血性心疾患等の認定基準（令和 3 年 9 月14日付け基発0914第 1 号）」に関する次の記述のうち、正しいものはどれか。

A 発症前 1 か月間におおむね100時間又は発症前 2 か月間ないし 6 か月間にわたって、 1 か月当たりおおむね80時間を超える時間外労働が認められない場合には、これに近い労働時間が認められたとしても、業務と発症との関連性が強いと評価することはできない。

B 心理的負荷を伴う業務については、精神障害の業務起因性の判断に際して、負荷の程度を評価する視点により検討、評価がなされるが、脳・心臓疾患の業務起因性の判断に際しては、同視点による検討、評価の対象外とされている。

C 短期間の過重業務については、発症直前から前日までの間に特に過度の長時間労働が認められる場合や、発症前おおむね 1 週間継続して深夜時間帯に及ぶ時間外労働を行うなど過度の長時間労働が認められる場合に、業務と発症との関連性が強いと評価できるとされている。

D 急激な血圧変動や血管収縮等を引き起こすことが医学的にみて妥当と認められる「異常な出来事」と発症との関連性については、発症直前から 1 週間前までの間が評価期間とされている。

E 業務の過重性の検討、評価に当たり、 2 以上の事業の業務による「長期間の過重業務」については、異なる事業における労働時間の通算がなされるのに対して、「短期間の過重業務」については労働時間の通算はなされない。

令和 4 年度
（第54回）

択一式

問2 労災保険法施行規則第33条に定める労災就学援護費に関する次の記述のうち、誤っているものはどれか。

A 労災就学援護費の支給対象には、傷病補償年金を受ける権利を有する者のうち、在学者等である子と生計を同じくしている者であり、かつ傷病の程度が重篤な者であって、当該在学者等に係る学資の支給を必要とする状態にあるものが含まれる。

B 労災就学援護費の支給対象には、障害年金を受ける権利を有する者のうち、在学者等である子と生計を同じくしている者であって、当該在学者等に係る職業訓練に要する費用の支給を必要とする状態にあるものが含まれる。

C 労災就学援護費の額は、支給される者と生計を同じくしている在学者等である子が中学校に在学する者である場合は、小学校に在学する者である場合よりも多い。

D 労災就学援護費の額は、支給される者と生計を同じくしている在学者等である子が特別支援学校の小学部に在学する者である場合と、小学校に在学する者である場合とで、同じである。

E 労災就学援護費は、支給される者と生計を同じくしている在学者等である子が大学に在学する者である場合、通信による教育を行う課程に在学する者か否かによって額に差はない。

問3 厚生労働省令で定める数以下の労働者を使用する事業の事業主で、労働保険徴収法第33条第３項の労働保険事務組合に同条第１項の労働保険事務の処理を委託するものである者（事業主が法人その他の団体であるときは、代表者）は労災保険に特別加入することができるが、労災保険法第33条第１号の厚生労働省令で定める数以下の労働者を使用する事業の事業主に関する次の記述のうち、正しいものはどれか。

A 金融業を主たる事業とする事業主については常時100人以下の労働者を使用する事業主

B 不動産業を主たる事業とする事業主については常時100人以下の労働者を使用する事業主

C 小売業を主たる事業とする事業主については常時100人以下の労働者を使用する事業主

D サービス業を主たる事業とする事業主については常時100人以下の労働者を使用する事業主

E 保険業を主たる事業とする事業主については常時100人以下の労働者を使用する事業主

問4 業務災害に関する次の記述のうち、正しいものはいくつあるか。

ア 工場に勤務する労働者が、作業終了後に更衣を済ませ、班長に挨拶して職場を出て、工場の階段を降りる途中に足を踏み外して転落して負傷した場合、業務災害と認められる。

イ 日雇労働者が工事現場での一日の作業を終えて、人員点呼、器具の点検の後、現場責任者から帰所を命じられ、器具の返還と賃金受領のために事業場事務所へと村道を歩き始めた時、交通事故に巻き込まれて負傷した場合、業務災害と認められる。

ウ 海岸道路の開設工事の作業に従事していた労働者が、12時に監督者から昼食休憩の指示を受け、遠く離れた休憩施設ではなく、いつもどおり、作業場のすぐ近くの崖下の日陰の平らな場所で同僚と昼食をとっていた時に、崖を落下してきた岩石により負傷した場合、業務災害と認められる。

エ 仕事で用いるトラックの整備をしていた労働者が、ガソリンの出が悪いため、トラックの下にもぐり、ガソリンタンクのコックを開いてタンクの掃除を行い、その直後に職場の喫煙所でたばこを吸うため、マッチに点火した瞬間、ガソリンのしみこんだ被服に引火し火傷を負った場合、業務災害と認められる。

オ 鉄道事業者の乗客係の労働者が、Ｔ駅発Ｎ駅行きの列車に乗車し、折り返しのＴ駅行きの列車に乗車することとなっており、Ｎ駅で帰着点呼を受けた後、指定された宿泊所に赴き、数名の同僚と飲酒・雑談ののち就寝し、起床後、宿泊所に食事の設備がないことから、食事をとるために、同所から道路に通じる石段を降りる途中、足を滑らせて転倒し、負傷した場合、業務災害と認められる。

A 一つ

B 二つ

C 三つ

D 四つ

E 五つ

令和4年度
（第54回）

択一式

問5 労働者が、就業に関し、住居と就業の場所との間の往復を、合理的な経路及び方法により行うことによる負傷、疾病、障害又は死亡は、通勤災害に当たるが、この「住居」、「就業の場所」に関する次の記述のうち、誤っているものはどれか。

A 同一市内に住む長女が出産するため、15日間、幼児２人を含む家族の世話をするために長女宅に泊まり込んだ労働者にとって、長女宅は、就業のための拠点としての性格を有する住居と認められる。

B アパートの２階の一部屋に居住する労働者が、いつも会社に向かって自宅を出発する時刻に、出勤するべく靴を履いて自室のドアから出て１階に降りようとした時に、足が滑り転倒して負傷した場合、通勤災害に当たらない。

C 一戸建ての家に居住している労働者が、いつも退社する時刻に仕事を終えて自宅に向かってふだんの通勤経路を歩き、自宅の門をくぐって玄関先の石段で転倒し負傷した場合、通勤災害に当たらない。

D 外回りの営業担当の労働者が、夕方、得意先に物品を届けて直接帰宅する場合、その得意先が就業の場所に当たる。

E 労働者が、長期入院中の夫の看護のために病院に１か月間継続して宿泊した場合、当該病院は就業のための拠点としての性格を有する住居と認められる。

問6 通勤災害に関する次の記述のうち、正しいものはどれか。

A 労働者が上司から直ちに２泊３日の出張をするよう命じられ、勤務先を出てすぐに着替えを取りに自宅に立ち寄り、そこから出張先に向かう列車に乗車すべく駅に向かって自転車で進行中に、踏切で列車に衝突し死亡した場合、その路線が通常の通勤に使っていたものであれば、通勤災害と認められる。

B 労働者が上司の命により、同じ社員寮に住む病気欠勤中の同僚の容体を確認するため、出勤してすぐに社員寮に戻る途中で、電車にはねられ死亡した場合、通勤災害と認められる。

C 通常深夜まで働いている男性労働者が、半年ぶりの定時退社の日に、就業の場所からの帰宅途中に、ふだんの通勤経路を外れ、要介護状態にある義父を見舞うために義父の家に立ち寄り、一日の介護を終えた妻とともに帰宅の途につき、ふだんの通勤経路に復した後は、通勤に該当する。

D マイカー通勤の労働者が、経路上の道路工事のためにやむを得ず通常の経路を迂回して取った経路は、ふだんの通勤経路を外れた部分についても、通勤災害における合理的な経路と認められる。

E 他に子供を監護する者がいない共稼ぎ労働者が、いつもどおり親戚に子供を預けるために、自宅から徒歩10分ほどの勤務先会社の前を通り過ぎて100メートルのところにある親戚の家まで、子供とともに歩き、子供を預けた後に勤務先会社まで歩いて戻る経路のうち、勤務先会社と親戚の家との間の往復は、通勤災害における合理的な経路とは認められない。

問7 業務起因性が認められる傷病が一旦治ゆと認定された後に「再発」した場合は、保険給付の対象となるが、「再発」であると認定する要件として次のアからエの記述のうち、正しいものの組合せは、後記AからEまでのうちどれか。

ア 当初の傷病と「再発」とする症状の発現との間に医学的にみて相当因果関係が認められること

イ 当初の傷病の治ゆから「再発」とする症状の発現までの期間が3年以内であること

ウ 療養を行えば、「再発」とする症状の改善が期待できると医学的に認められること

エ 治ゆ時の症状に比べ「再発」時の症状が増悪していること

A （アとイ） B （アとエ） C （アとイとエ）
D （アとウとエ） E （アとイとウとエ）

問8 労働保険の保険料の徴収等に関する次の記述のうち、誤っているものはどれか。

A 労災保険の適用事業場のすべての事業主は、労働保険の確定保険料の申告に併せて一般拠出金(石綿による健康被害の救済に関する法律第35条第1項の規定により徴収する一般拠出金をいう。以下同じ。)を申告・納付することとなっており、一般拠出金の額の算定に当たって用いる料率は、労災保険のいわゆるメリット制の対象事業場であってもメリット料率(割増・割引)の適用はない。

B 概算保険料を納付した事業主が、所定の納期限までに確定保険料申告書を提出しなかったとき、所轄都道府県労働局歳入徴収官は当該事業主が申告すべき正しい確定保険料の額を決定し、これを事業主に通知することとされているが、既に納付した概算保険料の額が所轄都道府県労働局歳入徴収官によって決定された確定保険料の額を超えるとき、当該事業主はその通知を受けた日の翌日から起算して10日以内に労働保険料還付請求書を提出することによって、その超える額の還付を請求することができる。

C 二以上の有期事業が一括されて一の事業として労働保険徴収法の規定が適用される事業の事業主は、確定保険料申告書を提出する際に、前年度中又は保険関係が消滅した日までに終了又は廃止したそれぞれの事業の明細を記した一括有期事業報告書を所轄都道府県労働局歳入徴収官に提出しなければならない。

D 事業主が所定の納期限までに確定保険料申告書を提出したが、当該事業主が法令の改正を知らなかったことによりその申告書の記載に誤りが生じていると認められるとき、所轄都道府県労働局歳入徴収官が正しい確定保険料の額を決定し、その不足額が1,000円以上である場合には、労働保険徴収法第21条に規定する追徴金が徴収される。

E 労働保険料の納付を口座振替により金融機関に委託して行っている社会保険適用事業所(厚生年金保険又は健康保険法による健康保険の適用事業所)の事業主は、労働保険徴収法第19条第3項の規定により納付すべき労働保険料がある場合、有期事業以外の事業についての一般保険料に係る確定保険料申告書を提出するとき、年金事務所を経由して所轄都道府県労働局歳入徴収官に提出することができる。

問9 労災保険のいわゆるメリット制に関する次の記述のうち、正しいものはどれか。

A　継続事業の一括（一括されている継続事業の一括を含む。）を行った場合には、労働保険徴収法第12条第3項に規定する労災保険のいわゆるメリット制に関して、労災保険に係る保険関係の成立期間は、一括の認可の時期に関係なく、当該指定事業の労災保険に係る保険関係成立の日から起算し、当該指定事業以外の事業に係る一括前の保険料及び一括前の災害に係る給付は当該指定事業のいわゆるメリット収支率の算定基礎に算入しない。

B　有期事業の一括の適用を受けている建築物の解体の事業であって、その事業の当該保険年度の確定保険料の額が40万円未満のとき、その事業の請負金額（消費税等相当額を除く。）が1億1,000万円以上であれば、労災保険のいわゆるメリット制の適用対象となる場合がある。

C　有期事業の一括の適用を受けていない立木の伐採の有期事業であって、その事業の素材の見込生産量が1,000立方メートル以上のとき、労災保険のいわゆるメリット制の適用対象となるものとされている。

D　労働保険徴収法第20条に規定する確定保険料の特例の適用により、確定保険料の額が引き下げられた場合、その引き下げられた額と当該確定保険料の額との差額について事業主から所定の期限内に還付の請求があった場合においても、当該事業主から徴収すべき未納の労働保険料その他の徴収金（石綿による健康被害の救済に関する法律第35条第1項の規定により徴収する一般拠出金を含む。）があるときには、所轄都道府県労働局歳入徴収官は当該差額をこの未納の労働保険料等に充当するものとされている。

E　労働保険徴収法第20条第1項に規定する確定保険料の特例は、第一種特別加入保険料に係る確定保険料の額及び第二種特別加入保険料に係る確定保険料の額について準用するものとされている。

令和4年度
（第54回）

択一式

問10 労働保険の保険料の徴収等に関する次の記述のうち、誤っているものはどれか。

A 法人の取締役であっても、法令、定款等の規定に基づいて業務執行権を有しないと認められる者で、事実上、業務執行権を有する役員等の指揮監督を受けて労働に従事し、その対償として賃金を受けている場合には労災保険が適用されるため、当該取締役が属する事業場に係る労災保険料は、当該取締役に支払われる賃金（法人の機関としての職務に対する報酬を除き、一般の労働者と同一の条件の下に支払われる賃金のみをいう。）を算定の基礎となる賃金総額に含めて算定する。

B 労災保険に係る保険関係が成立している造林の事業であって、労働保険徴収法第11条第１項、第２項に規定する賃金総額を正確に算定することが困難なものについては、所轄都道府県労働局長が定める素材１立方メートルを生産するために必要な労務費の額に、生産するすべての素材の材積を乗じて得た額を賃金総額とする。

C 労災保険に係る保険関係が成立している請負による建設の事業であって、労働保険徴収法第11条第１項、第２項に規定する賃金総額を正確に算定することが困難なものについては、その事業の種類に従い、請負金額に同法施行規則別表第２に掲げる労務費率を乗じて得た額を賃金総額とするが、その賃金総額の算定に当たっては、消費税等相当額を含まない請負金額を用いる。

D 健康保険法第99条の規定に基づく傷病手当金について、標準報酬の６割に相当する傷病手当金が支給された場合において、その傷病手当金に付加して事業主から支給される給付額は、恩恵的給付と認められる場合には、一般保険料の額の算定の基礎となる賃金総額に含めない。

E 労働者が業務外の疾病又は負傷により勤務に服することができないため、事業主から支払われる手当金は、それが労働協約、就業規則等で労働者の権利として保障されている場合は、一般保険料の額の算定の基礎となる賃金総額に含めるが、単に恩恵的に見舞金として支給されている場合は当該賃金総額に含めない。

雇用保険法（労働保険の保険料の徴収等に関する法律を含む。）

問1 特例高年齢被保険者に関する次の記述のうち、誤っているものはどれか。

A 特例高年齢被保険者が1の適用事業を離職した場合に支給される高年齢求職者給付金の賃金日額は、当該離職した適用事業において支払われた賃金のみにより算定された賃金日額である。

B 特例高年齢被保険者が同じ日に1の事業所を正当な理由なく自己の都合で退職し、他方の事業所を倒産により離職した場合、雇用保険法第21条の規定による待期期間の満了後1か月以上3か月以内の期間、高年齢者求職者給付金を支給しない。

C 特例高年齢被保険者が1の適用事業を離職したことにより、1週間の所定労働時間の合計が20時間未満となったときは、特例高年齢被保険者であった者がその旨申し出なければならない。

D 特例高年齢被保険者の賃金日額の算定に当たっては、賃金日額の下限の規定は適用されない。

令和4年度
（第54回）

択一式

E 2の事業所に雇用される65歳以上の者は、各々の事業における1週間の所定労働時間が20時間未満であり、かつ、1週間の所定労働時間の合計が20時間以上である場合、事業所が別であっても同一の事業主であるときは、特例高年齢被保険者となることができない。

問2 適用事業に関する次の記述のうち、正しいものはどれか。

A 法人格がない社団は、適用事業の事業主とならない。

B 雇用保険に係る保険関係が成立している建設の事業が労働保険徴収法第8条の規定による請負事業の一括が行われた場合、被保険者に関する届出の事務は元請負人が一括して事業主として処理しなければならない。

C 事業主が適用事業に該当する部門と暫定任意適用事業に該当する部門とを兼営する場合、それぞれの部門が独立した事業と認められるときであっても当該事業主の行う事業全体が適用事業となる。

D 日本国内において事業を行う外国会社（日本法に準拠してその要求する組織を具備して法人格を与えられた会社以外の会社）は、労働者が雇用される事業である限り適用事業となる。

E 事業とは、経営上一体をなす本店、支店、工場等を総合した企業そのものを指す。

問3 被保険者の届出に関する次の記述のうち、誤っているものはどれか。

A 事業主は、その雇用する被保険者を当該事業主の１の事業所から他の事業所に転勤させた場合、両事業所が同じ公共職業安定所の管轄内にあっても、当該事実のあった日の翌日から起算して10日以内に雇用保険被保険者転勤届を提出しなければならない。

B 事業主は、事業所の所在地を管轄する公共職業安定所の長に提出する所定の資格取得届を、年金事務所を経由して提出することができる。

C 事業主は、その雇用する労働者が当該事業主の行う適用事業に係る被保険者でなくなったことについて、当該事実のあった日の属する月の翌月10日までに、雇用保険被保険者資格喪失届に必要に応じ所定の書類を添えて、その事業所の所在地を管轄する公共職業安定所の長に提出しなければならない。

D 事業年度開始の時における資本金の額が１億円を超える法人は、その雇用する労働者が当該事業主の行う適用事業に係る被保険者となったことについて、資格取得届に記載すべき事項を、電気通信回線の故障、災害その他の理由がない限り電子情報処理組織を使用して提出するものとされている。

E 事業主は、59歳以上の労働者が当該事業主の行う適用事業に係る被保険者でなくなるとき、当該労働者が雇用保険被保険者離職票の交付を希望しないときでも資格喪失届を提出する際に雇用保険被保険者離職証明書を添えなければならない。

問4 次の①から④の過程を経た者の④の離職時における基本手当の所定給付日数として正しいものはどれか。

① 29歳0月で適用事業所に雇用され、初めて一般被保険者となった。

② 31歳から32歳まで育児休業給付金の支給に係る休業を11か月間取得した。

③ 33歳から34歳まで再び育児休業給付金の支給に係る休業を12か月間取得した。

④ 当該事業所が破産手続を開始し、それに伴い35歳1月で離職した。

一般の受給資格者の所定給付日数

算定基礎期間 区分	10年未満	10年以上20年未満	20年以上
一般の受給資格者	90日	120日	150日

特定受給資格者の所定給付日数

算定基礎期間 年齢	1年未満	1年以上 5年未満	5年以上 10年未満	10年以上 20年未満	20年以上
30歳未満	90日	90日	120日	180日	―
30歳以上35歳未満		120日	180日	210日	240日
35歳以上45歳未満		150日	180日	240日	270日
45歳以上60歳未満		180日	240日	270日	330日
60歳以上65歳未満		150日	180日	210日	240日

A 90日

B 120日

C 150日

D 180日

E 210日

問5 高年齢雇用継続給付に関する次の記述のうち、正しいものはどれか。

A 60歳に達した被保険者（短期雇用特例被保険者及び日雇労働被保険者を除く。）であって、57歳から59歳まで連続して20か月間基本手当等を受けずに被保険者でなかったものが、当該期間を含まない過去の被保険者期間が通算して5年以上であるときは、他の要件を満たす限り、60歳に達した日の属する月から高年齢雇用継続基本給付金が支給される。

B 支給対象期間の暦月の初日から末日までの間に引き続いて介護休業給付の支給対象となる休業を取得した場合、他の要件を満たす限り当該月に係る高年齢雇用継続基本給付金を受けることができる。

C 高年齢再就職給付金の支給を受けることができる者が同一の就職につき再就職手当の支給を受けることができる場合、その者の意思にかかわらず高年齢再就職給付金が支給され、再就職手当が支給停止となる。

D 高年齢雇用継続基本給付金の受給資格者が、被保険者資格喪失後、基本手当の支給を受けずに8か月で雇用され被保険者資格を再取得したときは、新たに取得した被保険者資格に係る高年齢雇用継続基本給付金を受けることができない。

E 高年齢再就職給付金の受給資格者が、被保険者資格喪失後、基本手当の支給を受け、その支給残日数が80日であった場合、その後被保険者資格の再取得があったとしても高年齢再就職給付金は支給されない。

問6 育児休業給付に関する次のアからオの記述のうち、正しいものの組合せは、後記AからEまでのうちどれか。

　　なお、本問において「対象育児休業」とは、育児休業給付金の支給対象となる育児休業をいう。

ア 保育所等における保育が行われない等の理由により育児休業に係る子が1歳6か月に達した日後の期間について、休業することが雇用の継続のために特に必要と認められる場合、延長後の対象育児休業の期間はその子が1歳9か月に達する日の前日までとする。

イ 育児休業期間中に育児休業給付金の受給資格者が一時的に当該事業主の下で就労する場合、当該育児休業の終了予定日が到来しておらず、事業主がその休業の取得を引き続き認めていても、その後の育児休業は対象育児休業とならない。

ウ 産後6週間を経過した被保険者の請求により産後8週間を経過する前に産後休業を終了した場合、その後引き続き育児休業を取得したときには、当該産後休業終了の翌日から対象育児休業となる。

エ 育児休業の申出に係る子が1歳に達した日後の期間について、児童福祉法第39条に規定する保育所等において保育を利用することができないが、いわゆる無認可保育施設を利用することができる場合、他の要件を満たす限り育児休業給付金を受給することができる。

オ 育児休業を開始した日前2年間のうち1年間事業所の休業により引き続き賃金の支払を受けることができなかった場合、育児休業開始日前3年間に通算して12か月以上のみなし被保険者期間があれば、他の要件を満たす限り育児休業給付金が支給される。

A（アとイ） **B**（アとウ） **C**（イとエ）

D（ウとオ） **E**（エとオ）

問7 雇用保険制度に関する次の記述のうち、誤っているものはどれか。

A 雇用保険法では、疾病又は負傷のため公共職業安定所に出頭することができなかった期間が15日未満である受給資格者が失業の認定を受けようとする場合、行政庁が指定する医師の診断を受けるべきことを命じ、受給資格者が正当な理由なくこれを拒むとき、当該行為について懲役刑又は罰金刑による罰則を設けている。

B 偽りその他不正の行為により失業等給付の支給を受けた者がある場合に政府が納付をすべきことを命じた金額を徴収する権利は、これを行使することができる時から2年を経過したときは時効によって消滅する。

C 厚生労働大臣は、基本手当の受給資格者について給付制限の対象とする「正当な理由がなく自己の都合によって退職した場合」に該当するかどうかの認定をするための基準を定めようとするときは、あらかじめ労働政策審議会の意見を聴かなければならない。

D 行政庁は、関係行政機関又は公私の団体に対して雇用保険法の施行に関して必要な資料の提供その他の協力を求めることができ、協力を求められた関係行政機関又は公私の団体は、できるだけその求めに応じなければならない。

E 事業主は、雇用保険に関する書類（雇用安定事業又は能力開発事業に関する書類及び労働保険徴収法又は同法施行規則による書類を除く。）のうち被保険者に関する書類を 4 年間保管しなければならない。

問8 労働保険の保険料の徴収等に関する次の記述のうち、正しいものはどれか。

A 労働保険徴収法第39条第 1 項に規定する事業以外の事業（いわゆる一元適用事業）であっても、雇用保険法の適用を受けない者を使用するものについては、二元適用事業に準じ、当該事業を労災保険に係る保険関係及び雇用保険に係る保険関係ごとに別個の事業とみなして一般保険料の額を算定するが、一般保険料の納付（還付、充当、督促及び滞納処分を含む。）については、一元適用事業と全く同様である。

B 労働者派遣事業により派遣される者は派遣元事業主の適用事業の「労働者」とされるが、在籍出向による出向者は、出向先事業における出向者の労働の実態及び出向元による賃金支払の有無にかかわらず、出向元の適用事業の「労働者」とされ、出向元は、出向者に支払われた賃金の総額を出向元の賃金総額の算定に含めて保険料を納付する。

C A 及び B の 2 つの適用事業主に雇用される者 X が A との間で主たる賃金を受ける雇用関係にあるときは、X は A との雇用関係においてのみ労働保険の被保険者資格が認められることになり、労働保険料の算定は、A において X に支払われる賃金のみを A の賃金総額に含めて行い、B において X に支払われる賃金は B の労働保険料の算定における賃金総額に含めない。

D 適用事業に雇用される労働者が事業主の命により日本国の領域外にある適用事業主の支店、出張所等に転勤した場合において当該労働者に支払われる賃金は、労働保険料の算定における賃金総額に含めない。

E 労働日の全部又はその大部分について事業所への出勤を免除され、かつ、自己の住所又は居所において勤務することを常とする者は、原則として労働保険の被保険者にならないので、当該労働者に支払われる賃金は、労働保険料の算定における賃金総額に含めない。

問9 労働保険の保険料の徴収等に関する次の記述のうち、誤っているものはどれか。

A 事業主は、労災保険及び雇用保険に係る保険関係が成立している事業が、保険年度又は事業期間の中途に、労災保険に係る保険関係のみ成立している事業に該当するに至ったため、当該事業に係る一般保険料率が変更した場合、既に納付した概算保険料の額と変更後の一般保険料率に基づき算定した概算保険料の額との差額について、保険年度又は事業期間の中途にその差額の還付を請求できない。

B 事業主は、労災保険に係る保険関係のみが成立している事業について、保険年度又は事業期間の中途に、労災保険及び雇用保険に係る保険関係が成立している事業に該当するに至ったため、当該事業に係る一般保険料率が変更した場合、労働保険徴収法施行規則に定める要件に該当するときは、一般保険料率が変更された日の翌日から起算して30日以内に、変更後の一般保険料率に基づく労働保険料の額と既に納付した労働保険料の額との差額を納付しなければならない。

C 事業主は、保険年度又は事業期間の中途に、一般保険料の算定の基礎となる賃金総額の見込額が増加した場合に、労働保険徴収法施行規則に定める要件に該当するに至ったとき、既に納付した概算保険料と増加を見込んだ賃金総額の見込額に基づいて算定した概算保険料との差額（以下「増加概算保険料」という。）を納期限までに増加概算保険料に係る申告書に添えて申告・納付しなければならないが、その申告書の記載に誤りがあると認められるときは、所轄都道府県労働局歳入徴収官は正しい増加概算保険料の額を決定し、これを事業主に通知することとされている。

D 事業主は、政府が保険年度の中途に一般保険料率、第一種特別加入保険料率、第二種特別加入保険料率、第三種特別加入保険料率の引下げを行ったことにより、既に納付した概算保険料の額が保険料率引下げ後の概算保険料の額を超える場合は、保険年度の中途にその超える額の還付を請求できない。

E 事業主は、政府が保険年度の中途に一般保険料率、第一種特別加入保険料率、第二種特別加入保険料率、第三種特別加入保険料率の引上げを行ったことにより、概算保険料の増加額を納付するに至ったとき、所轄都道府県労働局歳入徴収官が追加徴収すべき概算保険料の増加額等を通知した納付書によって納付することとなり、追加徴収される概算保険料に係る申告書を提出する必要はない。

問10 労働保険の保険料の徴収等に関する次の記述のうち、誤っているものはどれか。

A 雇用保険法第6条に該当する者を含まない4人の労働者を雇用する民間の個人経営による農林水産の事業（船員が雇用される事業を除く。）において、当該事業の労働者のうち2人が雇用保険の加入を希望した場合、事業主は任意加入の申請をし、認可があったときに、当該事業に雇用される者全員につき雇用保険に加入することとなっている。

B 雇用保険の適用事業に該当する事業が、事業内容の変更、使用労働者の減少、経営組織の変更等により、雇用保険暫定任意適用事業に該当するに至ったときは、その翌日に、自動的に雇用保険の任意加入の認可があったものとみなされ、事業主は雇用保険の任意加入に係る申請書を所轄公共職業安定所長を経由して所轄都道府県労働局長に改めて提出することとされている。

C 事業の期間が予定されており、かつ、保険関係が成立している事業の事業主は、当該事業の予定されている期間に変更があったときは、その変更を生じた日の翌日から起算して10日以内に、①労働保険番号、②変更を生じた事項とその変更内容、③変更の理由、④変更年月日を記載した届書を所轄労働基準監督署長又は所轄公共職業安定所長に提出することによって届け出なければならない。

D 政府は、労働保険の事業に要する費用にあてるため保険料を徴収するが、当該費用は、保険給付に要する費用、社会復帰促進等事業及び雇用安定等の事業に要する費用、事務の遂行に要する費用（人件費、旅費、庁費等の事務費）、その他保険事業の運営のために要する一切の費用をいう。

E 政府は、労働保険料その他労働保険徴収法の規定による徴収金を納付しない事業主に対して、同法第27条に基づく督促を行ったにもかかわらず、督促を受けた当該事業主がその指定の期限までに労働保険料その他同法の規定による徴収金を納付しないとき、同法に別段の定めがある場合を除き、政府は、当該事業主の財産を差し押さえ、その財産を強制的に換価し、その代金をもって滞納に係る労働保険料等に充当する措置を取り得る。

労務管理その他の労働及び社会保険に関する一般常識

問1 我が国の労働力に関する次の記述のうち、誤っているものはどれか。

　　　なお、本問は、「労働力調査（基本集計）2021年平均結果（総務省統計局）」を参照しており、当該調査による用語及び統計等を利用している。

A 2021年の就業者数を産業別にみると、2020年に比べ最も減少したのは「宿泊業、飲食サービス業」であった。

B 2021年の年齢階級別完全失業率をみると、15〜24歳層が他の年齢層に比べて、最も高くなっている。

C 2021年の労働力人口に占める65歳以上の割合は、10パーセントを超えている。

D 従業上の地位別就業者数の推移をみると、「自営業主・家族従業者」の数は2011年以来、減少傾向にある。

E 役員を除く雇用者全体に占める「正規の職員・従業員」の割合は、2015年以来、一貫して減少傾向にある。

問2 我が国の令和３年における労働時間制度に関する次の記述のうち、誤っているものはどれか。

　　　なお、本問は、「令和３年就労条件総合調査（厚生労働省）」を参照しており、当該調査による用語及び統計等を利用している。

A 特別休暇制度の有無を企業規模計でみると、特別休暇制度のある企業の割合は約６割となっており、これを特別休暇制度の種類（複数回答）別にみると、「夏季休暇」が最も多くなっている。

B 変形労働時間制の有無を企業規模計でみると、変形労働時間制を採用している企業の割合は約６割であり、これを変形労働時間制の種類（複数回答）別にみると、「１年単位の変形労働時間制」が「１か月単位の変形労働時間制」よりも多くなっている。

C 主な週休制の形態を企業規模計でみると、完全週休２日制が６割を超えるようになった。

D 勤務間インターバル制度の導入状況を企業規模計でみると、「導入している」は1割に達していない。

E 労働者1人平均の年次有給休暇の取得率を企業規模別にみると、規模が大きくなるほど取得率が高くなっている。

問3 我が国の転職者に関する次の記述のうち、正しいものはどれか。

　　　なお、本問は、「令和2年転職者実態調査（厚生労働省）」を参照しており、当該調査による用語及び統計等を利用している。

A 転職者がいる事業所の転職者の募集方法（複数回答）をみると、「求人サイト・求人情報専門誌、新聞、チラシ等」、「縁故（知人、友人等）」、「自社のウェブサイト」が上位3つを占めている。

B 転職者がいる事業所において、転職者の処遇（賃金、役職等）決定の際に考慮した要素（複数回答）をみると、「年齢」、「免許・資格」、「前職の賃金」が上位3つを占めている。

C 転職者がいる事業所で転職者を採用する際に問題とした点（複数回答）をみると、「応募者の能力評価に関する客観的な基準がないこと」、「採用時の賃金水準や処遇の決め方」、「採用後の処遇やキャリア形成の仕方」が上位3つを占めている。

D 転職者がいる事業所が転職者の採用に当たり重視した事項（複数回答）をみると、「人員構成の歪みの是正」、「既存事業の拡大・強化」、「組織の活性化」が上位3つを占めている。

E 転職者がいる事業所の転職者に対する教育訓練の実施状況をみると、「教育訓練を実施した」事業所割合は約半数となっている。

問4 労働関係法規に関する次の記述のうち、誤っているものはどれか。

A 一の地域において従業する同種の労働者の大部分が一の労働協約の適用を受けるに至ったときは、当該労働協約の当事者の双方又は一方の申立てに基づき、労働委員会の決議により、都道府県労働局長又は都道府県知事は、当該地域において従業する他の同種の労働者及びその使用者も当該労働協約の適用を受けるべきことの決定をしなければならない。

令和4年度
（第54回）

択一式

B 事業主は、職場において行われるその雇用する労働者に対する育児休業、介護休業その他の子の養育又は家族の介護に関する厚生労働省令で定める制度又は措置の利用に関する言動により当該労働者の就業環境が害されることのないよう、当該労働者からの相談に応じ、適切に対応するために必要な体制の整備その他の雇用管理上必要な措置を講じなければならない。

C 積極的差別是正措置として、障害者でない者と比較して障害者を有利に取り扱うことは、障害者であることを理由とする差別に該当せず、障害者の雇用の促進等に関する法律に違反しない。

D 労働者派遣事業の許可を受けた者（派遣元事業主）は、その雇用する派遣労働者が段階的かつ体系的に派遣就業に必要な技能及び知識を習得することができるように教育訓練を実施しなければならず、また、その雇用する派遣労働者の求めに応じ、当該派遣労働者の職業生活の設計に関し、相談の機会の確保その他の援助を行わなければならない。

E 賞与であって、会社の業績等への労働者の貢献に応じて支給するものについて、通常の労働者と同一の貢献である短時間・有期雇用労働者には、貢献に応じた部分につき、通常の労働者と同一の賞与を支給しなければならず、貢献に一定の相違がある場合においては、その相違に応じた賞与を支給しなければならない。

問5 社会保険労務士法令に関する次の記述のうち、誤っているものはどれか。

A 社会保険労務士が、事業における労務管理その他の労働に関する事項及び労働社会保険諸法令に基づく社会保険に関する事項について、裁判所において、補佐人として、弁護士である訴訟代理人とともに出頭し、行った陳述は、当事者又は訴訟代理人が自らしたものとみなされるが、当事者又は訴訟代理人が社会保険労務士の行った陳述を直ちに取り消し、又は更正したときは、この限りでない。

B 懲戒処分により社会保険労務士の失格処分を受けた者で、その処分を受けた日から3年を経過しないものは、社会保険労務士となる資格を有しない。

C 社会保険労務士法第25条に定める社会保険労務士に対する懲戒処分のうち戒告は、社会保険労務士の職責又は義務に反する行為を行った者に対し、本人の将来を戒めるため、1年以内の一定期間について、社会保険労務士の業務の実施あるいはその資格について制約を課す処分である。

D 社会保険労務士法第25条に定める社会保険労務士に対する懲戒処分の効力は、当該処分が行われたときより発効し、当該処分を受けた社会保険労務士が、当該処分を不服として法令等により権利救済を求めていることのみによっては、当該処分の効力は妨げられない。

E 紛争解決手続代理業務を行うことを目的とする社会保険労務士法人は、特定社会保険労務士である社員が常駐していない事務所においては、紛争解決手続代理業務を取り扱うことができない。

問6 確定給付企業年金法に関する次の記述のうち、正しいものはどれか。

A 確定給付企業年金法第16条の規定によると、企業年金基金（以下本問において「基金」という。）は、規約の変更（厚生労働省令で定める軽微な変更を除く。）をしようとするときは、その変更について厚生労働大臣の同意を得なければならないとされている。

B 事業主（基金を設立して実施する確定給付企業年金を実施する場合にあっては、基金。以下本問において「事業主等」という。）は、障害給付金の給付を行わなければならない。

C 掛金の額は、給付に要する費用の額の予想額及び予定運用収入の額に照らし、厚生労働省令で定めるところにより、将来にわたって財政の均衡を保つことができるように計算されるものでなければならない。この基準にしたがって、事業主等は、少なくとも6年ごとに掛金の額を再計算しなければならない。

D 企業年金連合会（以下本問において「連合会」という。）を設立するには、その会員となろうとする10以上の事業主等が発起人とならなければならない。

E 連合会は、毎事業年度終了後6か月以内に、厚生労働省令で定めるところにより、その業務についての報告書を作成し、厚生労働大臣に提出しなければならない。

令和4年度
（第54回）

択一式

問7 高齢者医療確保法に関する次の記述のうち、誤っているものはどれか。

A 後期高齢者医療広域連合（以下本問において「広域連合」という。）の区域内に住所を有する75歳以上の者及び広域連合の区域内に住所を有する65歳以上75歳未満の者であって、厚生労働省令で定めるところにより、政令で定める程度の障害の状態にある旨の当該広域連合の認定を受けたもののいずれかに該当する者は、広域連合が行う後期高齢者医療の被保険者とする。

B 被保険者は、厚生労働省令で定めるところにより、当該被保険者の資格の取得及び喪失に関する事項その他必要な事項を広域連合に届け出なければならないが、当該被保険者の属する世帯の世帯主は、当該被保険者に代わって届出をすることができない。

C 広域連合は、広域連合の条例の定めるところにより、傷病手当金の支給その他の後期高齢者医療給付を行うことができる。

D 市町村（特別区を含む。以下本問において同じ。）は、普通徴収の方法によって徴収する保険料の徴収の事務については、収入の確保及び被保険者の便益の増進に寄与すると認める場合に限り、地方自治法第243条の2第1項の規定により指定する者に委託することができる。（改題）

E 後期高齢者医療給付に関する処分（高齢者医療確保法第54条第3項及び第5項の規定による求めに対する処分を含む。）又は保険料その他高齢者医療確保法第4章の規定による徴収金（市町村及び広域連合が徴収するものに限る。）に関する処分に不服がある者は、後期高齢者医療審査会に審査請求をすることができる。（改題）

問8 社会保険制度の保険者及び被保険者に関する次の記述のうち、正しいものはどれか。

A 国民健康保険組合（以下本問において「組合」という。）を設立しようとするときは、主たる事務所の所在地の都道府県知事の認可を受けなければならない。当該認可の申請は、10人以上の発起人が規約を作成し、組合員となるべき者100人以上の同意を得て行うものとされている。

B 　後期高齢者医療広域連合は、被保険者の資格、後期高齢者医療給付及び保険料に関して必要があると認めるときは、被保険者、被保険者の配偶者若しくは被保険者の属する世帯の世帯主その他その世帯に属する者又はこれらであった者に対し、文書その他の物件の提出若しくは提示を命じ、又は当該職員に質問させることができる。

C 　介護保険の第2号被保険者（市町村（特別区を含む。以下本問において同じ。）の区域内に住所を有する40歳以上65歳未満の、介護保険法第7条第8項に規定する医療保険加入者）は、当該医療保険加入者でなくなった日の翌日から、その資格を喪失する。

D 　船員保険は、全国健康保険協会が管掌する。船員保険事業に関して船舶所有者及び被保険者（その意見を代表する者を含む。）の意見を聴き、当該事業の円滑な運営を図るため、全国健康保険協会に船員保険協議会を置く。船員保険協議会の委員は、10人以内とし、船舶所有者及び被保険者のうちから、厚生労働大臣が任命する。

E 　都道府県若しくは市町村又は組合は、共同してその目的を達成するため、国民健康保険団体連合会（以下本問において「連合会」という。）を設立することができる。都道府県の区域を区域とする連合会に、その区域内の都道府県及び市町村並びに組合の2分の1以上が加入したときは、当該区域内のその他の都道府県及び市町村並びに組合は、すべて当該連合会の会員となる。

問9 　社会保険制度の保険料及び給付に関する次の記述のうち、誤っているものはどれか。

A 　国民健康保険において、都道府県は、毎年度、厚生労働省令で定めるところにより、当該都道府県内の市町村（特別区を含む。以下本問において同じ。）ごとの保険料率の標準的な水準を表す数値を算定するものとされている。

B 　船員保険において、被保険者の行方不明の期間に係る報酬が支払われる場合には、その報酬の額の限度において行方不明手当金は支給されない。

C 介護保険において、市町村は、要介護被保険者又は居宅要支援被保険者（要支援認定を受けた被保険者のうち居宅において支援を受けるもの）に対し、条例で定めるところにより、市町村特別給付（要介護状態等の軽減又は悪化の防止に資する保険給付として条例で定めるもの）を行わなければならない。

D 後期高齢者医療制度において、世帯主は、市町村が当該世帯に属する被保険者の保険料を普通徴収の方法によって徴収しようとする場合において、当該保険料を連帯して納付する義務を負う。

E 後期高齢者医療制度において、後期高齢者医療広域連合は、被保険者が、自己の選定する保険医療機関等について評価療養、患者申出療養又は選定療養を受けたときは、当該被保険者に対し、その療養に要した費用について、保険外併用療養費を支給する。ただし、当該被保険者が特別療養費の適用を受けている間は、この限りでない。（改題）

問10 社会保険制度の保険給付等に関する次の記述のうち、誤っているものはどれか。

A 児童手当の支給を受ける権利は、譲り渡し、担保に供し、又は差し押えることができない。

B 国民健康保険組合の被保険者が、業務上の事故により負傷し、労災保険法の規定による療養補償給付を受けることができるときは、国民健康保険法による療養の給付は行われない。

C 児童手当の受給資格者が、次代の社会を担う児童の健やかな成長を支援するため、当該受給資格者に児童手当を支給する市町村（特別区を含む。以下本問において同じ。）に対し、当該児童手当の支払を受ける前に、内閣府令で定めるところにより、当該児童手当の額の全部又は一部を当該市町村に寄附する旨を申し出たときは、当該市町村は、内閣府令で定めるところにより、当該寄附を受けるため、当該受給資格者が支払を受けるべき児童手当の額のうち当該寄附に係る部分を、当該受給資格者に代わって受けることができる。

D 船員保険の被保険者であった者が、令和3年10月5日にその資格を喪失したが、同日、疾病任意継続被保険者の資格を取得した。その後、令和4年4月11日に発した職務外の事由による疾病若しくは負傷又はこれにより発した疾病につき療養のため職務に服することができない状況となった場合は、船員保険の傷病手当金の支給を受けることはできない。

E 介護保険法における特定施設は、有料老人ホームその他厚生労働省令で定める施設であって、地域密着型特定施設ではないものをいい、介護保険の被保険者が自身の居宅からこれら特定施設に入居することとなり、当該特定施設の所在する場所に住民票を移した場合は、住所地特例により、当該特定施設に入居する前に住所を有していた自身の居宅が所在する市町村が引き続き保険者となる。

令和4年度
（第54回）

択一式

健康保険法

問1 健康保険法に関する次の記述のうち、正しいものはどれか。

A 被保険者又は被扶養者の業務災害(労災保険法第7条第1項第1号に規定する、労働者の業務上の負傷、疾病等をいう。)については健康保険法に基づく保険給付の対象外であり、労災保険法に規定する業務災害に係る請求が行われている場合には、健康保険の保険給付の申請はできない。

B 健康保険組合の理事長は、規約の定めるところにより、毎年度2回通常組合会を招集しなければならない。また、理事長は、必要があるときは、いつでも臨時組合会を招集することができる。

C (改正により削除)

D 介護保険適用病床に入院している要介護被保険者である患者が、急性増悪等により密度の高い医療行為が必要となったが、当該医療機関において医療保険適用病床に空きがないため、患者を転床させずに、当該介護保険適用病床において療養の給付又は医療が行われた場合、当該緊急に行われた医療に係る給付については、医療保険から行うものとされている。

E 育児休業等を終了した際の標準報酬月額の改定の要件に該当する被保険者の報酬月額に関する届出は、当該育児休業等を終了した日から5日以内に、当該被保険者が所属する適用事業所の事業主を経由して、所定の事項を記載した届書を日本年金機構又は健康保険組合に提出することによって行う。

問2 被保険者及び被扶養者に関する次の記述のうち、誤っているものはどれか。

A 被保険者の数が5人以上である適用事業所に使用される法人の役員としての業務(当該法人における従業員が従事する業務と同一であると認められるものに限る。)に起因する疾病、負傷又は死亡に関しては、傷病手当金を含めて健康保険から保険給付が行われる。

B　適用事業所に新たに使用されることになったが、使用されるに至った日から自宅待機とされた場合は、雇用契約が成立しており、かつ、休業手当が支払われるときには、その休業手当の支払いの対象となった日の初日に被保険者の資格を取得する。また、当該資格取得時における標準報酬月額の決定については、現に支払われる休業手当等に基づき決定し、その後、自宅待機が解消したときは、標準報酬月額の随時改定の対象とする。

C　出産手当金の支給要件を満たす者が、その支給を受ける期間において、同時に傷病手当金の支給要件を満たした場合は、出産手当金の支給が優先され、支給を受けることのできる出産手当金の額が傷病手当金の額を上回っている場合は、当該期間中の傷病手当金は支給されない。

D　任意継続被保険者となるためには、被保険者の資格喪失の日の前日まで継続して2か月以上被保険者（日雇特例被保険者、任意継続被保険者、特例退職被保険者又は共済組合の組合員である被保険者を除く。）でなければならず、任意継続被保険者に関する保険料は、任意継続被保険者となった月から算定する。

E　〔改正により削除〕

令和4年度（第54回）択一式

問3　健康保険法に関する次のアからオの記述のうち、誤っているものの組合せは、後記AからEまでのうちどれか。

ア　健康保険法第100条では、「被保険者が死亡したときは、その者により生計を維持していた者であって、埋葬を行うものに対し、埋葬料として、政令で定める金額を支給する。」と規定している。

イ　被保険者が療養の給付（保険外併用療養費に係る療養を含む。）を受けるため、病院又は療養所に移送されたときは、保険者が必要であると認める場合に限り、移送費が支給される。移送費として支給される額は、最も経済的な通常の経路及び方法により移送された場合の費用により保険者が算定した額から3割の患者自己負担分を差し引いた金額とする。ただし、現に移送に要した金額を超えることができない。

ウ 全国健康保険協会（以下本問において「協会」という。）が都道府県単位保険料率を変更しようとするときは、あらかじめ、協会の理事長が当該変更に係る都道府県に所在する協会支部の支部長の意見を聴いたうえで、運営委員会の議を経なければならない。その議を経た後、協会の理事長は、その変更について厚生労働大臣の認可を受けなければならない。

エ 傷病手当金の支給を受けている期間に別の疾病又は負傷及びこれにより発した疾病につき傷病手当金の支給を受けることができるときは、後の傷病に係る待期期間の経過した日を後の傷病に係る傷病手当金の支給を始める日として傷病手当金の額を算定し、前の傷病に係る傷病手当金の額と比較し、いずれか多い額の傷病手当金を支給する。その後、前の傷病に係る傷病手当金の支給が終了又は停止した日において、後の傷病に係る傷病手当金について再度額を算定し、その額を支給する。

オ 指定訪問看護事業者は、指定訪問看護に要した費用につき、その支払を受ける際、当該支払をした被保険者に対し、基本利用料とその他の利用料を、その費用ごとに区分して記載した領収書を交付しなければならない。

A（アとイ）　　**B**（アとウ）　　**C**（イとエ）

D（イとオ）　　**E**（エとオ）

問4 健康保険法に関する次の記述のうち、正しいものはどれか。

A 夫婦共同扶養の場合における被扶養者の認定については、夫婦とも被用者保険の被保険者である場合には、被扶養者とすべき者の員数にかかわらず、健康保険被扶養者（異動）届が出された日の属する年の前年分の年間収入の多い方の被扶養者とする。

B 被保険者の事実上の婚姻関係にある配偶者の養父母は、世帯は別にしていても主としてその被保険者によって生計が維持されていれば、被扶養者となる。

C 全国健康保険協会が管掌する健康保険の被保険者に係る介護保険料率は、各年度において保険者が納付すべき介護納付金（日雇特例被保険者に係るものを除く。）の額を、前年度における当該保険者が管掌する介護保険第2号被保険者である被保険者の標準報酬月額の総額及び標準賞与額の合算額で除して得た率を基準として、保険者が定める。

D　患者自己負担割合が3割である被保険者が保険医療機関で保険診療と選定療養を併せて受け、その療養に要した費用が、保険診療が30万円、選定療養が10万円であるときは、被保険者は保険診療の自己負担額と選定療養に要した費用を合わせて12万円を当該保険医療機関に支払う。

E　全国健康保険協会の役員若しくは役職員又はこれらの職にあった者は、健康保険事業に関して職務上知り得た秘密を正当な理由がなく漏らしてはならず、健康保険法の規定に違反して秘密を漏らした者は、1年以下の懲役又は100万円以下の罰金に処すると定められている。

問5　健康保険法に関する次の記述のうち、誤っているものはどれか。

A　健康保険法第7条の14によると、厚生労働大臣又は全国健康保険協会理事長は、それぞれその任命に係る全国健康保険協会の役員が、心身の故障のため職務の遂行に堪えないと認められるとき、又は職務上の義務違反があるときのいずれかに該当するとき、その他役員たるに適しないと認めるときは、その役員を解任することができる。また、全国健康保険協会理事長は、当該規定により全国健康保険協会理事を解任したときは、遅滞なく、厚生労働大臣に届け出るとともに、これを公表しなければならない。

B　適用事業所の事業主は、健康保険組合を設立しようとするときは、健康保険組合を設立しようとする適用事業所に使用される被保険者の2分の1以上の同意を得て、規約を作り、厚生労働大臣の認可を受けなければならない。また、2以上の適用事業所について健康保険組合を設立しようとする場合においては、被保険者の同意は、各適用事業所について得なければならない。

C　健康保険組合の監事は、組合会において、健康保険組合が設立された適用事業所（設立事業所）の事業主の選定した組合会議員及び被保険者である組合員の互選した組合会議員のうちから、それぞれ1人を選挙で選出する。なお、監事は、健康保険組合の理事又は健康保険組合の職員と兼ねることができない。

D 被保険者の資格を喪失した日の前日まで引き続き1年以上被保険者（任意継続被保険者、特定退職被保険者又は共済組合の組合員である被保険者ではないものとする。）であった者が、被保険者の資格を喪失した日より6か月後に出産したときに、被保険者が当該出産に伴う出産手当金の支給の申請をした場合は、被保険者として受けることができるはずであった出産手当金の支給を最後の保険者から受けることができる。

E 傷病手当金の支給を受けようとする者は、健康保険法施行規則第84条に掲げる事項を記載した申請書を保険者に提出しなければならないが、これらに加え、同一の疾病又は負傷及びこれにより発した疾病について、労災保険法（昭和22年法律第50号）、国家公務員災害補償法（昭和26年法律第191号。他の法律において準用し、又は例による場合を含む。）又は地方公務員災害補償法（昭和42年法律第121号）若しくは同法に基づく条例の規定により、傷病手当金に相当する給付を受け、又は受けようとする場合は、その旨を記載した申請書を保険者に提出しなければならない。

問6 健康保険法に関する次の記述のうち、誤っているものはどれか。

A 保険者は、健康保険において給付事由が第三者の行為によって生じた事故について保険給付を行ったときは、その給付の価額（当該保険給付が療養の給付であるときは、当該療養の給付に要する費用の額から当該療養の給付に関し被保険者が負担しなければならない一部負担金に相当する額を控除した額）の限度において、保険給付を受ける権利を有する者（当該給付事由が被保険者の被扶養者について生じた場合には、当該被扶養者を含む。）が第三者から同一の事由について損害賠償を受けたときは、保険者は、その価額の限度において、保険給付を行う責めを免れる。

B 日雇特例被保険者に係る傷病手当金の支給期間は、同一の疾病又は負傷及びこれにより発した疾病に関しては、その支給を始めた日から起算して6か月（厚生労働大臣が指定する疾病に関しては、1年6か月）を超えないものとする。

C 保険者は、特定健康診査等以外の事業であって、健康教育、健康相談及び健康診査並びに健康管理及び疾病の予防に係る被保険者及びその被扶養者（以下「被保険者等」という。）の健康の保持増進のために必要な事業を行うに当たって必要があると認めるときは、労働安全衛生法その他の法令に基づき保存している被保険者等に係る健康診断に関する記録の写しの提供を求められた事業者等（労働安全衛生法第2条第3号に規定する事業者その他の法令に基づき健康診断（特定健康診査に相当する項目を実施するものに限る。）を実施する責務を有する者その他厚生労働省令で定める者をいう。）は、厚生労働省令で定めるところにより、当該記録の写しを提供しなければならない。

D 健康保険の適用事業所と技能養成工との関係が技能の養成のみを目的とするものではなく、稼働日数、労務報酬等からみて、実体的に使用関係が認められる場合は、当該技能養成工は被保険者資格を取得する。

E 被保険者が闘争、泥酔又は著しい不行跡によって給付事由を生じさせたときは、当該給付事由に係る保険給付は、その全部又は一部を行わないことができるが、被保険者が数日前に闘争しその当時はなんらかの事故は生じなかったが、相手が恨みを晴らす目的で、数日後に不意に危害を加えられたような場合は、数日前の闘争に起因した闘争とみなして、当該給付事由に係る保険給付はその全部又は一部を行わないことができる。

令和4年度
（第54回）

択一式

問7 健康保険法に関する次の記述のうち、正しいものはどれか。

A 被保険者は、被保険者又はその被扶養者が65歳に達したことにより、介護保険第2号被保険者（介護保険法第9条第2号に該当する被保険者をいう。）に該当しなくなったときは、遅滞なく、事業所整理記号及び被保険者整理番号等を記載した届書を事業主を経由して厚生労働大臣又は健康保険組合に届け出なければならない。

B 健康保険法第3条第5項によると、健康保険法において「報酬」とは、賃金、給料、俸給、手当、賞与その他いかなる名称であるかを問わず、労働者が、労働の対償として受けるすべてのものをいう。したがって、名称は異なっても同一性質を有すると認められるものが、年間を通じ4回以上支給される場合において、当該報酬の支給が給与規定、賃金協約等によって客観的に定められており、また、当該報酬の支給が1年間以上にわたって行われている場合は、報酬に該当する。

C 被保険者の資格、標準報酬又は保険給付に関する処分に不服がある者は、社会保険審査官に対して審査請求をし、その決定に不服がある者は、社会保険審査会に対して再審査請求をすることができる。当該処分の取消しの訴えは、当該処分についての審査請求に対する社会保険審査官の決定前でも提起することができる。

D 自動車通勤者に対してガソリン単価を設定して通勤手当を算定している事業所において、ガソリン単価の見直しが月単位で行われ、その結果、毎月ガソリン単価を変更し通勤手当を支給している場合、固定的賃金の変動には該当せず、標準報酬月額の随時改定の対象とならない。

E 被保険者が故意に給付事由を生じさせたときは、当該給付事由についての保険給付は行われないため、自殺未遂による傷病に係る保険給付については、その傷病の発生が精神疾患に起因するものであっても保険給付の対象とならない。

問8 定時決定及び随時改定等の手続きに関する次の記述のうち、正しいものはどれか。

A 被保険者Aは、労働基準法第91条の規定により減給の制裁が6か月にわたり行われることになった。そのため、減給の制裁が行われた月から継続した3か月間（各月とも、報酬支払基礎日数が17日以上あるものとする。）に受けた報酬の総額を3で除して得た額が、その者の標準報酬月額の基礎となった従前の報酬月額に比べて2等級以上の差が生じたため、標準報酬月額の随時改定の手続きを行った。なお、減給の制裁が行われた月以降、他に報酬の変動がなかったものとする。

B 被保険者Bは、4月から6月の期間中、当該労働日における労働契約上の労務の提供地が自宅とされたことから、テレワーク勤務を行うこととなったが、業務命令により、週に2回事業所へ一時的に出社した。Bが事業所へ出社した際に支払った交通費を事業主が負担する場合、当該費用は報酬に含まれるため、標準報酬月額の定時決定の手続きにおいてこれらを含めて計算を行った。

C 事業所が、在宅勤務に通常必要な費用として金銭を仮払いした後に、被保険者Cが業務のために使用した通信費や電気料金を精算したものの、仮払い金額が業務に使用した部分の金額を超過していたが、当該超過部分を事業所に返還しなかった。これら超過して支払った分も含め、仮払い金は、経費であり、標準報酬月額の定時決定の手続きにおける報酬には該当しないため、定時決定の手続きの際に報酬には含めず算定した。

D X事業所では、働き方改革の一環として、超過勤務を禁止することにしたため、X事業所の給与規定で定められていた超過勤務手当を廃止することにした。これにより、当該事業所に勤務する被保険者Dは、超過勤務手当の支給が廃止された月から継続した3か月間に受けた報酬の総額を3で除した額が、その者の標準報酬月額の基礎となった従前の報酬月額に比べて2等級以上の差が生じた。超過勤務手当の廃止をした月から継続する3か月間の報酬支払基礎日数はすべて17日以上であったが、超過勤務手当は非固定的賃金であるため、当該事業所は標準報酬月額の随時改定の手続きは行わなかった。なお、超過勤務手当の支給が廃止された月以降、他に報酬の変動がなかったものとする。

E Y事業所では、給与規定の見直しを行うに当たり、同時に複数の変動的な手当の新設及び廃止が発生した。その結果、被保険者Eは当該変動的な手当の新設及び廃止が発生した月から継続した3か月間(各月とも、報酬支払基礎日数は17日以上あるものとする。)に受けた報酬の総額を3で除して得た額が、その者の標準報酬月額の基礎となった従前の報酬月額に比べて2等級以上の差が生じたため、標準報酬月額の随時改定の手続きを行った。なお、当該変動的な手当の新設及び廃止が発生した月以降、他に報酬の変動がなかったものとする。

令和4年度
(第54回)
択一式

問9 現金給付である保険給付に関する次の記述のうち、正しいものはどれか。

A 被保険者が自殺により死亡した場合は、その者により生計を維持していた者であって、埋葬を行う者がいたとしても、自殺については、健康保険法第116条に規定する故意に給付事由を生じさせたときに該当するため、当該給付事由に係る保険給付は行われず、埋葬料は不支給となる。

B 被保険者が出産手当金の支給要件に該当すると認められれば、その者が介護休業期間中であっても当該被保険者に出産手当金が支給される。

C 共済組合の組合員として6か月間加入していた者が転職し、1日の空白もなく、A健康保険組合の被保険者資格を取得して7か月間加入していた際に、療養のため労務に服することができなくなり傷病手当金の受給を開始した。この被保険者が、傷病手当金の受給を開始して3か月が経過した際に、事業所を退職し、A健康保険組合の任意継続被保険者になった場合でも、被保険者の資格を喪失した際に傷病手当金の支給を受けていることから、被保険者として受けることができるはずであった期間、継続して同一の保険者から傷病手当金の給付を受けることができる。

D 療養費の支給対象に該当するものとして医師が疾病又は負傷の治療上必要であると認めた治療用装具には、義眼、コルセット、眼鏡、補聴器、胃下垂帯、人工肛門受便器（ペロッテ）等がある。

E 移送費の支給が認められる医師、看護師等の付添人による医学的管理等について、患者がその医学的管理等に要する費用を支払った場合にあっては、現に要した費用の額の範囲内で、診療報酬に係る基準を勘案してこれを評価し、現に移送に要した費用とともに移送費として支給を行うことができる。

問10 費用の負担に関する次の記述のうち、誤っているものはどれか。

A 3月31日に会社を退職し、翌日に健康保険の被保険者資格を喪失した者が、4月20日に任意継続被保険者の資格取得届を提出すると同時に、4月分から翌年3月分までの保険料をまとめて前納することを申し出た。この場合、4月分は前納保険料の対象とならないが、5月分から翌年の3月分までの保険料は、4月末日までに払い込むことで、前納に係る期間の各月の保険料の額の合計額から、その期間の各月の保険料の額を年4分の利率による複利現価法によって前納に係る期間の最初の月から当該各月までのそれぞれの期間に応じて割り引いた額の合計額（この額に1円未満の端数がある場合において、その端数金額が50銭未満であるときは、これを切り捨て、その端数金額が50銭以上であるときは、これを1円として計算する）を控除した額となる。

B 6月25日に40歳に到達する被保険者に対し、6月10日に通貨をもって夏季賞与を支払った場合、当該標準賞与額から被保険者が負担すべき一般保険料額とともに介護保険料額を控除することができる。

C 4月1日にA社に入社し、全国健康保険協会管掌健康保険の被保険者資格を取得した被保険者Xが、4月15日に退職し被保険者資格を喪失した。この場合、同月得喪に該当し、A社は、被保険者Xに支払う報酬から4月分としての一般保険料額を控除する。その後、Xは4月16日にB社に就職し、再び全国健康保険協会管掌健康保険の被保険者資格を取得し、5月以降も継続して被保険者である場合、B社は、当該被保険者Xに支払う報酬から4月分の一般保険料額を控除するが、この場合、A社が徴収した一般保険料額は被保険者Xに返還されることはない。

D 育児休業期間中に賞与が支払われた者が、育児休業期間中につき保険料免除の取扱いが行われている場合は、当該賞与に係る保険料が徴収されることはないが、標準賞与額として決定され、その年度における標準賞与額の累計額に含めなければならない。

E　日雇特例被保険者が、同日において、午前にA健康保険組合管掌健康保険の適用事業所で働き、午後に全国健康保険協会管掌健康保険の適用事業所で働いた。この場合の保険料の納付は、各適用事業所から受ける賃金額により、標準賃金日額を決定し、日雇特例被保険者が提出する日雇特例被保険者手帳に適用事業所ごとに健康保険印紙を貼り、これに消印して行われる。

厚生年金保険法

問1 次のアからオの記述のうち、厚生年金保険法第38条第1項及び同法附則第17条の規定によってどちらか一方の年金の支給が停止されるものの組合せとして正しいものはいくつあるか。ただし、いずれも、受給権者は65歳に達しているものとする。

ア 老齢基礎年金と老齢厚生年金

イ 老齢基礎年金と障害厚生年金

ウ 障害基礎年金と老齢厚生年金

エ 障害基礎年金と遺族厚生年金

オ 遺族基礎年金と障害厚生年金

A 一つ

B 二つ

C 三つ

D 四つ

E 五つ

問2 適用事業所に使用される高齢任意加入被保険者（以下本問において「当該被保険者」という。）に関する次の記述のうち、正しいものはどれか。

A 当該被保険者を使用する適用事業所の事業主が、当該被保険者に係る保険料の半額を負担し、かつ、当該被保険者及び自己の負担する保険料を納付する義務を負うことにつき同意をしたときを除き、当該被保険者は保険料の全額を負担するが、保険料の納付義務は当該被保険者が保険料の全額を負担する場合であっても事業主が負う。

B 当該被保険者に係る保険料の半額を負担し、かつ、当該被保険者及び自己の負担する保険料を納付する義務を負うことにつき同意をした適用事業所の事業主は、厚生労働大臣の認可を得て、将来に向かって当該同意を撤回することができる。

C 当該被保険者が保険料（初めて納付すべき保険料を除く。）を滞納し、厚生労働大臣が指定した期限までにその保険料を納付しないときは、厚生年金保険法第83条第１項に規定する当該保険料の納期限の属する月の末日に、その被保険者の資格を喪失する。なお、当該被保険者の事業主は、保険料の半額を負担し、かつ、当該被保険者及び自己の負担する保険料を納付する義務を負うことについて同意していないものとする。

D 当該被保険者の被保険者資格の取得は、厚生労働大臣の確認によってその効力を生ずる。

E 当該被保険者が、実施機関に対して当該被保険者資格の喪失の申出をしたときは、当該申出が受理された日の翌日（当該申出が受理された日に更に被保険者の資格を取得したときは、その日）に被保険者の資格を喪失する。

問3 厚生年金保険法に関する次の記述のうち、誤っているものはどれか。

A 甲は、昭和62年５月１日に第３種被保険者の資格を取得し、平成元年11月30日に当該被保険者資格を喪失した。甲についての、この期間の厚生年金保険の被保険者期間は、36月である。

B 老齢厚生年金の加給年金額の加算の対象となっていた子（障害等級に該当する障害の状態にないものとする。）が、18歳に達した日以後の最初の３月31日よりも前に婚姻したときは、その子が婚姻した月の翌月から加給年金額の加算がされなくなる。

C 適用事業所に使用されている第１号厚生年金被保険者である者は、いつでも、当該被保険者の資格の取得に係る厚生労働大臣の確認を請求することができるが、当該被保険者であった者が適用事業所に使用されなくなった後も同様に確認を請求することができる。

D 障害手当金の受給要件に該当する被保険者が、障害手当金の障害の程度を定めるべき日において遺族厚生年金の受給権者である場合は、その者には障害手当金は支給されない。

E 同時に２以上の適用事業所で報酬を受ける厚生年金保険の被保険者について標準報酬月額を算定する場合においては、事業所ごとに報酬月額を算定し、その算定した額の平均額をその者の報酬月額とする。

問4 次のアからオの記述のうち、厚生年金保険法第85条の規定により、保険料を保険料の納期前であっても、すべて徴収することができる場合として正しいものの組合せは、後記AからEまでのうちどれか。

ア 法人たる納付義務者が法人税の重加算税を課されたとき。

イ 納付義務者が強制執行を受けるとき。

ウ 納付義務者について破産手続開始の申立てがなされたとき。

エ 法人たる納付義務者の代表者が死亡したとき。

オ 被保険者の使用される事業所が廃止されたとき。

A（アとウ）　　　B（アとエ）　　　C（イとウ）

D（イとオ）　　　E（ウとオ）

問5 老齢厚生年金の支給繰上げ、支給繰下げに関する次の記述のうち、誤っているものはどれか。

A 老齢厚生年金の支給繰上げの請求は、老齢基礎年金の支給繰上げの請求を行うことができる者にあっては、その請求を同時に行わなければならない。

B 昭和38年4月1日生まれの男性が老齢厚生年金の支給繰上げの請求を行い、60歳0か月から老齢厚生年金の受給を開始する場合、その者に支給する老齢厚生年金の額の計算に用いる減額率は24パーセントとなる。

C 68歳0か月で老齢厚生年金の支給繰下げの申出を行った者に対する老齢厚生年金の支給は、当該申出を行った月の翌月から開始される。

D 老齢厚生年金の支給繰下げの申出を行った場合でも、経過的加算として老齢厚生年金に加算された部分は、当該老齢厚生年金の支給繰下げの申出に応じた増額の対象とはならない。

E 令和4年4月以降、老齢厚生年金の支給繰下げの申出を行うことができる年齢の上限が70歳から75歳に引き上げられた。ただし、その対象は、同年3月31日時点で、70歳未満の者あるいは老齢厚生年金の受給権発生日が平成29年4月1日以降の者に限られる。

問6 加給年金額に関する次の記述のうち、正しいものはどれか。

A 障害等級1級又は2級に該当する者に支給する障害厚生年金の額は、当該受給権者によって生計を維持しているその者の65歳未満の配偶者又は子（18歳に達する日以後最初の3月31日までの間にある子及び20歳未満で障害等級1級又は2級に該当する障害の状態にある子）があるときは、加給年金額が加算された額となる。

B 昭和9年4月2日以後に生まれた障害等級1級又は2級に該当する障害厚生年金の受給権者に支給される配偶者に係る加給年金額については、受給権者の生年月日に応じた特別加算が行われる。

C 老齢厚生年金（その年金額の計算の基礎となる被保険者期間の月数が240以上であるものに限る。）の受給権者が、受給権を取得した以後に初めて婚姻し、新たに65歳未満の配偶者の生計を維持するようになった場合には、当該配偶者に係る加給年金額が加算される。

D 報酬比例部分のみの特別支給の老齢厚生年金の年金額には、加給年金額は加算されない。また、本来支給の老齢厚生年金の支給を繰り上げた場合でも、受給権者が65歳に達するまで加給年金額は加算されない。

E 老齢厚生年金の加給年金額の対象となっている配偶者が、収入を増加させて、受給権者による生計維持の状態がやんだ場合であっても、当該老齢厚生年金の加給年金額は減額されない。

問7 厚生年金保険法の適用事業所や被保険者に関する次の記述のうち、正しいものはどれか。

　　なお、文中のX、Y、Zは、厚生年金保険法第12条第1号から第4号までに規定する適用除外者には該当しないものとする。

A 常時40人の従業員を使用する地方公共団体において、1週間の所定労働時間が25時間、月の基本給が15万円で働く短時間労働者で、生徒又は学生ではないX（30歳）は、厚生年金保険の被保険者とはならない。（改題）

B 　代表者の他に従業員がいない法人事業所において、当該法人の経営への参画を内容とする経常的な労務を提供し、その対価として、社会通念上労務の内容にふさわしい報酬が経常的に支払われている代表者Y（50歳）は、厚生年金保険の被保険者となる。

C 　常時90人の従業員を使用する法人事業所において、1週間の所定労働時間が30時間、1か月間の所定労働日数が18日で雇用される学生Z（18歳）は、厚生年金保険の被保険者とならない。なお、Zと同一の事業所に使用される通常の労働者で同様の業務に従事する者の1週間の所定労働時間は40時間、1か月間の所定労働日数は24日である。

D 　厚生年金保険の強制適用事業所であった個人事業所において、常時使用する従業員が5人未満となった場合、任意適用の申請をしなければ、適用事業所ではなくなる。

E 　宿泊業を営み、常時10人の従業員を使用する個人事業所は、任意適用の申請をしなくとも、厚生年金保険の適用事業所となる。

令和4年度
（第54回）

択一式

問8 　厚生年金保険法の在職老齢年金に関する次の記述のうち、正しいものはどれか。

A 　在職老齢年金の支給停止額を計算する際に用いる総報酬月額相当額は、在職中に標準報酬月額や標準賞与額が変更されることがあっても、変更されない。

B 　在職老齢年金は、総報酬月額相当額と基本月額との合計額が支給停止調整額を超える場合、年金額の一部又は全部が支給停止される仕組みであるが、適用事業所に使用される70歳以上の者に対しては、この在職老齢年金の仕組みが適用されない。

C 　在職中の被保険者が65歳になり老齢基礎年金の受給権が発生した場合において、老齢基礎年金は在職老齢年金の支給停止額を計算する際に支給停止の対象とはならないが、経過的加算額については在職老齢年金の支給停止の対象となる。

D 60歳以降も在職している被保険者が、60歳台前半の老齢厚生年金の受給権者であって被保険者である場合で、雇用保険法に基づく高年齢雇用継続基本給付金の支給を受けることができるときは、その間、60歳台前半の老齢厚生年金は全額支給停止となる。

E 在職老齢年金について、支給停止額を計算する際に使用される支給停止調整額は、一定額ではなく、年度ごとに改定される場合がある。

問9 厚生年金保険法に関する次の記述のうち、誤っているものはどれか。

A 1つの種別の厚生年金保険の被保険者期間のみを有する者の総報酬制導入後の老齢厚生年金の報酬比例部分の額の計算では、総報酬制導入後の被保険者期間の各月の標準報酬月額と標準賞与額に再評価率を乗じて得た額の総額を当該被保険者期間の月数で除して得た平均標準報酬額を用いる。

B 65歳以上の老齢厚生年金受給者については、毎年基準日である7月1日において被保険者である場合、基準日の属する月前の被保険者であった期間をその計算の基礎として、基準日の属する月の翌月から、年金の額を改定する在職定時改定が導入された。

C 保険給付を受ける権利に基づき支払期月ごとに支払うものとされる保険給付の支給を受ける権利については、「支払期月の翌月の初日」がいわゆる時効の起算点とされ、各起算点となる日から5年を経過したときに時効によって消滅する。

D 2つの種別の厚生年金保険の被保険者期間を有する者が、老齢厚生年金の支給繰下げの申出を行う場合、両種別の被保険者期間に基づく老齢厚生年金の繰下げについて、申出は同時に行わなければならない。

E 加給年金額が加算されている老齢厚生年金の受給者である夫について、その加算の対象となっている妻である配偶者が、老齢厚生年金の計算の基礎となる被保険者期間が240月以上となり、退職し再就職はせずに、老齢厚生年金の支給を受けることができるようになった場合、老齢厚生年金の受給者である夫に加算されていた加給年金額は支給停止となる。

問10 厚生年金保険法に関する次の記述のうち、正しいものはどれか。

A 常時5人の従業員を使用する個人経営の美容業の事業所については、法人化した場合であっても適用事業所とはならず、当該法人化した事業所が適用事業所となるためには、厚生労働大臣から任意適用事業所の認可を受けなければならない。

B 適用事業所に使用される70歳未満の者であって、2か月以内の期間を定めて臨時に使用される者(船舶所有者に使用される船員を除き、当該定めた期間を超えて使用されることが見込まれないものとする。)は、厚生年金保険法第12条第1号に規定する適用除外に該当せず、使用される当初から厚生年金保険の被保険者となる。(改題)

C 被保険者であった45歳の夫が死亡した当時、当該夫により生計を維持していた子のいない38歳の妻は遺族厚生年金を受けることができる遺族となり中高齢寡婦加算も支給されるが、一方で、被保険者であった45歳の妻が死亡した当時、当該妻により生計を維持していた子のいない38歳の夫は遺族厚生年金を受けることができる遺族とはならない。

D 障害等級2級の障害厚生年金の額は、老齢厚生年金の例により計算した額となるが、被保険者期間については、障害認定日の属する月の前月までの被保険者期間を基礎とし、計算の基礎となる月数が300に満たないときは、これを300とする。

E 保険給付の受給権者が死亡し、その死亡した者に支給すべき保険給付でまだその者に支給しなかったものがあるときにおいて、未支給の保険給付を受けるべき同順位者が2人以上あるときは、その1人のした請求は、全員のためその全額につきしたものとみなし、その1人に対しての支給は、全員に対してしたものとみなされる。

国民年金法

問1 国民年金法に関する次の記述のうち、正しいものはどれか。

A 国民年金法第109条の2の2に規定する学生納付特例事務法人は、その教育施設の学生等である被保険者の委託を受けて、当該被保険者に係る学生納付特例申請及び保険料の納付に関する事務を行うことができる。

B 厚生労働大臣に対する国民年金原簿の訂正の請求に関し、第2号被保険者であった期間のうち国家公務員共済組合、地方公務員共済組合の組合員又は私立学校教職員共済制度の加入者であった期間については、国民年金原簿の訂正の請求に関する規定は適用されない。

C 第3号被保険者は、その配偶者である第1号厚生年金被保険者が転職したことによりその資格を喪失した後、引き続き第4号厚生年金被保険者の資格を取得したときは、当該事実があった日から14日以内に種別変更の届出を日本年金機構に対して行わなければならない。

D 第1号被保険者は、厚生労働大臣が住民基本台帳法第30条の9の規定により当該第1号被保険者に係る機構保存本人確認情報の提供を受けることができる者であっても、当該被保険者の氏名及び住所を変更したときは、当該事実があった日から14日以内に、届書を市町村長（特別区にあっては、区長とする。）に提出しなければならない。

E 国民年金法施行規則第23条第1項の規定によると、老齢基礎年金の受給権者の所在が6か月以上明らかでないときは、受給権者の属する世帯の世帯主その他その世帯に属する者は、速やかに、所定の事項を記載した届書を日本年金機構に提出しなければならないとされている。

問2 国民年金法に関する次のアからオの記述のうち、誤っているものの組合せは、後記AからEまでのうちどれか。

ア 第1号被保険者及び第3号被保険者による資格の取得及び喪失、種別の変更、氏名及び住所の変更以外の届出の規定に違反して虚偽の届出をした被保険者は、10万円以下の過料に処せられる。

イ 日本年金機構の役員は、日本年金機構が滞納処分等を行うに当たり厚生労働大臣の認可を受けなければならない場合においてその認可を受けなかったときは、20万円以下の過料に処せられる。

ウ 世帯主が第1号被保険者に代わって第1号被保険者に係る資格の取得及び喪失、種別の変更、氏名及び住所の変更の届出の規定により届出をする場合において、虚偽の届出をした世帯主は、30万円以下の罰金に処せられる。

エ 保険料その他の徴収金があった場合に国税徴収法第141条の規定による徴収職員の検査を拒み、妨げ、又は忌避した者は、30万円以下の罰金に処せられる。(改題)

オ 基礎年金番号の利用制限等の違反者に対して行われた当該行為等の中止勧告に従うべきことの命令に違反した場合には、当該違反行為をした者は、50万円以下の罰金に処せられる。

A（アとイ）　　　**B**（アとエ）　　　**C**（イとウ）

D（ウとオ）　　　**E**（エとオ）

問3 国民年金法に関する次の記述のうち、誤っているものはどれか。

A 付加年金が支給されている老齢基礎年金の受給者（65歳に達している者に限る。）が、老齢厚生年金を受給するときには、付加年金も支給される。

B 第1号被保険者としての被保険者期間に係る保険料納付済期間が25年以上あり、老齢基礎年金及び障害基礎年金の支給を受けたことがない夫が死亡した場合において、死亡の当時当該夫によって生計を維持し、かつ、夫との婚姻関係が10年以上継続した妻が60歳未満であるときは、寡婦年金の受給権が発生する。

C 脱退一時金の支給の請求に関し、最後に被保険者の資格を喪失した日に日本国内に住所を有していた者は、同日後初めて、日本国内に住所を有しなくなった日から起算して2年を経過するまでに、その支給を請求しなければならない。

D 国民年金法第107条第2項に規定する障害基礎年金の加算の対象となっている子が、正当な理由がなくて、同項の規定による受診命令に従わず、又は同項の規定による当該職員の診断を拒んだときは、年金給付の支払を一時差し止めることができる。

E 老齢基礎年金と付加年金の受給権を有する者が障害基礎年金の受給権を取得し、障害基礎年金を受給することを選択したときは、付加年金は、障害基礎年金を受給する間、その支給が停止される。

問4 国民年金法に関する次の記述のうち、正しいものはどれか。

A 保険料半額免除期間（残りの半額の保険料は納付されているものとする。）については、当該期間の月数（480から保険料納付済期間の月数及び保険料4分の1免除期間の月数を合算した月数を控除して得た月数を限度とする。）の4分の1に相当する月数が老齢基礎年金の年金額に反映される。

B 20歳前傷病による障害基礎年金及び国民年金法第30条の2の規定による事後重症による障害基礎年金は、受給権者が日本国内に住所を有しないときは、その間、その支給が停止される。

C 厚生労働大臣に申し出て付加保険料を納付する者となった者が付加保険料を納期限までに納付しなかったときは、当該納期限の日に付加保険料を納付する者でなくなる申出をしたものとみなされる。

D 遺族基礎年金の受給権を取得した夫が60歳未満であるときは、当該遺族基礎年金は、夫が60歳に達するまで、その支給が停止される。

E 被保険者又は被保険者であった者からの国民年金原簿の訂正請求の受理に関する厚生労働大臣の権限に係る事務は、日本年金機構に行わせるものとされている。

問5 国民年金法に関する次の記述のうち、正しいものはどれか。

A 障害基礎年金の受給権者が更に障害基礎年金の受給権を取得した場合において、新たに取得した障害基礎年金が国民年金法第36条第1項（障害補償による支給停止）の規定により6年間その支給を停止すべきものであるときは、その停止すべき期間、その者に対し同法第31条第1項（併合認定）の規定により前後の障害を併合した障害の程度による障害基礎年金を支給する。

B 障害基礎年金の受給権者が、その権利を取得した日の翌日以後にその者によって生計を維持している65歳未満の配偶者を有するに至ったときは、当該配偶者を有するに至った日の属する月の翌月から、当該障害基礎年金に当該配偶者に係る加算額が加算される。

C 保険料納付済期間又は保険料免除期間（学生納付特例及び納付猶予の規定により納付することを要しないものとされた保険料に係るものを除く。）を合算した期間を23年有している者が、合算対象期間を3年有している場合、遺族基礎年金の支給要件の規定の適用については、「保険料納付済期間と保険料免除期間とを合算した期間が25年以上であるもの」とみなされる。

D 厚生労働大臣から滞納処分等その他の処分の権限を委任された財務大臣は、その委任された権限を国税庁長官に委任し、国税庁長官はその権限の全部を納付義務者の住所地を管轄する税務署長に委任する。

E 厚生年金保険の被保険者が19歳であって、その被扶養配偶者が18歳である場合において、その被扶養配偶者が第3号被保険者の資格を取得するのは当該被保険者が20歳に達したときである。

問6 国民年金法に関する次の記述のうち、誤っているものはどれか。

A 子の遺族基礎年金については、受給権発生後当該子が18歳に達する日以後の最初の3月31日までの間に障害等級に該当する障害の状態となり、以降当該子が20歳に達するまでの間障害の状態にあったときは、当該子が18歳に達する日以後の最初の3月31日を過ぎても20歳に達するまで遺族基礎年金を受給できる。なお、当該子は婚姻していないものとする。

B 第３号被保険者の資格取得の届出を遅れて行ったときは、第３号被保険者の資格を満たしていたと認められた場合は該当した日にさかのぼって第３号被保険者の資格を取得することになるが、この場合において、保険料納付済期間に算入される期間は当該届出を行った日の属する月の前々月までの２年間である。ただし、届出の遅滞につきやむを得ない事由があると認められるときは、厚生労働大臣にその旨の届出をすることができ、その場合は当該届出が行われた日以後、当該届出に係る期間は保険料納付済期間に算入する。

C 平成17年４月１日前に第３号被保険者であった者で、その者の第３号被保険者期間の未届期間については、その届出を遅滞したことについてやむを得ない事由があると認められない場合でも、厚生労働大臣に届出が行われたときは、当該届出が行われた日以後、当該届出に係る期間は保険料納付済期間に算入する。

D 国庫は、当分の間、毎年度、国民年金事業に要する費用に充てるため、当該年度における国民年金法による付加年金の給付に要する費用及び同法による死亡一時金の給付に要する費用（同法第52条の４第１項に定める額に相当する部分の給付に要する費用を除く。）の総額の４分の１に相当する額を負担する。

E 日本国内に住所を有する60歳以上65歳未満の任意加入被保険者が、日本国内に住所を有しなくなったときは、その日に任意加入被保険者資格を喪失する。

問7 国民年金法に関する次の記述のうち、正しいものはどれか。

A 厚生年金保険の被保険者が、65歳に達し老齢基礎年金と老齢厚生年金の受給権を取得したときは、引き続き厚生年金保険の被保険者資格を有していても、国民年金の第２号被保険者の資格を喪失する。

B 国民年金基金連合会は、その会員である基金の解散により当該解散した基金から徴収した当該基金の解散基金加入員に係る責任準備金に相当する額を、徴収した基金に係る解散基金加入員が老齢基礎年金の受給権を取得したときは、当該解散基金加入員に対して400円に当該解散した基金に係る加入員期間の月数を乗じて得た額の年金を支給する。

C　国民年金法第30条の4の規定による障害基礎年金の受給権者は、毎年、受給権者の誕生日の属する月の末日までに、当該末日前1月以内に作成された障害基礎年金所得状況届等、国民年金法施行規則第31条第2項第12号ロからニまで及び同条第3項各号に掲げる書類を日本年金機構に提出しなければならない。ただし、当該障害基礎年金の額の全部が支給停止されている場合又は前年の所得に関する当該書類が提出されているときは、当該書類を提出する必要はない。

D　被保険者が保険料を納付受託者に交付したときは、納付受託者は、厚生労働大臣に対して当該保険料の納付の責めに任ずるとともに、遅滞なく厚生労働省令で定めるところにより、その旨及び交付を受けた年月日を厚生労働大臣に報告しなければならない。

E　寡婦年金は、受給権者が繰上げ支給による老齢基礎年金の受給権を取得した場合でも支給される。

令和4年度
（第54回）

択一式

問8　国民年金法に関する次の記述のうち、正しいものはどれか。

A　20歳未満の厚生年金保険の被保険者は国民年金の第2号被保険者となるが、当分の間、当該被保険者期間は保険料納付済期間として算入され、老齢基礎年金の額に反映される。

B　国民年金法による保険料の納付を猶予された期間については、当該期間に係る保険料が追納されなければ老齢基礎年金の額には反映されないが、学生納付特例の期間については、保険料が追納されなくても、当該期間は老齢基礎年金の額に反映される。

C　基礎年金拠出金の額の算定基礎となる第1号被保険者数は、保険料納付済期間、保険料全額免除期間、保険料4分の3免除期間、保険料半額免除期間及び保険料4分の1免除期間を有する者の総数とされている。

D　大学卒業後、23歳から民間企業に勤務し65歳までの合計42年間、第1号厚生年金被保険者としての被保険者期間を有する者（昭和32年4月10日生まれ）が65歳から受給できる老齢基礎年金の額は満額となる。なお、当該被保険者は、上記以外の被保険者期間を有していないものとする。

E 第１号被保険者又は第３号被保険者が60歳に達したとき（第２号被保険者に該当するときを除く。）は、60歳に達した日に被保険者の資格を喪失する。また、第１号被保険者又は第３号被保険者が死亡したときは、死亡した日の翌日に被保険者の資格を喪失する。

問9 国民年金法に関する次の記述のうち、正しいものはどれか。

A 老齢基礎年金のいわゆる振替加算が行われるのは、大正15年４月２日から昭和41年４月１日までの間に生まれた者であるが、その額については、受給権者の老齢基礎年金の額に受給権者の生年月日に応じて政令で定められた率を乗じて得た額となる。

B 第１号被保険者期間中に支払った付加保険料に係る納付済期間を60月有する者は、65歳で老齢基礎年金の受給権を取得したときに、老齢基礎年金とは別に、年額で、400円に60月を乗じて得た額の付加年金が支給される。

C 死亡一時金を受けることができる遺族の範囲は、年金給付の受給権者が死亡した場合において、その死亡した者に支給すべき年金でまだ支給していない年金がある場合に、未支給の年金の支給を請求できる遺族の範囲と同じである。

D 第１号被保険者（産前産後期間の保険料免除及び保険料の一部免除を受ける者ではないものとする。）が、保険料の法定免除の要件に該当するに至ったときは、その要件に該当するに至った日の属する月の前月からこれに該当しなくなる日の属する月までの期間に係る保険料は、既に納付されたものを除き、納付することを要しない。

E 国民年金基金が支給する年金は、当該基金の加入員であった者が老齢基礎年金の受給権を取得した時点に限り、その者に支給が開始されるものでなければならない。

問10 国民年金法に関する次の記述のうち、誤っているものはどれか。

A 被保険者である妻が死亡し、その夫が、１人の子と生計を同じくして、遺族基礎年金を受給している場合において、当該子が18歳に達した日以後の最初の３月31日が終了したときに、障害等級に該当する障害の状態にない場合は、夫の有する当該遺族基礎年金の受給権は消滅する。

B 保険料納付済期間と保険料免除期間とを合算した期間が25年以上である55歳の第1号被保険者が死亡したとき、当該死亡日の前日において、当該死亡日の属する月の前々月までの1年間に保険料が未納である月があった場合は、遺族基礎年金を受けることができる要件を満たす配偶者と子がいる場合であっても、遺族基礎年金は支給されない。

C 障害基礎年金は、傷病の初診日から起算して1年6か月を経過した日である障害認定日において、その傷病により障害等級に該当する程度の障害の状態にあるときに支給される（当該障害基礎年金に係る保険料納付要件は満たしているものとする。）が、初診日から起算して1年6か月を経過した日前にその傷病が治った場合は、その治った日（その症状が固定し治療の効果が期待できない状態に至った日を含む。）を障害認定日とする。

D 障害基礎年金の額は、受給権者によって生計を維持している18歳に達する日以後の最初の3月31日までの間にある子及び20歳未満であって障害等級に該当する障害の状態にある子があるときは、その子の数に応じた加算額が加算されるが、老齢基礎年金の額には、子の加算額が加算されない。

令和4年度（第54回）択一式

E 第1号被保険者の保険料は、被保険者本人分のみならず、世帯主はその世帯に属する第1号被保険者の保険料を連帯して納付する義務を負い、配偶者の一方は、第1号被保険者である他方の保険料を連帯して納付する義務を負う。

令和 **3** 年度

（2021年度・第53回）

本試験問題
選択式

本試験実施時間

10：30〜11：50（80分）

法令等略記凡例

法令等名称	法令等略称
労働者災害補償保険法	労災保険法
労働者災害補償保険法施行規則	労災保険法施行規則
労働施策の総合的な推進並びに労働者の雇用の安定及び職業生活の充実等に関する法律	労働施策総合推進法

労働基準法及び労働安全衛生法

問1 次の文中の ◻️ の部分を選択肢の中の最も適切な語句で埋め、完全な文章とせよ。

1 　賠償予定の禁止を定める労働基準法第16条における「違約金」とは、労働契約に基づく労働義務を労働者が履行しない場合に労働者本人若しくは親権者又は ◻️ A ◻️ の義務として課せられるものをいう。

2 　最高裁判所は、歩合給の計算に当たり売上高等の一定割合に相当する金額から残業手当等に相当する金額を控除する旨の定めがある賃金規則に基づいてされた残業手当等の支払により労働基準法第37条の定める割増賃金が支払われたといえるか否かが問題となった事件において、次のように判示した。

　　「使用者が労働者に対して労働基準法37条の定める割増賃金を支払ったとすることができるか否かを判断するためには、割増賃金として支払われた金額が、◻️ B ◻️ に相当する部分の金額を基礎として、労働基準法37条等に定められた方法により算定した割増賃金の額を下回らないか否かを検討することになるところ、その前提として、労働契約における賃金の定めにつき、◻️ B ◻️ に当たる部分と同条の定める割増賃金に当たる部分とを判別することができることが必要である［…(略)…］。そして、使用者が、労働契約に基づく特定の手当を支払うことにより労働基準法37条の定める割増賃金を支払ったと主張している場合において、上記の判別をすることができるというためには、当該手当が時間外労働等に対する対価として支払われるものとされていることを要するところ、当該手当がそのような趣旨で支払われるものとされているか否かは、当該労働契約に係る契約書等の記載内容のほか諸般の事情を考慮して判断すべきであり［…(略)…］、その判断に際しては、当該手当の名称や算定方法だけでなく、［…(略)…］同条の趣旨を踏まえ、◻️ C ◻️ 等にも留意して検討しなければならないというべきである。」

3 　事業者は、中高年齢者その他労働災害の防止上その就業に当たって特に配慮を必要とする者については、これらの者の ◻️ D ◻️ に応じて適正な配置を行うように努めなければならない。

4 事業者は、高さが　E　以上の箇所（作業床の端、開口部等を除く。）で作業を行う場合において墜落により労働者に危険を及ぼすおそれのあるときは、足場を組み立てる等の方法により作業床を設けなければならない。

選択肢

① 1メートル　　　　　② 1.5メートル

③ 2メートル　　　　　④ 3メートル

⑤ 2親等内の親族　　　⑥ 6親等内の血族

⑦ 家族手当、通勤手当その他厚生労働省令で定める賃金

⑧ 希望する仕事　　　　⑨ 就業経験

⑩ 心身の条件　　　　　⑪ 通常の労働時間の賃金

⑫ 当該手当に関する労働者への情報提供又は説明の内容

⑬ 当該歩合給

⑭ 当該労働契約の定める賃金体系全体における当該手当の位置付け

⑮ 同種の手当に関する我が国社会における一般的状況

⑯ 配偶者

⑰ 平均賃金にその期間の総労働時間を乗じた金額

⑱ 身元保証人　　　　　⑲ 労働時間

⑳ 労働者に対する不利益の程度

労働者災害補償保険法

問2 次の文中の 　　　 の部分を選択肢の中の最も適切な語句で埋め、完全な文章とせよ。

1　労災保険法は、令和2年に改正され、複数事業労働者（事業主が同一人でない2以上の事業に使用される労働者。以下同じ。）の2以上の事業の業務を要因とする負傷、疾病、傷害又は死亡（以下「複数業務要因災害」という。）についても保険給付を行う等の制度改正が同年9月1日から施行された。複数事業労働者については、労災保険法第7条第1項第2号により、これに類する者も含むとされており、その範囲については、労災保険法施行規則第5条において、　**A**　と規定されている。複数業務要因災害による疾病の範囲は、労災保険法施行規則第18条の3の6により、労働基準法施行規則別表第1の2第8号及び第9号に掲げる疾病その他2以上の事業の業務を要因とすることの明らかな疾病と規定されている。複数業務要因災害に係る事務の所轄は、労災保険法第7条第1項第2号に規定する複数事業労働者の2以上の事業のうち、　**B**　の主たる事務所を管轄する都道府県労働局又は労働基準監督署となる。

2　年金たる保険給付は、その支給を停止すべき事由が生じたときは、　**C**　の間は、支給されない。

3　遺族補償年金を受けることができる遺族は、労働者の配偶者、子、父母、孫、祖父母及び兄弟姉妹であって、労働者の死亡の当時その収入によって生計を維持していたものとする。ただし、妻（婚姻の届出をしていないが、事実上婚姻関係と同様の事情にあった者を含む。以下同じ。）以外の者にあっては、労働者の死亡の当時次の各号に掲げる要件に該当した場合に限るものとする。

　　一　夫（婚姻の届出をしていないが、事実上婚姻関係と同様の事情にあった者を含む。以下同じ。）、父母又は祖父母については、　**D**　歳以上であること。

　　二　子又は孫については、　**E**　歳に達する日以後の最初の3月31日までの間にあること。

三　兄弟姉妹については、　E　歳に達する日以後の最初の3月31日までの間にあること又は　D　歳以上であること。

四　前三号の要件に該当しない夫、子、父母、孫、祖父母又は兄弟姉妹については、厚生労働省令で定める障害の状態にあること。

選択肢

① 15　② 16　③ 18　④ 20　⑤ 55　⑥ 60　⑦ 65　⑧ 70

⑨　その事由が生じた月からその事由が消滅した月まで

⑩　その事由が生じた月の翌月からその事由が消滅した月まで

⑪　その事由が生じた日からその事由が消滅した日まで

⑫　その事由が生じた日の翌日からその事由が消滅した日まで

⑬　その収入が当該複数事業労働者の生計を維持する程度の最も高いもの

⑭　当該複数事業労働者が最も長い期間勤務しているもの

⑮　当該複数事業労働者の住所に最も近いもの

⑯　当該複数事業労働者の労働時間が最も長いもの

⑰　負傷、疾病、障害又は死亡の原因又は要因となる事由が生じた時点以前1か月の間継続して事業主が同一人でない2以上の事業に同時に使用されていた労働者

⑱　負傷、疾病、障害又は死亡の原因又は要因となる事由が生じた時点以前3か月の間継続して事業主が同一人でない2以上の事業に同時に使用されていた労働者

⑲　負傷、疾病、障害又は死亡の原因又は要因となる事由が生じた時点以前6か月の間継続して事業主が同一人でない2以上の事業に同時に使用されていた労働者

⑳　負傷、疾病、障害又は死亡の原因又は要因となる事由が生じた時点において事業主が同一人でない2以上の事業に同時に使用されていた労働者

令和3年度
（第53回）

選択式

雇用保険法

問3 次の文中の 　　　 の部分を選択肢の中の最も適切な語句で埋め、完全な文章とせよ。

　　なお、本問における認定対象期間とは、基本手当に係る失業の認定日において、原則として前回の認定日から今回の認定日の前日までの期間をいい、雇用保険法第32条の給付制限の対象となっている期間を含む。

1　被保険者期間の算定対象期間は、原則として、離職の日以前2年間（受給資格に係る離職理由が特定理由離職者又は特定受給資格者に該当する場合は2年間又は　**A**　）（以下「原則算定対象期間」という。）であるが、当該期間に疾病、負傷その他一定の理由により引き続き　**B**　日以上賃金の支払を受けることができなかった被保険者については、当該理由により賃金の支払を受けることができなかった日数を原則算定対象期間に加算した期間について被保険者期間を計算する。

2　被保険者が自己の責めに帰すべき重大な理由によって解雇され、又は正当な理由がなく自己の都合によって退職した場合における給付制限（給付制限期間が1か月となる場合を除く。）満了後の初回支給認定日（基本手当の支給に係る最初の失業の認定日をいう。）以外の認定日について、例えば、次のいずれかに該当する場合には、認定対象期間中に求職活動を行った実績が　**C**　回以上あれば、当該認定対象期間に属する、他に不認定となる事由がある日以外の各日について失業の認定が行われる。

　イ　雇用保険法第22条第2項に規定する厚生労働省令で定める理由により就職が困難な者である場合

　ロ　認定対象期間の日数が14日未満となる場合

　ハ　　**D**　を行った場合

　ニ　　**E**　における失業の認定及び市町村長の取次ぎによる失業の認定を行う場合

選択肢

A	① 1年間	② 1年と30日間
	③ 3年間	④ 4年間

B	① 14	② 20
	③ 28	④ 30

C	① 1	② 2
	③ 3	④ 4

D	① 求人情報の閲覧	② 求人への応募書類の郵送
	③ 職業紹介機関への登録	④ 知人への紹介依頼

E	① 巡回職業相談所	② 都道府県労働局
	③ 年金事務所	④ 労働基準監督署

令和3年度
（第53回）

選択式

労務管理その他の労働に関する一般常識

問4 次の文中の ⬚ の部分を選択肢の中の最も適切な語句で埋め、完全な文章とせよ。（改題）

1 労働施策総合推進法は、労働者の募集・採用の際に、原則として、年齢制限を禁止しているが、例外事由の一つとして、就職氷河期世代 **A** の不安定就労者・無業者に限定した募集・採用を可能にしている。

2 生涯現役社会の実現に向けた環境を整備するため、65歳以降の定年延長や66歳以降の継続雇用延長、高年齢者の雇用管理制度の整備や定年年齢未満である高年齢の有期契約労働者の無期雇用への転換を行う事業主に対して、「**B**」を支給している。また、**C** において高年齢退職予定者の情報を登録して、その能力の活用を希望する事業者に対してこれを紹介する高年齢退職予定者キャリア人材バンク事業を実施している。

一方、働きたい高年齢求職者の再就職支援のため、全国の主要なハローワークに「生涯現役支援窓口」を設置し、特に65歳以上の高年齢求職者に対して職業生活の再設計に係る支援や支援チームによる就労支援を重点的に行っている。ハローワーク等の紹介により60歳以上の高年齢者等を雇い入れた事業主に対しては、「**D**」を支給し、高年齢者の就職を促進している。

(以下、改正により削除)

選択肢

A	① 昭和48年4月2日から平成10年4月1日までの間に生まれた者 ② 昭和38年4月2日から平成5年4月1日までの間に生まれた者 ③ 昭和48年4月2日から昭和63年4月1日までの間に生まれた者 ④ 昭和43年4月2日から昭和63年4月1日までの間に生まれた者	
B	① 65歳超雇用推進助成金	② キャリアアップ助成金
	③ 高年齢労働者処遇改善促進助成金	④ 産業雇用安定助成金
C	① (公財)産業雇用安定センター	② 職業能力開発促進センター
	③ 中央職業能力開発協会	④ ハローワーク
D	① 高年齢者雇用継続助成金	② 人材開発支援助成金
	③ 人材確保等支援助成金	④ 特定求職者雇用開発助成金
E	(改正により削除)	

令和3年度
(第53回)

選択式

社会保険に関する一般常識

問5 次の文中の □ の部分を選択肢の中の最も適切な語句で埋め、完全な文章とせよ。

1 市町村（特別区を含む。以下本問において同じ。）は、当該市町村の国民健康保険に関する特別会計において負担する **A** に要する費用（当該市町村が属する都道府県の国民健康保険に関する特別会計において負担する前期高齢者納付金等及び後期高齢者支援金等、介護納付金並びに流行初期医療確保拠出金等の納付に要する費用を含む。）、財政安定化基金拠出金の納付に要する費用その他の **B** に充てるため、被保険者の属する世帯の世帯主（当該市町村の区域内に住所を有する世帯主に限る。）から国民健康保険の保険料を徴収しなければならない。ただし、地方税法の規定により国民健康保険税を課するときは、この限りでない。（改題）

2 船員保険法第93条では、「被保険者が職務上の事由により行方不明となったときは、その期間、 **C** に対し、行方不明手当金を支給する。ただし、行方不明の期間が一月未満であるときは、この限りでない。」と規定している。

3 児童手当法第8条第3項の規定によると、同法第7条の認定をした一般受給資格者及び施設等受給資格者（以下本問において「受給資格者」という。）が住所を変更した場合又は災害その他やむを得ない理由により同法第7条の規定による認定の請求をすることができなかった場合において、住所を変更した後又はやむを得ない理由がやんだ後 **D** 以内にその請求をしたときは、児童手当の支給は、同法第8条第2項の規定にかかわらず、受給資格者が住所を変更した日又はやむを得ない理由により当該認定の請求をすることができなくった日の属する月の翌月から始めるとされている。

4 確定給付企業年金法第41条第3項の規定によると、脱退一時金を受けるための要件として、規約において、 **E** を超える加入者期間を定めてはならないとされている。

┌─ 選択肢 ─────────────────────────────────────┐

① 3 年　　　　　　　　　　② 5 年

③ 10 年　　　　　　　　　　④ 15 日

⑤ 15 年　　　　　　　　　　⑥ 25 日

⑦ 35 日　　　　　　　　　　⑧ 45 日

⑨ 遺　族　　　　　　　　　⑩ 国民健康保険事業に要する費用

⑪ 国民健康保険事業費納付金の納付

⑫ 国民健康保険保険給付費等交付金の交付

⑬ 地域支援事業等の調整額の交付

⑭ 特定給付額及び特定納付費用額の合算額の納付

⑮ 特定健康診査等に要する費用

⑯ 特別高額医療費共同事業拠出金に要した費用

⑰ 配偶者又は子　　　　　　⑱ 被扶養者

⑲ 民法上の相続人　　　　　⑳ 療養の給付等に要する費用

└──┘

令和3年度
（第53回）

選択式

健康保険法

問6 次の文中の ▢ の部分を選択肢の中の最も適切な語句で埋め、完全な文章とせよ。

1　健康保険法第156条の規定による一般保険料率とは、基本保険料率と ▢A▢ とを合算した率をいう。基本保険料率は、一般保険料率から ▢A▢ を控除した率を基準として、保険者が定める。▢A▢ は、各年度において保険者が納付すべき前期高齢者納付金等の額及び後期高齢者支援金等の額並びに流行初期医療確保拠出金等の額（全国健康保険協会が管掌する健康保険及び日雇特例被保険者の保険においては、▢B▢ 額）の合算額（前期高齢者交付金がある場合には、これを控除した額）を当該年度における当該保険者が管掌する被保険者の ▢C▢ の見込額で除して得た率を基準として、保険者が定める。（改題）

2　毎年3月31日における標準報酬月額等級の最高等級に該当する被保険者数の被保険者総数に占める割合が100分の1.5を超える場合において、その状態が継続すると認められるときは、その年の ▢D▢ から、政令で、当該最高等級の上に更に等級を加える標準報酬月額の等級区分の改定を行うことができる。ただし、その年の3月31日において、改定後の標準報酬月額等級の最高等級に該当する被保険者数の同日における被保険者総数に占める割合が ▢E▢ を下回ってはならない。

選択肢

① 6月1日　　　　　　　② 8月1日

③ 9月1日　　　　　　　④ 10月1日

⑤ 100分の0.25　　　　　⑥ 100分の0.5

⑦ 100分の0.75　　　　　⑧ 100分の1

⑨ 総報酬額　　　　　　　⑩ 総報酬額の総額

⑪ その額から健康保険法第153条及び第154条の規定による国庫補助額を控除した

⑫ その額から特定納付金を控除した

⑬ その額に健康保険法第153条及び第154条の規定による国庫補助額を加算した

⑭ その額に特定納付金を加算した

⑮ 調整保険料率　　　　　⑯ 特定保険料率

⑰ 標準報酬月額の総額　　⑱ 標準報酬月額の平均額

⑲ 標準保険料率　　　　　⑳ 付加保険料率

令和3年度
（第53回）

選択式

厚生年金保険法

問7 次の文中の □□□□ の部分を選択肢の中の最も適切な語句で埋め、完全な文章とせよ。

1 厚生年金保険法における賞与とは、賃金、給料、俸給、手当、賞与その他いかなる名称であるかを問わず、労働者が労働の対償として受ける全てのもののうち、 A 受けるものをいう。

2 厚生年金保険法第84条の３の規定によると、政府は、政令で定めるところにより、毎年度、実施機関（厚生労働大臣を除く。以下本問において同じ。）ごとに実施機関に係る B として算定した金額を、当該実施機関に対して C するとされている。

3 厚生年金保険法第８条の２第１項の規定によると、２以上の適用事業所（ D を除く。）の事業主が同一である場合には、当該事業主は、 E 当該２以上の事業所を１の事業所とすることができるとされている。

選択肢

① ２か月を超える期間ごとに ② ３か月を超える期間ごとに

③ ４か月を超える期間ごとに ④ 拠出金として交付

⑤ 国又は地方公共団体 ⑥ 厚生年金保険給付費等

⑦ 厚生労働大臣に届け出ることによって、

⑧ 厚生労働大臣の確認を受けることによって、

⑨ 厚生労働大臣の承認を受けて、 ⑩ 厚生労働大臣の認可を受けて、

⑪ 交付金として交付 ⑫ 執行に要する費用等

⑬ 事務取扱費等 ⑭ 船 舶

⑮ その事業所に使用される労働者の数が政令で定める人数以下のもの

⑯ 特定適用事業所 ⑰ 特別支給金として支給

⑱ 納付金として支給 ⑲ 予備費等

⑳ 臨時に

国民年金法

問8 次の文中の 　　　　 の部分を選択肢の中の最も適切な語句で埋め、完全な文章とせよ。

1 国民年金法第16条の２第１項の規定によると、政府は、国民年金法第４条の３第１項の規定により財政の現況及び見通しを作成するに当たり、国民年金事業の財政が、財政均衡期間の終了時に　**A**　ようにするために必要な年金特別会計の国民年金勘定の積立金を保有しつつ当該財政均衡期間にわたってその均衡を保つことができないと見込まれる場合には、年金たる給付（付加年金を除く。）の額（以下本問において「給付額」という。）を　**B**　するものとし、政令で、給付額を　**B**　する期間の　**C**　を定めるものとされている。

2 国民年金法第25条では、「租税その他の公課は、　**D**　として、課することができない。ただし、　**E**　については、この限りでない。」と規定している。

令和３年度
（第53回）

選択式

――選択肢――――――――――――――――――――――――――

① 遺族基礎年金及び寡婦年金 　　② 遺族基礎年金及び付加年金

③ 開始年度 　　④ 開始年度及び終了年度

⑤ 改　定 　　⑥ 給付額に不足が生じない

⑦ 給付として支給を受けた金銭を基準

⑧ 給付として支給を受けた金銭を標準

⑨ 給付として支給を受けた年金額を基準

⑩ 給付として支給を受けた年金額を標準

⑪ 給付の支給に支障が生じない 　　⑫ 減　額

⑬ 財政窮迫化をもたらさない 　　⑭ 財政収支が保たれる

⑮ 終了年度 　　⑯ 調　整

⑰ 年　限 　　⑱ 変　更

⑲ 老齢基礎年金及び寡婦年金 　　⑳ 老齢基礎年金及び付加年金

本試験実施時間

13：20〜16：50（210分）

法令等略記凡例

法令等名称	法令等略称
労働者災害補償保険法	労災保険法
労働保険の保険料の徴収等に関する法律	労働保険徴収法
労働保険の保険料の徴収等に関する法律施行規則	労働保険徴収法施行規則
高年齢者等の雇用の安定等に関する法律	高年齢者雇用安定法
労働施策の総合的な推進並びに労働者の雇用の安定及び職業生活の充実等に関する法律	労働施策総合推進法
短時間労働者及び有期雇用労働者の雇用管理の改善等に関する法律	パートタイム・有期雇用労働法
雇用の分野における男女の均等な機会及び待遇の確保等に関する法律	男女雇用機会均等法
高齢者の医療の確保に関する法律	高齢者医療確保法

労働基準法及び労働安全衛生法

問1 労働基準法の総則（第1条〜第12条）に関する次の記述のうち、誤っているものはどれか。

A 労働基準法第1条第2項にいう「この基準を理由として」とは、労働基準法に規定があることが決定的な理由となって、労働条件を低下させている場合をいうことから、社会経済情勢の変動等他に決定的な理由があれば、同条に抵触するものではない。

B 労働基準法第3条が禁止する「差別的取扱」をするとは、当該労働者を有利又は不利に取り扱うことをいう。

C 労働基準法第5条に定める「脅迫」とは、労働者に恐怖心を生じさせる目的で本人又は本人の親族の生命、身体、自由、名誉又は財産に対して、脅迫者自ら又は第三者の手によって害を加えるべきことを通告することをいうが、必ずしも積極的言動によって示す必要はなく、暗示する程度でも足りる。

D 使用者は、労働者が労働時間中に、選挙権その他公民としての権利を行使し、又は公の職務を執行するために必要な時間を請求した場合に、これを拒むことはできないが、権利の行使又は公の職務の執行に妨げがない限り、請求された時刻を変更することは許される。

E 労働者が法令により負担すべき所得税等（健康保険料、厚生年金保険料、雇用保険料等を含む。）を事業主が労働者に代わって負担する場合、当該代わって負担する部分は、労働者の福利厚生のために使用者が負担するものであるから、労働基準法第11条の賃金とは認められない。

問2 労働基準法に定める労働契約及び年次有給休暇等に関する次の記述のうち、正しいものはどれか。

A 労働基準法第14条にいう「一定の事業の完了に必要な期間を定める」労働契約については、3年（同条第1項の各号のいずれかに該当する労働契約にあっては、5年）を超える期間について締結することが可能であるが、その場合には、その事業が有期的事業であることが客観的に明らかであり、その事業の終期までの期間を定める契約であることが必要である。

B （改正により削除）

C 労働基準法第17条にいう「労働することを条件とする前貸の債権」には、労働者が使用者から人的信用に基づいて受ける金融や賃金の前払いのような弁済期の繰上げ等で明らかに身分的拘束を伴わないものも含まれる。

D 使用者は、当該事業場に、労働者の過半数で組織する労働組合がある場合においてはその労働組合、労働者の過半数で組織する労働組合がない場合においては労働者の過半数を代表する者の意見聴取をした上で、就業規則に、労働契約に附随することなく、労働者の任意になす貯蓄金をその委託を受けて管理する契約をすることができる旨を記載し、当該就業規則を行政官庁に届け出ることにより、労働契約に附随することなく、労働者の任意になす貯蓄金をその委託を受けて管理する契約をすることができる。

E 労働基準法第39条に従って、労働者が日を単位とする有給休暇を請求したとき、使用者は時季変更権を行使して、日単位による取得の請求を時間単位に変更することができる。

問3 労働基準法に定める賃金等に関する次の記述のうち、正しいものはいくつあるか。

ア 使用者は、退職手当の支払については、現金の保管、持ち運び等に伴う危険を回避するため、労働者の同意を得なくても、当該労働者の預金又は貯金への振込みによることができるほか、銀行その他の金融機関が支払保証をした小切手を当該労働者に交付することによることができる。

イ 賃金を通貨以外のもので支払うことができる旨の労働協約の定めがある場合には、当該労働協約の適用を受けない労働者を含め当該事業場のすべての労働者について、賃金を通貨以外のもので支払うことができる。

令和**3**年度
（第53回）

択一式

ウ 使用者が労働者に対して有する債権をもって労働者の賃金債権と相殺することに、労働者がその自由な意思に基づき同意した場合においては、「右同意が労働者の自由な意思に基づいてされたものであると認めるに足りる合理的な理由が客観的に存在するときは、右同意を得てした相殺は右規定〔労働基準法第24条第１項のいわゆる賃金全額払の原則〕に違反するものとはいえないものと解するのが相当である」が、「右同意が労働者の自由な意思に基づくものであるとの認定判断は、厳格かつ慎重に行われなければならない」とするのが、最高裁判所の判例である。

エ 労働基準法第24条第１項の禁止するところではないと解するのが相当と解される「許さるべき相殺は、過払のあつた時期と賃金の清算調整の実を失わない程度に合理的に接着した時期においてされ、また、あらかじめ労働者にそのことが予告されるとか、その額が多額にわたらないとか、要は労働者の経済生活の安定をおびやかすおそれのない場合でなければならない」とするのが、最高裁判所の判例である。

オ 労働基準法第25条により労働者が非常時払を請求しうる事由には、「労働者の収入によつて生計を維持する者」の出産、疾病、災害も含まれるが、「労働者の収入によつて生計を維持する者」とは、労働者が扶養の義務を負っている親族のみに限らず、労働者の収入で生計を営む者であれば、親族でなく同居人であっても差し支えない。

A 一つ

B 二つ

C 三つ

D 四つ

E 五つ

問4 労働基準法第26条（以下本問において「本条」という。）に定める休業手当に関する次の記述のうち、正しいものはどれか。

A 本条は、債権者の責に帰すべき事由によって債務を履行することができない場合、債務者は反対給付を受ける権利を失わないとする民法の一般原則では労働者の生活保障について不十分である事実にかんがみ、強行法規で平均賃金の100分の60までを保障しようとする趣旨の規定であるが、賃金債権を全額確保しうる民法の規定を排除する点において、労働者にとって不利なものになっている。

B 使用者が本条によって休業手当を支払わなければならないのは、使用者の責に帰すべき事由によって休業した日から休業した最終の日までであり、その期間における労働基準法第35条の休日及び労働協約、就業規則又は労働契約によって定められた同法第35条によらない休日を含むものと解されている。

C 就業規則で「会社の業務の都合によって必要と認めたときは本人を休職扱いとすることがある」と規定し、更に当該休職者に対しその休職期間中の賃金は月額の2分の1を支給する旨規定することは違法ではないので、その規定に従って賃金を支給する限りにおいては、使用者に本条の休業手当の支払義務は生じない。

D 親会社からのみ資材資金の供給を受けて事業を営む下請工場において、現下の経済情勢から親会社自体が経営難のため資材資金の獲得に支障を来し、下請工場が所要の供給を受けることができず、しかも他よりの獲得もできないため休業した場合、その事由は本条の「使用者の責に帰すべき事由」とはならない。

E 新規学卒者のいわゆる採用内定について、就労の始期が確定し、一定の事由による解約権を留保した労働契約が成立したとみられる場合、企業の都合によって就業の始期を繰り下げる、いわゆる自宅待機の措置をとるときは、その繰り下げられた期間について、本条に定める休業手当を支給すべきものと解されている。

令和3年度
（第53回）

択一式

問5 労働基準法に定める労働時間等に関する次の記述のうち、正しいものはどれか。

A 令和３年４月１日から令和４年３月31日までを有効期間とする書面による時間外及び休日労働に関する協定を締結し、これを令和３年４月９日に厚生労働省令で定めるところにより所轄労働基準監督署長に届け出た場合、令和３年４月１日から令和３年４月８日までに行われた法定労働時間を超える労働は、適法なものとはならない。

B 使用者は、当該事業場に、労働者の過半数で組織する労働組合がある場合においてはその労働組合、労働者の過半数で組織する労働組合がない場合においては労働者の過半数を代表する者との書面による協定により、１か月以内の一定の期間を平均し１週間当たりの労働時間が労働基準法第32条第１項の労働時間を超えない定めをしたときは、同条の規定にかかわらず、その定めにより、特定された週において同項の労働時間又は特定された日において同条第２項の労働時間を超えて、労働させることができるが、この協定の効力は、所轄労働基準監督署長に届け出ることにより認められる。

C 労働基準法第33条では、災害その他避けることのできない事由によって、臨時の必要がある場合においては、使用者は、所轄労働基準監督署長の許可を受けて、その必要の限度において同法第32条から第32条の５まで又は第40条の労働時間を延長し、労働させることができる旨規定されているが、満18才に満たない者については、同法第33条の規定は適用されない。

D 労働基準法第32条又は第40条に定める労働時間の規定は、事業の種類にかかわらず監督又は管理の地位にある者には適用されないが、当該者が妊産婦であって、前記の労働時間に関する規定を適用するよう当該者から請求があった場合は、当該請求のあった規定については適用される。

E 労働基準法第32条の３に定めるいわゆるフレックスタイム制を導入している場合の同法第36条による時間外労働に関する協定における１日の延長時間については、１日８時間を超えて行われる労働時間のうち最も長い時間数を定めなければならない。

問6 労働基準法第65条に関する次の記述のうち、誤っているものはどれか。

A 労働基準法第65条の「出産」の範囲は、妊娠4か月以上の分娩をいうが、1か月は28日として計算するので、4か月以上というのは、85日以上ということになる。

B 労働基準法第65条の「出産」の範囲に妊娠中絶が含まれることはない。

C 使用者は、産後8週間（女性が請求した場合において、その者について医師が支障がないと認めた業務に就かせる場合は6週間）を経過しない女性を就業させてはならないが、出産当日は、産前6週間に含まれる。

D 6週間（多胎妊娠の場合にあっては、14週間）以内に出産する予定の女性労働者については、当該女性労働者の請求が産前の休業の条件となっているので、当該女性労働者の請求がなければ、労働基準法第65条第1項による就業禁止に該当しない。

E 労働基準法第65条第3項は原則として妊娠中の女性が請求した業務に転換させる趣旨であるが、新たに軽易な業務を創設して与える義務まで課したものではない。

問7 労働基準法に定める就業規則等に関する次の記述のうち、正しいものはどれか。

A 労働基準法第89条第1号から第3号までの絶対的必要記載事項の一部を記載しない就業規則も、その効力発生についての他の要件を具備する限り有効であり、使用者は、そのような就業規則を作成し届け出れば同条違反の責任を免れることができるが、行政官庁は、このような場合においては、使用者に対し、必要な助言及び指導を行わなければならない。

B 欠勤（病気事故）したときに、その日を労働者の請求により年次有給休暇に振り替える取扱いが制度として確立している場合には、当該取扱いについて就業規則に規定する必要はない。

令和3年度（第53回）
択一式

C 同一事業場において当該事業場の全労働者の3割について適用される就業規則を別に作成する場合、当該事業場において当該就業規則の適用を受ける労働者のみの過半数で組織する労働組合又は当該就業規則の適用を受ける労働者のみの過半数を代表する者の意見を聴くことで、労働基準法第90条による意見聴取を行ったこととされる。

D 就業規則中に懲戒処分を受けた場合は昇給させないという欠格条件を定めることは、労働基準法第91条に違反する。

E 労働基準法第91条にいう「一賃金支払期における賃金の総額」とは、「当該賃金支払期に対し現実に支払われる賃金の総額」をいい、一賃金支払期に支払われるべき賃金の総額が欠勤や遅刻等により少額となったときは、その少額となった賃金総額を基礎として10分の1を計算しなければならない。

問8 労働安全衛生法に関する次の記述のうち、正しいものはどれか。

A 労働安全衛生法では、「労働者」は、労働基準法第9条に規定する労働者だけをいうものではなく、建設業におけるいわゆる一人親方(労災保険法第35条第1項の規定により保険給付を受けることができることとされた者)も下請負人として建設工事の業務に従事する場合は、元方事業者との関係において労働者としている。

B 二以上の建設業に属する事業の事業者が、一の場所において行われる当該事業の仕事を共同連帯して請け負った場合においては、厚生労働省令で定めるところにより、そのうちの一人を代表者として定め、これを都道府県労働局長に届け出なければならないが、この場合においては、当該事業をその代表者のみの事業と、当該代表者のみを当該事業の事業者と、当該事業の仕事に従事する労働者を下請負人の労働者も含めて当該代表者のみが使用する労働者とそれぞれみなして、労働安全衛生法が適用される。

C 労働安全衛生法では、事業者は、作業方法又は作業手順を新規に採用し、又は変更したときは、1か月以内に建設物、設備、原材料、ガス、蒸気、粉じん等による、又は作業行動その他業務に起因する危険性又は有害性等を調査し、その結果に基づいて、労働安全衛生法又はこれに基づく命令の規定による措置を講ずるほか、労働者の危険又は健康障害を防止するため必要な措置を講ずるように努めなければならないとされている。

D 労働安全衛生法では、化学物質による労働者の健康障害を防止するため、新規化学物質を製造し、又は輸入しようとする事業者は、あらかじめ、厚生労働省令で定めるところにより、厚生労働大臣の定める基準に従って有害性の調査（当該新規化学物質が労働者の健康に与える影響についての調査をいう。）を行うよう努めなければならないとされている。

E 労働安全衛生法では、厚生労働大臣は、化学物質で、がんその他の重度の健康障害を労働者に生ずるおそれのあるものについて、当該化学物質による労働者の健康障害を防止するため必要があると認めるときは、厚生労働省令で定めるところにより、当該化学物質を製造し、輸入し、又は使用している事業者その他厚生労働省令で定める事業者に対し、政令で定める有害性の調査（当該化学物質が労働者の健康障害に及ぼす影響についての調査をいう。）を行い、その結果を報告すべきことを指示することができることとされ、また、その指示を行おうとするときは、あらかじめ、厚生労働省令で定めるところにより、学識経験者の意見を聴かなければならないとされている。

問9 総括安全衛生管理者に関する次の記述のうち、正しいものはいくつあるか。

ア 総括安全衛生管理者は、労働安全衛生法施行令で定める業種の事業場の企業全体における労働者数を基準として、企業全体の安全衛生管理を統括管理するために、その選任が義務づけられている。

イ 総括安全衛生管理者は、労働者の危険又は健康障害を防止するための措置に関することを統括管理する。

ウ 総括安全衛生管理者は、労働者の安全又は衛生のための教育の実施に関することを統括管理する。

エ　総括安全衛生管理者は、健康診断の実施その他健康の保持増進のための措置に関することを統括管理する。

オ　総括安全衛生管理者は、労働災害の原因の調査及び再発防止対策に関することを統括管理する。

A　一つ

B　二つ

C　三つ

D　四つ

E　五つ

問10　労働安全衛生関係法令等の周知に関する次の記述のうち、正しいものはどれか。

A　事業者は、この法律及びこれに基づく命令の要旨を各作業場の見やすい場所に掲示し、又は備え付けることその他の厚生労働省令で定める方法により、労働者に周知させなければならないが、この義務は常時10人以上の労働者を使用する事業場に課せられている。

B　産業医を選任した事業者は、その事業場における産業医に対する健康相談の申出の方法などを、常時各作業場の見やすい場所に掲示し、又は備え付けることその他の厚生労働省令で定める方法により、労働者に周知させなければならないが、この義務は常時100人以上の労働者を使用する事業場に課せられている。

C　事業者は、労働安全衛生法第57条の２第１項の規定（労働者に危険又は健康障害を生ずるおそれのある物で政令で定めるもの等通知対象物を譲渡又は提供する者に課せられた危険有害性等に関する文書の交付等義務）により通知された事項を、化学物質、化学物質を含有する製剤その他の物で当該通知された事項に係るものを取り扱う各作業場の見やすい場所に常時掲示し、又は備え付けることその他の厚生労働省令で定める方法により、当該物を取り扱う労働者に周知させる義務がある。

D　安全管理者又は衛生管理者を選任した事業者は、その事業場における安全管理者又は衛生管理者の業務の内容その他の安全管理者又は衛生管理者の業務に関する事項で厚生労働省令で定めるものを、常時各作業場の見やすい場所に掲示し、又は備え付けることその他の厚生労働省令で定める方法により、労働者に周知させる義務がある。

E　事業者は、労働者が労働災害により死亡し、又は4日以上休業したときは、その発生状況及び原因その他の厚生労働省令で定める事項を各作業場の見やすい場所に掲示し、又は備え付けることその他の厚生労働省令で定める方法により、労働者に周知させる義務がある。

令和3年度
（第53回）

択一式

労働者災害補償保険法（労働保険の保険料の徴収等に関する法律を含む。）

問1 業務災害に関する次の記述のうち、誤っているものはどれか。

A 業務上左脛骨横骨折をした労働者が、直ちに入院して加療を受け退院した後に、医師の指示により通院加療を続けていたところ、通院の帰途雪の中ギプスなしで歩行中に道路上で転倒して、ゆ合不完全の状態であった左脛骨を同一の骨折線で再骨折した場合、業務災害と認められる。

B 業務上右大腿骨を骨折し入院手術を受け退院して通院加療を続けていた労働者が、会社施設の浴場に行く途中、弟の社宅に立ち寄り雑談した後に、浴場へ向かうため同社宅の玄関から土間に降りようとして転倒し、前回の骨折部のやや上部を骨折したが、既に手術後は右下肢の短縮と右膝関節の硬直を残していたため、通常の者より転倒しやすく、また骨が幾分細くなっていたため骨折しやすい状態だった場合、業務災害と認められる。

C 業務上右腓骨を不完全骨折し、病院で手当を受け、帰宅して用便のため松葉杖を使用して土間を隔てた便所へ行き、用便後便所から土間へ降りる際に松葉杖が滑って転倒し当初の骨折を完全骨折した場合、業務災害と認められる。

D 業務上脊髄を損傷し入院加療中の労働者が、医師の指示に基づき療養の一環としての手動式自転車に乗車する機能回復訓練中に、第三者の運転する軽四輪貨物自動車に自転車を引っかけられ転倒し負傷した場合、業務災害と認められる。

E 業務上右大腿骨を骨折し入院治療を続けて骨折部のゆ合がほぼ完全となりマッサージのみを受けていた労働者が、見舞いに来た友人のモーターバイクに乗って運転中に車体と共に転倒し、右大腿部を再度骨折した場合、業務災害と認められない。

問2 通勤災害に関する次の記述のうち、誤っているものはどれか。

A 3歳の子を養育している一人親世帯の労働者がその子をタクシーで託児所に預けに行く途中で追突事故に遭い、負傷した。その労働者は、通常、交通法規を遵守しつつ自転車で託児所に子を預けてから職場に行っていたが、この日は、大雨であったためタクシーに乗っていた。タクシーの経路は、自転車のときとは違っていたが、車であれば、よく利用される経路であった。この場合は、通勤災害と認められる。

B 腰痛の治療のため、帰宅途中に病院に寄った労働者が転倒して負傷した。病院はいつも利用している駅から自宅とは反対方向にあり、負傷した場所はその病院から駅に向かう途中の路上であった。この場合は、通勤災害と認められない。

C 従業員が業務終了後に通勤経路の駅に近い自動車教習所で教習を受けて駅から自宅に帰る途中で交通事故に遭い負傷した。この従業員の勤める会社では、従業員が免許取得のため自動車教習所に通う場合、奨励金として費用の一部を負担している。この場合は、通勤災害と認められる。

D 配偶者と小学生の子と別居して単身赴任し、月に1〜2回、家族の住む自宅に帰っている労働者が、1週間の夏季休暇の1日目は交通機関の状況等は特段の問題はなかったが単身赴任先で洗濯や買い物等の家事をし、2日目に家族の住む自宅へ帰る途中に交通事故に遭い負傷した。この場合は、通勤災害と認められない。

E 自家用車で通勤していた労働者Xが通勤途中、他の自動車との接触事故で負傷したが、労働者Xは所持している自動車運転免許の更新を失念していたため、当該免許が当該事故の1週間前に失効しており、当該事故の際、労働者Xは、無免許運転の状態であった。この場合は、諸般の事情を勘案して給付の支給制限が行われることはあるものの、通勤災害と認められる可能性はある。

令和3年度
（第53回）

択一式

問3 特別加入に関する次の記述のうち、正しいものはどれか。

A　特別加入者である中小事業主が高齢のため実際には就業せず、専ら同業者の事業主団体の会合等にのみ出席するようになった場合であっても、中小企業の特別加入は事業主自身が加入する前提であることから、事業主と当該事業に従事する他の者を包括して加入しなければならず、就業実態のない事業主として特別加入者としないことは認められない。

B　労働者を使用しないで行うことを常態とする特別加入者である個人貨物運送業者については、その住居とその就業の場所との間の往復の実態を明確に区別できることにかんがみ、通勤災害に関する労災保険の適用を行うものとされている。

C　特別加入している中小事業主が行う事業に従事する者（労働者である者を除く。）が業務災害と認定された。その業務災害の原因である事故が事業主の故意又は重大な過失により生じさせたものである場合は、政府は、その業務災害と認定された者に対して保険給付を全額支給し、厚生労働省令で定めるところにより、その保険給付に要した費用に相当する金額の全部又は一部を事業主から徴収することができる。

D　日本国内で行われている有期事業でない事業を行う事業主から、海外（業務災害、複数業務要因災害及び通勤災害に関する保護制度の状況その他の事情を考慮して厚生労働省令で定める国の地域を除く。）の現地法人で行われている事業に従事するため派遣された労働者について、急な赴任のため特別加入の手続きがなされていなかった。この場合、海外派遣されてからでも派遣元の事業主（日本国内で実施している事業について労災保険の保険関係が既に成立している事業主）が申請すれば、政府の承認があった場合に特別加入することができる。

E　平成29年から介護作業従事者として特別加入している者が、訪問先の家庭で介護者以外の家族の家事支援作業をしているときに火傷し負傷した場合は、業務災害と認められることはない。

問4 心理的負荷による精神障害の認定基準（令和5年9月1日付け基発0901第2号）の業務による心理的負荷評価表の「平均的な心理的負荷の強度」の「具体的出来事」の1つである「上司等から身体的攻撃、精神的攻撃等のパワーハラスメントを受けた」の、「心理的負荷の強度を『弱』『中』『強』と判断する具体例」に関する次の記述のうち、誤っているものはどれか。（改題）

A 人格や人間性を否定するような、業務上明らかに必要性がない精神的攻撃が行われたが、その行為が反復・継続していない場合、他に会社に相談しても適切な対応がなく改善されなかった等の事情がなければ、心理的負荷の程度は「中」になるとされている。

B 人格や人間性を否定するような、業務の目的を逸脱した精神的攻撃が行われたが、その行為が反復・継続していない場合、他に会社に相談しても適切な対応がなく改善されなかった等の事情がなければ、心理的負荷の程度は「中」になるとされている。

C 他の労働者の面前における威圧的な叱責など、態様や手段が社会通念に照らして許容される範囲を超える精神的攻撃が行われたが、その行為が反復・継続していない場合、他に会社に相談しても適切な対応がなく改善されなかった等の事情がなければ、心理的負荷の程度は「中」になるとされている。

D 治療等を要さない程度の暴行による身体的攻撃が行われた場合、その行為が反復・継続していなくても、また、他に会社に相談しても適切な対応がなく改善されなかった等の事情がなくても、心理的負荷の程度は「強」になるとされている。

E 「上司等」には、同僚又は部下であっても業務上必要な知識や豊富な経験を有しており、その者の協力が得られなければ業務の円滑な遂行を行うことが困難な場合、同僚又は部下からの集団による行為でこれに抵抗又は拒絶することが困難である場合も含む。

令和3年度
（第53回）

択一式

問5 業務上の災害により既に１上肢の手関節の用を廃し第８級の６（給付基礎日額の503日分）と障害等級を認定されていた者が、復帰直後の新たな業務上の災害により同一の上肢の手関節を亡失した場合、現存する障害は第５級の２（当該障害の存する期間１年につき給付基礎日額の184日分）となるが、この場合の障害補償の額は、当該障害の存する期間１年につき給付基礎日額の何日分となるかについての次の記述のうち、正しいものはどれか。

A 163.88日分

B 166.64日分

C 184日分

D 182.35日分

E 182.43日分

問6 遺族補償一時金を受けるべき遺族の順位に関する次の記述のうち、誤っているものはどれか。

A 労働者の死亡当時その収入によって生計を維持していた父母は、労働者の死亡当時その収入によって生計を維持していなかった配偶者より先順位となる。

B 労働者の死亡当時その収入によって生計を維持していた祖父母は、労働者の死亡当時その収入によって生計を維持していなかった父母より先順位となる。

C 労働者の死亡当時その収入によって生計を維持していた孫は、労働者の死亡当時その収入によって生計を維持していなかった子より先順位となる。

D 労働者の死亡当時その収入によって生計を維持していた兄弟姉妹は、労働者の死亡当時その収入によって生計を維持していなかった子より後順位となる。

E 労働者の死亡当時その収入によって生計を維持していた兄弟姉妹は、労働者の死亡当時その収入によって生計を維持していなかった父母より後順位となる。

問7 上肢作業に基づく疾病の業務上外の認定基準（平成9年2月3日付け基発第65号）によれば、(1)上肢等に負担のかかる作業を主とする業務に相当期間従事した後に発症したものであること、(2)発症前に過重な業務に就労したこと、(3)過重な業務への就労と発症までの経過が、医学上妥当なものと認められることのいずれの要件も満たし、医学上療養が必要であると認められる上肢障害は、労働基準法施行規則別表第1の2第3号4又は5に該当する疾病として取り扱うこととされている。この認定要件の運用基準又は認定に当たっての留意事項に関する次の記述のうち、誤っているものはどれか。

A 「相当期間」とは原則として6か月程度以上をいうが、腱鞘炎等については、作業従事期間が6か月程度に満たない場合でも、短期間のうちに集中的に過度の負担がかかった場合には、発症することがあるので留意することとされている。

B 業務以外の個体要因（例えば年齢、素因、体力等）や日常生活要因（例えば家事労働、育児、スポーツ等）をも検討した上で、上肢作業者が、業務により上肢を過度に使用した結果発症したと考えられる場合に、業務に起因することが明らかな疾病として取り扱うものとされている。

C 上肢障害には、加齢による骨・関節系の退行性変性や関節リウマチ等の類似疾病が関与することが多いことから、これが疑われる場合には、専門医からの意見聴取や鑑別診断等を実施することとされている。

D 「上肢等に負担のかかる作業」とは、(1)上肢の反復動作の多い作業、(2)上肢を上げた状態で行う作業、(3)頸部、肩の動きが少なく、姿勢が拘束される作業、(4)上肢等の特定の部位に負担のかかる状態で行う作業のいずれかに該当する上肢等を過度に使用する必要のある作業をいうとされている。

E 一般に上肢障害は、業務から離れ、あるいは業務から離れないまでも適切な作業の指導・改善等を行い就業すれば、症状は軽快し、また、適切な療養を行うことによっておおむね1か月程度で症状が軽快すると考えられ、手術が施行された場合でも一般的におおむね3か月程度の療養が行われれば治ゆするものと考えられるので留意することとされている。

令和3年度
（第53回）

択一式

問8 保険関係の成立及び消滅に関する次の記述のうち、正しいものはどれか。

A 　労災保険暫定任意適用事業に該当する事業が、事業内容の変更（事業の種類の変化）、使用労働者数の増加、経営組織の変更等により、労災保険の適用事業に該当するに至ったときは、その該当するに至った日の翌日に、当該事業について労災保険に係る保険関係が成立する。

B 　労災保険に任意加入しようとする任意適用事業の事業主は、任意加入申請書を所轄労働基準監督署長を経由して所轄都道府県労働局長に提出し、厚生労働大臣の認可があった日の翌日に、当該事業について労災保険に係る保険関係が成立する。

C 　労災保険に加入する以前に労災保険暫定任意適用事業において発生した業務上の傷病に関して、当該事業が労災保険に加入した後に事業主の申請により特例として行う労災保険の保険給付が行われることとなった労働者を使用する事業である場合、当該保険関係が成立した後1年以上経過するまでの間は脱退が認められない。

D 　労災保険に係る保険関係の消滅を申請しようとする労災保険暫定任意適用事業の事業主は、保険関係消滅申請書を所轄労働基準監督署長を経由して所轄都道府県労働局長に提出し、厚生労働大臣の認可があった日の翌日に、当該事業についての保険関係が消滅する。

E 　労災保険暫定任意適用事業の事業者がなした保険関係の消滅申請に対して厚生労働大臣の認可があったとき、当該保険関係の消滅に同意しなかった者については労災保険に係る保険関係は消滅しない。

問9 労働保険の保険料の徴収等に関する次の記述のうち、誤っているものはどれか。

　　なお、本問における「概算保険料申告書」とは、労働保険徴収法第15条第1項及び第2項の申告書をいう。

A 　事業主が概算保険料を納付する場合には、当該概算保険料を、その労働保険料の額その他厚生労働省令で定める事項を記載した概算保険料申告書に添えて、納入告知書に係るものを除き納付書によって納付しなければならない。

B 有期事業（一括有期事業を除く。）の事業主は、概算保険料を、当該事業を開始した日の翌日から起算して20日以内に納付しなければならないが、当該事業の全期間が200日であり概算保険料の額が80万円の場合には、概算保険料申告書を提出する際に延納の申請をすることにより、当該概算保険料を分割納付することができる。

C 労働保険徴収法第16条の厚生労働省令で定める要件に該当するときは、既に納付した概算保険料と増加を見込んだ賃金総額の見込額に基づいて算定した概算保険料との差額（以下「増加概算保険料」という。）を、その額その他厚生労働省令で定める事項を記載した申告書に添えて納付しなければならないが、当該申告書の記載事項は増加概算保険料を除き概算保険料申告書と同一である。

D 概算保険料の納付は事業主による申告納付方式がとられているが、事業主が所定の期限までに概算保険料申告書を提出しないとき、又はその申告書の記載に誤りがあると認めるときは、都道府県労働局歳入徴収官が労働保険料の額を決定し、これを事業主に通知する。

E 事業主の納付した概算保険料の額が、労働保険徴収法第15条第3項の規定により政府の決定した概算保険料の額に足りないとき、事業主はその不足額を同項の規定による通知を受けた日の翌日から起算して15日以内に納付しなければならない。

問10 有期事業の一括に関する次の記述のうち、誤っているものはどれか。

A 有期事業の一括が行われるには、当該事業の概算保険料の額（労働保険徴収法第15条第2項第1号又は第2号の労働保険料を算定することとした場合における当該労働保険料の額）に相当する額が160万円未満でなければならない。

B 有期事業の一括が行われる要件の一つとして、それぞれの事業が、労災保険に係る保険関係が成立している事業であり、かつ建設の事業又は立木の伐採の事業であることが定められている。

C 建設の事業に有期事業の一括が適用されるには、それぞれの事業の種類を同じくすることを要件としているが、事業の種類が異なっていたとしても、労災保険率が同じ事業は、事業の種類を同じくするものとみなして有期事業の一括が適用される。

D 同一人がＸ株式会社とＹ株式会社の代表取締役に就任している場合、代表取締役が同一人であることは、有期事業の一括が行われる要件の一つである「事業主が同一人であること」に該当せず、有期事業の一括は行われない。

E Ｘ会社がＹ会社の下請として施工する建設の事業は、その事業の規模及び事業の種類が有期事業の一括の要件を満たすものであっても、Ｘ会社が元請として施工する有期事業とは一括されない。

雇用保険法（労働保険の保険料の徴収等に関する法律を含む。）

問1 被保険者資格の有無の判断に係る所定労働時間の算定に関する次の記述のうち、誤っているものはどれか。

A 雇用契約書等により1週間の所定労働時間が定まっていない場合やシフト制などにより直前にならないと勤務時間が判明しない場合、勤務実績に基づき平均の所定労働時間を算定する。

B 所定労働時間が1か月の単位で定められている場合、当該時間を12分の52で除して得た時間を1週間の所定労働時間として算定する。

C 1週間の所定労働時間算定に当たって、4週5休制等の週休2日制等1週間の所定労働時間が短期的かつ周期的に変動し、通常の週の所定労働時間が一通りでないとき、1週間の所定労働時間は、それらの加重平均により算定された時間とする。

D 労使協定等において「1年間の所定労働時間の総枠は○○時間」と定められている場合のように、所定労働時間が1年間の単位で定められている場合は、さらに、週又は月を単位として所定労働時間が定められている場合であっても、1年間の所定労働時間の総枠を52で除して得た時間を1週間の所定労働時間として算定する。

E 雇用契約書等における1週間の所定労働時間と実際の勤務時間に常態的に乖離がある場合であって、当該乖離に合理的な理由がない場合は、原則として実際の勤務時間により1週間の所定労働時間を算定する。

問2 未支給の失業等給付に関する次の記述のうち、正しいものはどれか。

A 死亡した受給資格者に配偶者（婚姻の届出をしていないが、事実上婚姻関係と同様の事情にあった者を含む。）及び子がいないとき、死亡した受給資格者と死亡の当時生計を同じくしていた父母は未支給の失業等給付を請求することができる。

B 失業等給付の支給を受けることができる者が死亡した場合において、未支給の失業等給付の支給を受けるべき順位にあるその者の遺族は、死亡した者の名でその未支給の失業等給付の支給を請求することができる。

C 正当な理由がなく自己の都合によって退職したことにより基本手当を支給しないこととされた期間がある受給資格者が死亡した場合、死亡した受給資格者の遺族の請求により、当該基本手当を支給しないこととされた期間中の日に係る未支給の基本手当が支給される。

D 死亡した受給資格者が、死亡したため所定の認定日に公共職業安定所に出頭し失業の認定を受けることができなかった場合、未支給の基本手当の支給を請求する者は、当該受給資格者について失業の認定を受けたとしても、死亡直前に係る失業認定日から死亡日までの基本手当を受けることができない。

E 受給資格者の死亡により未支給の失業等給付の支給を請求しようとする者は、当該受給資格者の死亡の翌日から起算して３か月以内に請求しなければならない。

問3 雇用保険法第22条第３項に規定する算定基礎期間に関する次の記述のうち、誤っているものはどれか。

A 育児休業給付金の支給に係る休業の期間は、算定基礎期間に含まれない。

B 雇用保険法第９条の規定による被保険者となったことの確認があった日の２年前の日より前であって、被保険者が負担すべき保険料が賃金から控除されていたことが明らかでない期間は、算定基礎期間に含まれない。

C 労働者が長期欠勤している場合であっても、雇用関係が存続する限り、賃金の支払を受けているか否かにかかわらず、当該期間は算定基礎期間に含まれる。

D かつて被保険者であった者が、離職後１年以内に被保険者資格を再取得しなかった場合には、その期間内に基本手当又は特例一時金の支給を受けていなかったとしても、当該離職に係る被保険者であった期間は算定基礎期間に含まれない。

E 特例一時金の支給を受け、その特例受給資格に係る離職の日以前の被保険者であった期間は、当該支給を受けた日後に離職して基本手当又は特例一時金の支給を受けようとする際に、算定基礎期間に含まれる。

問4 特定理由離職者と特定受給資格者に関する次の記述のうち、正しいものはどれか。

A 事業の期間が予定されている事業において当該期間が終了したことにより事業所が廃止されたため離職した者は、特定受給資格者に該当する。

B いわゆる登録型派遣労働者については、派遣就業に係る雇用契約が終了し、雇用契約の更新・延長についての合意形成がないが、派遣労働者が引き続き当該派遣元事業主のもとでの派遣就業を希望していたにもかかわらず、派遣元事業主から当該雇用契約期間の満了日までに派遣就業を指示されなかったことにより離職した者は、特定理由離職者に該当する。

C 常時介護を必要とする親族と同居する労働者が、概ね往復5時間以上を要する遠隔地に転勤を命じられたことにより離職した場合、当該転勤は労働者にとって通常甘受すべき不利益であるから、特定受給資格者に該当しない。

D 労働組合の除名により、当然解雇となる団体協約を結んでいる事業所において、当該組合から除名の処分を受けたことによって解雇された場合には、事業主に対し自己の責めに帰すべき重大な理由がないとしても、特定受給資格者に該当しない。

E 子弟の教育のために退職した者は、特定理由離職者に該当する。

問5 短期雇用特例被保険者に関する次の記述のうち、誤っているものはどれか。

令和3年度（第53回）択一式

A 特例一時金の支給を受けようとする特例受給資格者は、離職の日の翌日から起算して6か月を経過する日までに、公共職業安定所に出頭し、求職の申込みをした上、失業の認定を受けなければならない。

B 特例一時金の支給を受けることができる期限内において、短期雇用特例被保険者が疾病又は負傷により職業に就くことができない期間がある場合には、当該特例一時金の支給を受けることができる特例受給資格に係る離職の日の翌日から起算して3か月を上限として受給期限が延長される。

C 特例一時金は、特例受給資格者が当該特例一時金に係る離職後最初に公共職業安定所に求職の申込みをした日以後において、失業している日（疾病又は負傷のため職業に就くことができない日を含む。）が通算して７日に満たない間は、支給しない。

D 短期雇用特例被保険者が、同一暦月においてＡ事業所において賃金支払の基礎となった日数が11日以上で離職し、直ちにＢ事業所に就職して、Ｂ事業所においてもその月に賃金支払の基礎となった日数が11日以上ある場合、被保険者期間は１か月として計算される。

E 特例受給資格者が、当該特例受給資格に基づく特例一時金の支給を受ける前に公共職業安定所長の指示した公共職業訓練等（その期間が40日以上２年以内のものに限る。）を受ける場合には、当該公共職業訓練等を受け終わる日までの間に限り求職者給付が支給される。

問6 教育訓練給付に関する次の記述のうち、誤っているものはどれか。
　　　なお、本問において、「教育訓練」とは、雇用保険法第60条の２第１項の規定に基づき厚生労働大臣が指定する教育訓練のことをいう。

A 特定一般教育訓練受講予定者は、キャリアコンサルティングを踏まえて記載した職務経歴等記録書を添えて管轄公共職業安定所の長に所定の書類を提出しなければならない。

B 一般教育訓練給付金は、一時金として支給される。

C 偽りその他不正の行為により教育訓練給付金の支給を受けたことから教育訓練給付金を受けることができないとされた者であっても、その後新たに教育訓練給付金の支給を受けることができるものとなった場合には、教育訓練給付金を受けることができる。

D 専門実践教育訓練を開始した日における年齢が45歳以上の者は、教育訓練支援給付金を受けることができない。

E 一般被保険者でなくなって１年を経過しない者が負傷により30日以上教育訓練を開始することができない場合であって、傷病手当の支給を受けているときは、教育訓練給付適用対象期間延長の対象とならない。

問7 育児休業給付に関する次の記述のうち、正しいものはどれか。

　　なお、本問の被保険者には、短期雇用特例被保険者及び日雇労働被保険者を含めないものとし、また、出生時育児休業給付金については考慮しないものとする。（改題）

A　特別養子縁組の成立のための監護期間に係る育児休業給付金の支給につき、家庭裁判所において特別養子縁組の成立を認めない審判が行われた場合には、家庭裁判所に対して特別養子縁組を成立させるための請求を再度行わない限り、その決定日の前日までが育児休業給付金の支給対象となる。

B　休業開始時賃金日額は、その雇用する被保険者に育児休業（同一の子について2回以上の育児休業をした場合にあっては、初回の育児休業とする。）を開始した日前の賃金締切日からその前の賃金締切日翌日までの間に賃金支払基礎日数が11日以上ある場合、支払われた賃金の総額を30で除して得た額で算定される。

C　育児休業をした被保険者に当該被保険者を雇用している事業主から支給単位期間に賃金が支払われた場合において、当該賃金の額が休業開始時賃金日額に支給日数を乗じて得た額の100分の50に相当する額であるときは、育児休業給付金が支給されない。

D　男性が配偶者の出産予定日から育児休業を取得する場合、配偶者の出産日から8週間を経過した日から対象育児休業となる。

E　対象育児休業を行った労働者が当該対象育児休業終了後に配偶者（婚姻の届出をしていないが、事実上婚姻関係と同様の事情にある者を含む。）が死亡したことによって再度同一の子について育児休業を取得した場合、子が満1歳に達する日以前であっても、育児休業給付金の支給対象となることはない。

問8 特例納付保険料の納付等に関する次の記述のうち、正しいものはどれか。

A　雇用保険の被保険者となる労働者を雇い入れ、労働者の賃金から雇用保険料負担額を控除していたにもかかわらず、労働保険徴収法第4条の2第1項の届出を行っていなかった事業主は、納付する義務を履行していない一般保険料のうち徴収する権利が時効によって既に消滅しているものについても、特例納付保険料として納付する義務を負う。

B 特例納付保険料の納付額は、労働保険徴収法第26条第１項に規定する厚生労働省令で定めるところにより算定した特例納付保険料の基本額に、当該特例納付保険料の基本額に100分の10を乗じて得た同法第21条第１項の追徴金の額を加算して求めるものとされている。

C 政府は、事業主から、特例納付保険料の納付をその預金口座又は貯金口座のある金融機関に委託して行うことを希望する旨の申出があった場合には、その納付が確実と認められ、かつ、その申出を承認することが労働保険料の徴収上有利と認められるときに限り、その申出を承認することができる。

D 労働保険徴収法第26条第２項の規定により厚生労働大臣から特例納付保険料の納付の勧奨を受けた事業主が、特例納付保険料を納付する旨を、厚生労働省令で定めるところにより、厚生労働大臣に対して書面により申し出た場合、同法第27条の督促及び滞納処分の規定並びに同法第28条の延滞金の規定の適用を受ける。

E 所轄都道府県労働局歳入徴収官は、労働保険徴収法第26条第４項の規定に基づき、特例納付保険料を徴収しようとする場合には、通知を発する日から起算して30日を経過した日をその納期限と定め、事業主に、労働保険料の増加額及びその算定の基礎となる事項並びに納期限を通知しなければならない。

問9 労働保険事務組合に関する次の記述のうち、誤っているものはどれか。

A 労働保険事務組合は、雇用保険に係る保険関係が成立している事業にあっては、労働保険事務の処理の委託をしている事業主ごとに雇用保険被保険者関係届出事務等処理簿を事務所に備えておかなければならない。

B 労働保険徴収法第33条第１項に規定する事業主の団体の構成員又はその連合団体を構成する団体の構成員である事業主以外の事業主であっても、労働保険事務の処理を委託することが必要であると認められる事業主は、労働保険事務組合に労働保険事務の処理を委託することができる。

C 保険給付に関する請求書等の事務手続及びその代行、雇用保険二事業に係る事務手続及びその代行、印紙保険料に関する事項などは、事業主が労働保険事務組合に処理を委託できる労働保険事務の範囲に含まれない。

D 　労働保険事務組合に労働保険事務の処理を委託している事業場の所在地を管轄する行政庁が、当該労働保険事務組合の主たる事務所の所在地を管轄する行政庁と異なる場合、当該事業場についての一般保険料の徴収は、労働保険事務組合の主たる事務所の所在地の都道府県労働局歳入徴収官が行う。

E 　労働保険事務組合は、労働保険事務の処理の委託があったときは、委託を受けた日の翌日から起算して14日以内に、労働保険徴収法施行規則第64条に定める事項を記載した届書を、その主たる事務所の所在地を管轄する都道府県労働局長に提出しなければならない。

問10 　次に示す業態をとる事業についての労働保険料に関する記述のうち、正しいものはどれか。

　　　なお、本問においては、保険料の滞納はないものとし、また、一般保険料以外の対象となる者はいないものとする。

　　　　保険関係成立年月日：令和元年7月10日

　　　　事業の種類：食料品製造業

　　　　令和2年度及び3年度の労災保険率：1000分の6

　　　　令和2年度及び3年度の雇用保険率：1000分の9

　　　　令和元年度の確定賃金総額：4,000万円

　　　　令和2年度に支払いが見込まれていた賃金総額：7,400万円

　　　　令和2年度の確定賃金総額：7,600万円

　　　　令和3年度に支払いが見込まれる賃金総額3,600万円

A 　令和元年度の概算保険料を納付するに当たって概算保険料の延納を申請した。当該年度の保険料は3期に分けて納付することが認められ、第1期分の保険料の納付期日は保険関係成立の日の翌日から起算して50日以内の令和元年8月29日までとされた。

B 　令和2年度における賃金総額はその年度当初には7,400万円が見込まれていたので、当該年度の概算保険料については、下記の算式により算定し、111万円とされた。

　　　　7,400万円×1000分の15＝111万円

C 令和3年度の概算保険料については、賃金総額の見込額を3,600万円で算定し、延納を申請した。また、令和2年度の確定保険料の額は同年度の概算保険料の額を上回った。この場合、第1期分の保険料は下記の算式により算定した額とされた。

3,600万円×1000分の15÷3＝18万円--①

（令和2年度の確定保険料）－（令和2年度の概算保険料）--------------②

第1期分の保険料＝①＋②

D 令和3年度に支払いを見込んでいた賃金総額が3,600万円から6,000万円に増加した場合、増加後の賃金総額の見込額に基づき算定した概算保険料の額と既に納付した概算保険料の額との差額を増加概算保険料として納付しなければならない。

E 令和3年度の概算保険料の納付について延納を申請し、定められた納期限に従って保険料を納付後、政府が、申告書の記載に誤りがあったとして概算保険料の額を決定し、事業主に対し、納付した概算保険料の額が政府の決定した額に足りないと令和3年8月16日に通知した場合、事業主はこの不足額を納付しなければならないが、この不足額については、その額にかかわらず、延納を申請することができない。

労務管理その他の労働及び社会保険に関する一般常識

問1 我が国の労働者の「働きやすさ」に関する次の記述のうち、誤っているものはどれか。

　なお、本問は、「令和元年版労働経済白書（厚生労働省）」を参照しており、当該白書又は当該白書が引用している調査による用語及び統計等を利用している。

A 正社員について、働きやすさに対する認識を男女別・年齢階級別にみると、男女ともにいずれの年齢階級においても、働きやすさに対して満足感を「いつも感じる」又は「よく感じる」者が、「全く感じない」又は「めったに感じない」者を上回っている。

B 正社員について、働きやすさの向上のために、労働者が重要と考えている企業側の雇用管理を男女別・年齢階級別にみると、男性は「職場の人間関係やコミュニケーションの円滑化」、女性は「労働時間の短縮や働き方の柔軟化」がいずれの年齢層でも最も多くなっている。

C 正社員について、男女計における1か月当たりの労働時間と働きやすさとの関係をみると、労働時間が短くなるほど働きやすいと感じる者の割合が増加し、逆に労働時間が長くなるほど働きにくいと感じる者の割合が増加する。

D 正社員について、テレワークの導入状況と働きやすさ・働きにくさとの関係をみると、テレワークが導入されていない場合の方が、導入されている場合に比べて、働きにくいと感じている者の割合が高くなっている。

E 勤務間インターバル制度に該当する正社員と該当しない正社員の働きやすさを比較すると、該当する正社員の方が働きやすさを感じている。

令和**3**年度
（第53回）

択一式

問2 我が国の労働者の就業形態の多様化に関する次の記述のうち、正しいものはどれか。

なお、本問は、「令和元年就業形態の多様化に関する総合実態調査の概況（厚生労働省）」を参照しており、当該調査による用語及び統計等を利用している。

A 令和元年10月 1 日現在で、就業形態別に当該就業形態の労働者がいる事業所の割合（複数回答）をみると、「正社員以外の労働者がいる事業所」は前回調査（平成26年）と比べて低下している。

B 正社員以外の就業形態別事業所割合をみると、「派遣労働者（受け入れ）がいる」が最も高くなっている。

C 正社員以外の労働者がいる事業所について、正社員以外の労働者を活用する理由（複数回答）をみると、「正社員を確保できないため」とする事業所割合が最も高くなっている。

D 正社員以外の労働者がいる事業所について、正社員以外の労働者を活用する上での問題点（複数回答）をみると、「仕事に対する責任感」が最も高くなっている。

E 雇用期間の定めのある正社員以外の労働者について、期間を定めない雇用契約への変更希望の有無をみると、「希望する」が「希望しない」を上回っている。

問3 労働契約法等に関する次の記述のうち、誤っているものはどれか。

A 労働契約法第 7 条は、「労働者及び使用者が労働契約を締結する場合において、使用者が合理的な労働条件が定められている就業規則を労働者に周知させていた場合には、労働契約の内容は、その就業規則で定める労働条件によるものとする。」と定めているが、同条は、労働契約の成立場面について適用されるものであり、既に労働者と使用者との間で労働契約が締結されているが就業規則は存在しない事業場において新たに就業規則を制定した場合については適用されない。

B 使用者が就業規則の変更により労働条件を変更する場合について定めた労働契約法第10条本文にいう「労働者の受ける不利益の程度、労働条件の変更の必要性、変更後の就業規則の内容の相当性、労働組合等との交渉の状況その他の就業規則の変更に係る事情」のうち、「労働組合等」には、労働者の過半数で組織する労働組合その他の多数労働組合や事業場の過半数を代表する労働者だけでなく、少数労働組合が含まれるが、労働者で構成されその意思を代表する親睦団体は含まれない。

C 労働契約法第13条は、就業規則で定める労働条件が法令又は労働協約に反している場合には、その反する部分の労働条件は当該法令又は労働協約の適用を受ける労働者との間の労働契約の内容とはならないことを規定しているが、ここでいう「法令」とは、強行法規としての性質を有する法律、政令及び省令をいい、罰則を伴う法令であるか否かは問わず、労働基準法以外の法令も含まれる。

D 有期労働契約の更新時に、所定労働日や始業終業時刻等の労働条件の定期的変更が行われていた場合に、労働契約法第18条第1項に基づき有期労働契約が無期労働契約に転換した後も、従前と同様に定期的にこれらの労働条件の変更を行うことができる旨の別段の定めをすることは差し支えないと解される。

E 有期労働契約の更新等を定めた労働契約法第19条の「更新の申込み」及び「締結の申込み」は、要式行為ではなく、使用者による雇止めの意思表示に対して、労働者による何らかの反対の意思表示が使用者に伝わるものでもよい。

令和3年度
(第53回)

択一式

問4 労働関係法規に関する次のアからオの記述のうち、誤っているものの組合せは、後記AからEまでのうちどれか。

ア 障害者の雇用の促進等に関する法律第36条の2から第36条の4までの規定に基づき事業主が講ずべき措置（以下「合理的配慮」という。）に関して、合理的配慮の提供は事業主の義務であるが、採用後の合理的配慮について、事業主が必要な注意を払ってもその雇用する労働者が障害者であることを知り得なかった場合には、合理的配慮の提供義務違反を問われない。

イ 定年（65歳以上70歳未満のものに限る。）の定めをしている事業主又は継続雇用制度（その雇用する高年齢者が希望するときは、当該高年齢者をその定年後も引き続いて雇用する制度をいう。ただし、高年齢者を70歳以上まで引き続いて雇用する制度を除く。）を導入している事業主は、その雇用する高年齢者（高年齢者雇用安定法第９条第２項の契約に基づき、当該事業主と当該契約を締結した特殊関係事業主に現に雇用されている者を含み、厚生労働省令で定める者を除く。）について、「当該定年の引上げ」「65歳以上継続雇用制度の導入」「当該定年の定めの廃止」の措置を講ずることにより、65歳から70歳までの安定した雇用を確保しなければならない。

ウ 労働施策総合推進法第30条の２第１項の「事業主は、職場において行われる優越的な関係を背景とした言動であつて、業務上必要かつ相当な範囲を超えたものによりその雇用する労働者の就業環境が害されることのないよう、当該労働者からの相談に応じ、適切に対応するために必要な体制の整備その他の雇用管理上必要な措置を講じなければならない。」とする規定が、令和２年６月１日に施行されたが、同項の事業主のうち、同法の附則で定める中小事業主については、令和４年３月31日まで当該義務規定の適用が猶予されており、その間、当該中小事業主には、当該措置の努力義務が課せられている。

エ Ａ社において、定期的に職務の内容及び勤務地の変更がある通常の労働者の総合職であるＸは、管理職となるためのキャリアコースの一環として、新卒採用後の数年間、店舗等において、職務の内容及び配置に変更のない短時間労働者であるＹの助言を受けながら、Ｙと同様の定型的な業務に従事している場合に、Ａ社がＸに対し、キャリアコースの一環として従事させている定型的な業務における能力又は経験に応じることなく、Ｙに比べ基本給を高く支給していることは、パートタイム・有期雇用労働法に照らして許されない。

オ 女性労働者につき労働基準法第65条第3項に基づく妊娠中の軽易な業務への転換を契機として降格させる事業主の措置は、原則として男女雇用機会均等法第9条第3項の禁止する取扱いに当たるが、当該労働者につき自由な意思に基づいて降格を承諾したものと認めるに足りる合理的な理由が客観的に存在するとき、又は事業主において当該労働者につき降格の措置を執ることなく軽易な業務への転換をさせることに円滑な業務運営や人員の適正配置の確保などの業務上の必要性から支障がある場合であって、上記措置につき男女雇用機会均等法第9条第3項の趣旨及び目的に実質的に反しないものと認められる特段の事情が存在するときは、同項の禁止する取扱いに当たらないとするのが、最高裁判所の判例である。

A（アとエ）　　**B**（アとオ）　　**C**（イとエ）
D（イとオ）　　**E**（ウとエ）

問5 社会保険労務士法令に関する次の記述のうち、正しいものはどれか。

A 一般の会社の労働社会保険事務担当者又は開業社会保険労務士事務所の職員のように、他人に使用され、その指揮命令のもとに事務を行う場合は、社会保険労務士又は社会保険労務士法人でない者の業務の制限について定めた社会保険労務士法第27条にいう「業として」行うに該当する。

B 社会保険労務士は、事業における労務管理その他の労働に関する事項及び労働社会保険諸法令に基づく社会保険に関する事項について、裁判所において、補佐人として、弁護士である訴訟代理人とともに出頭し、陳述及び尋問をすることができる。

C 厚生労働大臣は、開業社会保険労務士又は社会保険労務士法人の業務の適正な運営を確保するため必要があると認めるときは、当該開業社会保険労務士又は社会保険労務士法人に対し、その業務に関し必要な報告を求めることができるが、ここにいう「その業務に関し必要な報告」とは、法令上義務づけられているものに限られ、事務所の経営状態等についての報告は含まれない。

D 社会保険労務士法人の事務所には、その事務所の所在地の属する都道府県の区域に設立されている社会保険労務士会の会員である社員を常駐させなければならない。

E 社会保険労務士法人の解散及び清算を監督する裁判所は、当該監督に必要な検査をするに先立ち、必ず厚生労働大臣に対し、意見を求めなければならない。

問6 確定拠出年金法に関する次の記述のうち、誤っているものはどれか。

A 企業型年金加入者の資格を取得した月にその資格を喪失した者は、その資格を取得した月のみ、企業型年金加入者となる。

B 企業型年金において、事業主は、政令で定めるところにより、年 1 回以上、定期的に掛金を拠出する。

C 企業型年金加入者掛金の額は、企業型年金規約で定めるところにより、企業型年金加入者が決定し、又は変更する。

D 国民年金法第 7 条第 1 項第 3 号に規定する第 3 号被保険者は、厚生労働省令で定めるところにより、国民年金基金連合会に申し出て、個人型年金加入者となることができる。

E 個人型年金加入者期間を計算する場合には、個人型年金加入者の資格を喪失した後、さらにその資格を取得した者については、前後の個人型年金加入者期間を合算する。

問7 国民健康保険法に関する次の記述のうち、正しいものはどれか。

A 都道府県が当該都道府県内の市町村（特別区を含む。以下本問において同じ。）とともに行う国民健康保険（以下本問において「都道府県等が行う国民健康保険」という。）の被保険者は、都道府県の区域内に住所を有するに至った日の翌日又は国民健康保険法第 6 条各号のいずれにも該当しなくなった日の翌日から、その資格を取得する。

B 生活保護法による保護を受けている世帯に属する者は、都道府県等が行う国民健康保険の被保険者となる。

C 市町村及び国民健康保険組合（以下本問において「組合」という。）は、被保険者又は被保険者であった者が、正当な理由なしに療養に関する指示に従わないときは、療養の給付等の一部を行わないことができる。

D 国民健康保険診療報酬審査委員会は、都道府県の区域を区域とする国民健康保険団体連合会（その区域内の都道府県若しくは市町村又は組合の3分の2以上が加入しないものを除く。）に置かれ、都道府県知事が定める保険医及び保険薬剤師を代表する委員、保険者を代表する委員並びに被保険者を代表する委員をもって組織される。

E 市町村は、条例で、偽りその他不正の行為により保険料その他国民健康保険法の規定による徴収金の徴収を免れた者に対し、その徴収を免れた金額の10倍に相当する金額以下の過料を科する規定を設けることができる。

問8 介護保険法に関する次の記述のうち、正しいものはどれか。

A 市町村（特別区を含む。以下本問において同じ。）は、第2号被保険者から保険料を普通徴収の方法によって徴収する。

B 介護認定審査会は、市町村に置かれ、介護認定審査会の委員は、介護保険法第7条第5項に規定する介護支援専門員から任命される。

C 配偶者（婚姻の届出をしていないが、事実上婚姻関係と同様の事情にある者を含む。）の一方は、市町村が第1号被保険者である他方の保険料を普通徴収の方法によって徴収しようとする場合において、当該保険料を連帯して納付する義務を負うものではない。

D 介護保険審査会は、各都道府県に置かれ、保険給付に関する処分に対する審査請求は、当該処分をした市町村をその区域に含む都道府県の介護保険審査会に対してしなければならない。

令和3年度
（第53回）

択一式

E 介護保険法第28条第2項の規定による要介護更新認定の申請をすることができる被保険者が、災害その他やむを得ない理由により当該申請に係る要介護認定の有効期間の満了前に当該申請をすることができなかったときは、当該被保険者は、その理由のやんだ日から14日以内に限り、要介護更新認定の申請をすることができる。

問9 社会保険制度の目的条文に関する次の記述のうち、誤っているものはどれか。

A 国民健康保険法第1条では、「この法律は、被保険者の疾病、負傷、出産又は死亡に関して必要な保険給付を行い、もつて社会保障及び国民保健の向上に寄与することを目的とする。」と規定している。

B 健康保険法第1条では、「この法律は、労働者又はその被扶養者の業務災害（労働者災害補償保険法（昭和二十二年法律第五十号）第七条第一項第一号に規定する業務災害をいう。）以外の疾病、負傷若しくは死亡又は出産に関して保険給付を行い、もつて国民の生活の安定と福祉の向上に寄与することを目的とする。」と規定している。

C 高齢者医療確保法第1条では、「この法律は、国民の高齢期における適切な医療の確保を図るため、医療費の適正化を推進するための計画の作成及び保険者による健康診査等の実施に関する措置を講ずるとともに、高齢者の医療について、国民の共同連帯の理念等に基づき、前期高齢者に係る保険者間の費用負担の調整、後期高齢者に対する適切な医療の給付等を行うために必要な制度を設け、もつて国民保健の向上及び高齢者の福祉の増進を図ることを目的とする。」と規定している。

D 船員保険法第1条では、「この法律は、船員又はその被扶養者の職務外の事由による疾病、負傷若しくは死亡又は出産に関して保険給付を行うとともに、労働者災害補償保険による保険給付と併せて船員の職務上の事由又は通勤による疾病、負傷、障害又は死亡に関して保険給付を行うこと等により、船員の生活の安定と福祉の向上に寄与することを目的とする。」と規定している。

E 介護保険法第1条では、「この法律は、加齢に伴って生ずる心身の変化に起因する疾病等により要介護状態となり、入浴、排せつ、食事等の介護、機能訓練並びに看護及び療養上の管理その他の医療を要する者等について、これらの者が尊厳を保持し、その有する能力に応じ自立した日常生活を営むことができるよう、必要な保健医療サービス及び福祉サービスに係る給付を行うため、国民の共同連帯の理念に基づき介護保険制度を設け、その行う保険給付等に関して必要な事項を定め、もつて国民の保健医療の向上及び福祉の増進を図ることを目的とする。」と規定している。

問10 次の記述のうち、正しいものはどれか。なお、本問は、「令和2年版厚生労働白書（厚生労働省）」を参照しており、当該白書又は当該白書が引用している調査による用語及び統計等を利用している。

A 公的年金制度の被保険者数の増減について見ると、第1号被保険者は、対前年比70万人増で近年増加傾向にある一方、第2号被保険者等（65歳以上70歳未満の厚生年金被保険者を含む。）や第3号被保険者は、それぞれ対前年比34万人減、23万人減で、近年減少傾向にある。これらの要因として、新型コロナウイルス感染症の影響による生活に困窮する人の増加、失業率の上昇等があげられる。

B 年金を受給しながら生活をしている高齢者や障害者などの中で、年金を含めても所得が低い方々を支援するため、年金に上乗せして支給する「年金生活者支援給付金制度」がある。老齢年金生活者支援給付金の支給要件に該当している場合は、本人による請求手続きは一切不要であり、日本年金機構が職権で認定手続きを行う。

C 2008（平成20）年度の後期高齢者医療制度発足時における75歳以上の保険料の激変緩和措置として、政令で定めた軽減割合を超えて、予算措置により軽減を行っていたが、段階的に見直しを実施し、保険料の所得割を5割軽減する特例について、2019（令和元）年度から本則（軽減なし）とし、元被扶養者の保険料の均等割を9割軽減する特例について、2020（令和2）年度から本則（資格取得後3年間に限り7割軽減とする。）とするといった見直しを行っている。

D 社会保障給付費の部門別構成割合の推移を見ると、1989（平成元）年度においては医療が49.5%、介護、福祉その他が39.4%を占めていたが、医療は1990年台半ばから、介護、福祉その他は2004（平成16）年度からその割合が減少に転じ、年金の割合が増加してきている。2017（平成29）年度には、年金が21.6%と1989年度の約2倍となっている。

E 保険医療機関等で療養の給付等を受ける場合の被保険者資格の確認について、確実な本人確認と保険資格確認を可能とし、医療保険事務の効率化や患者の利便性の向上等を図るため、オンライン資格確認の導入を進める。オンライン資格確認に当たっては、既存の健康保険証による資格確認に加えて、個人番号カード（マイナンバーカード）による資格確認を可能とする。

令和3年度
(第53回)

択一式

健康保険法

問1 健康保険法に関する次の記述のうち、誤っているものはどれか。

A 一時帰休に伴い、就労していたならば受けられるであろう報酬よりも低額な休業手当が支払われることとなり、その状態が継続して3か月を超える場合には、固定的賃金の変動とみなされ、標準報酬月額の随時改定の対象となる。

B 賃金が月末締め月末払いの事業所において、2月19日から一時帰休で低額な休業手当等の支払いが行われ、5月1日に一時帰休の状況が解消した場合には、2月、3月、4月の報酬を平均して2等級以上の差が生じていれば、5月以降の標準報酬月額から随時改定を行う。

C その年の1月から6月までのいずれかの月に随時改定された標準報酬月額は、再度随時改定、育児休業等を終了した際の標準報酬月額の改定又は産前産後休業を終了した際の標準報酬月額の改定を受けない限り、その年の8月までの標準報酬月額となり、7月から12月までのいずれかの月に改定された標準報酬月額は、再度随時改定、育児休業等を終了した際の標準報酬月額の改定又は産前産後休業を終了した際の標準報酬月額の改定を受けない限り、翌年の8月までの標準報酬月額となる。

D 前月から引き続き被保険者であり、12月10日に賞与を50万円支給された者が、同月20日に退職した場合、事業主は当該賞与に係る保険料を納付する義務はないが、標準賞与額として決定され、その年度における標準賞与額の累計額に含まれる。

E 訪問看護事業とは、疾病又は負傷により、居宅において継続して療養を受ける状態にある者(主治の医師がその治療の必要の程度につき厚生労働省令で定める基準に適合していると認めたものに限る。)に対し、その者の居宅において看護師その他厚生労働省令で定める者が行う療養上の世話又は必要な診療の補助(保険医療機関等又は介護保険法第8条第28項に規定する介護老人保健施設若しくは同条第29項に規定する介護医療院によるものを除く。)を行う事業のことである。

問2 健康保険法に関する次の記述のうち、誤っているものはどれか。

A 保険医療機関又は保険薬局は、健康保険法の規定によるほか、船員保険法、国民健康保険法、国家公務員共済組合法（他の法律において準用し、又は例による場合を含む。）又は地方公務員等共済組合法による療養の給付並びに被保険者及び被扶養者の療養並びに高齢者医療確保法による療養の給付、入院時食事療養費に係る療養、入院時生活療養費に係る療養及び保険外併用療養費に係る療養を担当するものとされている。

B 健康保険組合がその設立事業所を増加させ、又は減少させようとするときは、その増加又は減少に係る適用事業所の事業主の全部及びその適用事業所に使用される被保険者の2分の1以上の同意を得なければならない。

C 全国健康保険協会管掌健康保険の事業の執行に要する費用のうち、出産育児一時金、家族出産育児一時金、埋葬料（埋葬費）及び家族埋葬料の支給に要する費用については、国庫補助は行われない。

D 全国健康保険協会は、(1)国債、地方債、政府保証債その他厚生労働大臣の指定する有価証券の取得、(2)銀行その他厚生労働大臣の指定する金融機関への預金、のいずれかの方法により、業務上の余裕金を運用することが認められているが、上記の2つ以外の方法で運用することは認められていない。

E 保険者は、社会保険診療報酬支払基金に対して、保険給付のうち、療養費、出産育児一時金、家族出産育児一時金並びに高額療養費及び高額介護合算療養費の支給に関する事務を委託することができる。

令和3年度
（第53回）

択一式

問3 健康保険法に関する次の記述のうち、正しいものはどれか。

A 保険者は、保険給付を行うにつき必要があると認めるときは、医師、歯科医師、薬剤師若しくは手当を行った者又はこれを使用する者に対し、その行った診療、薬剤の支給又は手当に関し、報告若しくは診療録、帳簿書類その他の物件の提示を命じ、又は当該職員に質問させることができる。

B 食事療養に要した費用は、保険外併用療養費の支給の対象とはならない。

C 健康保険組合は、適用事業所の事業主、その適用事業所に使用される被保険者及び特例退職被保険者をもって組織する。

D （改正により削除）

E 公害健康被害の補償等に関する法律（以下本問において「公害補償法」という。）による療養の給付、障害補償費等の補償給付の支給がされた場合において、同一の事由について当該補償給付に相当する給付を支給すべき健康保険の保険者は、公害補償法により支給された補償給付の価額の限度で、当該補償給付に相当する健康保険による保険給付は行わないとされている。

問4 健康保険法に関する次の記述のうち、誤っているものはいくつあるか。

ア 療養の給付を受ける権利は、これを行使することができる時から2年を経過したときは、時効によって消滅する。

イ 健康保険組合が解散する場合において、その財産をもって債務を完済することができないときは、当該健康保険組合は、設立事業所の事業主に対し、政令で定めるところにより、当該債務を完済するために要する費用の全部又は一部を負担することを求めることができる。

ウ 日雇特例被保険者の保険の保険者の事務のうち、厚生労働大臣が指定する地域に居住する日雇特例被保険者に係る日雇特例被保険者手帳の交付及びその収受その他日雇特例被保険者手帳に関する事務は、日本年金機構のみが行うこととされている。

エ 保険者は、指定訪問看護事業者が偽りその他不正の行為によって家族訪問看護療養費に関する費用の支払いを受けたときは、当該指定訪問看護事業者に対し、その支払った額につき返還させるほか、その返還させる額に100分の40を乗じて得た額を支払わせることができる。

オ 短時間労働者の被保険者資格の取得基準においては、卒業を予定されている者であって適用事業所に使用されることとなっているもの、休学中の者及び定時制の課程等に在学する者その他これらに準ずる者は、学生でないこととして取り扱うこととしているが、この場合の「その他これらに準ずる者」とは、事業主との雇用関係の有無にかかわらず、事業主の命により又は事業主の承認を受け、大学院に在学する者（いわゆる社会人大学院生等）としている。

A　一つ

B　二つ

C　三つ

D　四つ

E　五つ

問5　健康保険法に関する次の記述のうち、正しいものはどれか。

A　厚生労働大臣、保険者、保険医療機関等、指定訪問看護事業者その他の厚生労働省令で定める者は、健康保険事業又は当該事業に関連する事務の遂行のため必要がある場合を除き、何人に対しても、その者又はその者以外の者に係る保険者番号及び被保険者等記号・番号を告知することを求めてはならない。

B　被保険者が、その雇用又は使用されている事業所の労働組合（法人格を有しないものとする。）の専従者となっている場合は、当該専従者は、専従する労働組合が適用事業所とならなくとも、従前の事業主との関係においては被保険者の資格を継続しつつ、労働組合に雇用又は使用される者として被保険者となることができる。

C　毎年7月1日現に使用する被保険者の標準報酬月額の定時決定の届出は、同月末日までに、健康保険被保険者報酬月額算定基礎届を日本年金機構又は健康保険組合に提出することによって行う。

D　指定障害者支援施設に入所する被扶養者の認定に当たっては、当該施設への入所は一時的な別居とはみなされず、その他の要件に欠けるところがなくとも、被扶養者として認定されない。現に当該施設に入所している者の被扶養者の届出があった場合についても、これに準じて取り扱う。

E　任意継続被保険者の申出をした者が、初めて納付すべき保険料をその納付期日までに納付しなかったときは、いかなる理由があろうとも、その者は、任意継続被保険者とならなかったものとみなされる。

問6 健康保険法に関する次の記述のうち、正しいものはどれか。

A 事業主が、正当な理由がなくて被保険者の資格の取得及び喪失並びに報酬月額及び賞与額に関する事項を保険者等に届出をせず又は虚偽の届出をしたときは、1年以下の懲役又は100万円以下の過料に処せられる。

B 傷病手当金を受ける権利の消滅時効は、労務不能であった日ごとにその翌日から起算される。

C 被保険者又は被保険者であった者が、自己の故意の犯罪行為により、又は故意若しくは重過失により給付事由を生じさせたときは、当該給付事由に係る保険給付は行われない。

D 傷病手当金又は出産手当金の継続給付を受ける者が死亡したとき、当該継続給付を受けていた者がその給付を受けなくなった日後3か月以内に死亡したとき、又はその他の被保険者であった者が資格喪失後3か月以内に死亡したときは、埋葬を行う者は誰でもその被保険者の最後の保険者から埋葬料の支給を受けることができる。

E 被保険者が、健康保険組合である保険者が開設する病院若しくは診療所から食事療養を受けた場合、当該健康保険組合がその被保険者の支払うべき食事療養に要した費用のうち入院時食事療養費として被保険者に支給すべき額に相当する額の支払を免除したときは、入院時食事療養費の支給があったものと推定される。

問7 健康保険法に関する次の記述のうち、誤っているものはどれか。

A 健康保険組合は、組合債を起こし、又は起債の方法、利率若しくは償還の方法を変更しようとするときは、厚生労働大臣の認可を受けなければならないが、組合債の金額の変更（減少に係る場合に限る。）又は組合債の利息の定率の変更（低減に係る場合に限る。）をしようとするときは、この限りではない。

B 出産育児一時金の受取代理制度は、被保険者が医療機関等を受取代理人として出産育児一時金を事前に申請し、医療機関等が被保険者に対して請求する出産費用の額（当該請求額が出産育児一時金として支給される額を上回るときは当該支給される額）を限度として、医療機関等が被保険者に代わって出産育児一時金を受け取るものである。

C 指定訪問看護事業者の指定を受けようとする者は、当該指定に係る訪問看護事業の開始の予定年月日等を記載した申請書及び書類を当該申請に係る訪問看護事業を行う事業所の所在地を管轄する地方厚生局長等に提出しなければならないが、開始の予定年月日とは、指定訪問看護の事業の業務開始予定年月日をいう。

D 被保険者が分娩開始と同時に死亡したが、胎児は娩出された場合、被保険者が死亡したので出産育児一時金は支給されない。

E 保険者等（被保険者が全国健康保険協会が管掌する健康保険の任意継続被保険者である場合は全国健康保険協会、被保険者が健康保険組合が管掌する健康保険の被保険者である場合は当該健康保険組合、これら以外の場合は厚生労働大臣をいう。）は、被保険者に関する保険料の納入の告知をした後に告知をした保険料額が当該納付義務者の納付すべき保険料額を超えていることを知ったとき、又は納付した被保険者に関する保険料額が当該納付義務者の納付すべき保険料額を超えていることを知ったときは、その超えている部分に関する納入の告知又は納付を、その告知又は納付の日の翌日から6か月以内の期日に納付されるべき保険料について納期を繰り上げてしたものとみなすことができる。

問8 健康保険法に関する次のアからオの記述のうち、誤っているものの組合せは、後記AからEまでのうちどれか。（改題）

令和3年度（第53回）

択一式

ア 同一の事業所に使用される通常の労働者の1日の所定労働時間が8時間であり、1週間の所定労働日数が5日、及び1か月の所定労働日数が20日である特定適用事業所において、当該事業所における短時間労働者の1日の所定労働時間が6時間であり、1週間の所定労働日数が3日、及び1か月の所定労働日数が12日の場合、当該短時間労働者の1週間の所定労働時間は18時間となり、通常の労働者の1週間の所定労働時間と1か月の所定労働日数のそれぞれ4分の3未満ではあるものの、1日の所定労働時間は4分の3以上であるため、当該短時間労働者は被保険者として取り扱わなければならない。

イ （改正により削除）

ウ 特定適用事業所に使用される短時間労働者の被保険者の報酬支払の基礎となった日数が4月は11日、5月は15日、6月は16日であった場合、報酬支払の基礎となった日数が15日以上の月である5月及び6月の報酬月額の平均額をもとにその年の標準報酬月額の定時決定を行う。

エ 労働者派遣事業の事業所に雇用される登録型派遣労働者が、派遣就業に係る1つの雇用契約の終了後、1か月以内に同一の派遣元事業主のもとにおける派遣就業に係る次回の雇用契約（1か月以上のものとする。）が確実に見込まれたため被保険者資格を喪失しなかったが、その1か月以内に次回の雇用契約が締結されなかった場合には、その雇用契約が締結されないことが確実となった日又は当該1か月を経過した日のいずれか早い日をもって使用関係が終了したものとして、事業主に資格喪失届を提出する義務が生じるものであって、派遣就業に係る雇用契約の終了時に遡って被保険者資格を喪失させる必要はない。

オ 被扶養者の収入の確認に当たり、被扶養者の年間収入は、被扶養者の過去の収入、現時点の収入又は将来の収入の見込みなどから、今後1年間の収入を見込むものとされている。

A（アとウ）　　**B**（アとエ）　　**C**（エのみ）

D（オのみ）　　**E**（ウとオ）

問9 健康保険法に関する次の記述のうち、正しいものには○、誤っているものには×をつけよ。（改題）

A 家族出産育児一時金は、被保険者の被扶養者である配偶者が出産した場合にのみ支給され、被保険者の被扶養者である子が出産した場合には支給されない。

B 1年以上の継続した被保険者期間（任意継続被保険者であった期間、特例退職被保険者であった期間及び共済組合の組合員であった期間を除く。）を有する者であって、出産予定日から起算して40日前の日に退職した者が、退職日において通常勤務していた場合、退職日の翌日から被保険者として受けることができるはずであった期間、資格喪失後の出産手当金を受けることができる。

C　傷病手当金の額は、これまでの被保険者期間にかかわらず、1日につき、傷病手当金の支給を始める日の属する年度の前年度の9月30日における全被保険者の同月の標準報酬月額を平均した額を標準報酬月額の基礎となる報酬月額とみなしたときの標準報酬月額（被保険者が現に属する保険者等により定められたものに限る。）を平均した額の30分の1に相当する額の3分の2に相当する金額となる。

D　傷病手当金の支給要件に係る療養は、一般の被保険者の場合、保険医から療養の給付を受けることを要件としており、自費診療による療養は該当しない。

E　(改正により削除)

問10　健康保険法に関する次の記述のうち、誤っているものはどれか。

A　賃金が時間給で支給されている被保険者について、時間給の単価に変動はないが、労働契約上の1日の所定労働時間が8時間から6時間に変更になった場合、標準報酬月額の随時改定の要件の1つである固定的賃金の変動に該当する。

B　7月から9月までのいずれかの月から標準報酬月額が改定され、又は改定されるべき被保険者については、その年における標準報酬月額の定時決定を行わないが、7月から9月までのいずれかの月に育児休業等を終了した際の標準報酬月額の改定若しくは産前産後休業を終了した際の標準報酬月額の改定が行われた場合は、その年の標準報酬月額の定時決定を行わなければならない。

C　事業主は、被保険者に対して通貨をもって報酬を支払う場合においては、被保険者の負担すべき前月の標準報酬月額に係る保険料を報酬から控除することができる。ただし、被保険者がその事業所に使用されなくなった場合においては、前月及びその月の標準報酬月額に係る保険料を報酬から控除することができる。

D　倒産、解雇などにより離職した者及び雇止めなどにより離職された者が任意継続被保険者となり、保険料を前納したが、その後に国民健康保険法施行令第29条の7の2に規定する国民健康保険料（税）の軽減制度について知った場合、当該任意継続被保険者が保険者に申し出ることにより、当該前納を初めからなかったものとすることができる。

E　療養費の額は、当該療養（食事療養及び生活療養を除く。）について算定した費用の額から、その額に一部負担金の割合を乗じて得た額を控除した額及び当該食事療養又は生活療養について算定した費用の額から食事療養標準負担額又は生活療養標準負担額を控除した額を基準として、保険者が定める。

厚生年金保険法

問1 厚生年金保険法に関する次の記述のうち、正しいものはどれか。

A 夫の死亡により、厚生年金保険法第58条第1項第4号に規定するいわゆる長期要件に該当する遺族厚生年金（その額の計算の基礎となる被保険者期間の月数が240以上であるものとする。）の受給権者となった妻が、その権利を取得した当時60歳であった場合は、中高齢寡婦加算として遺族厚生年金の額に満額の遺族基礎年金の額が加算されるが、その妻が、当該夫の死亡により遺族基礎年金も受給できるときは、その間、当該加算される額に相当する部分の支給が停止される。

B 昭和32年4月1日生まれの妻は、遺族厚生年金の受給権者であり、中高齢寡婦加算が加算されている。当該妻が65歳に達したときは、中高齢寡婦加算は加算されなくなるが、経過的寡婦加算の額が加算される。

C 2以上の種別の被保険者であった期間を有する者について、3号分割標準報酬改定請求の規定を適用する場合においては、各号の厚生年金被保険者期間のうち1の期間に係る標準報酬についての当該請求は、他の期間に係る標準報酬についての当該請求と同時に行わなければならない。

D 3号分割標準報酬改定請求は、離婚が成立した日の翌日から起算して2年を経過したときまでに行う必要があるが、3号分割標準報酬改定請求に併せて厚生年金保険法第78条の2に規定するいわゆる合意分割の請求を行う場合であって、按分割合に関する審判の申立てをした場合は、その審判が確定した日の翌日から起算して2年を経過する日までは3号分割標準報酬改定請求を行うことができる。

E 厚生年金保険法第78条の14に規定する特定被保険者が、特定期間の全部をその額の計算の基礎とする障害厚生年金の受給権者であったとしても、当該特定被保険者の被扶養配偶者は3号分割標準報酬改定請求をすることができる。

令和3年度
（第53回）

択一式

問2 厚生年金保険法に関する次の記述のうち、正しいものはどれか。

A 厚生年金保険の被保険者期間の月数にかかわらず、60歳以上の厚生年金保険の被保険者期間は、老齢厚生年金における経過的加算額の計算の基礎とされない。

B 経過的加算額の計算においては、第３種被保険者期間がある場合、当該被保険者期間に係る特例が適用され、当該被保険者期間は必ず３分の４倍又は５分の６倍される。

C 第１号厚生年金被保険者（船員被保険者を除く。）の資格喪失の届出が必要な場合は、当該事実があった日から10日以内に、所定の届書又は所定の届書に記載すべき事項を記録した光ディスクを日本年金機構に提出しなければならない。

D 船員被保険者の資格喪失の届出が必要な場合は、当該事実があった日から14日以内に、被保険者の氏名など必要な事項を記載した届書を日本年金機構に提出しなければならない。

E 老齢厚生年金の受給権を取得することにより、適用事業所に使用される高齢任意加入被保険者が資格を喪失した場合には、資格喪失の届出は必要ない。

問3 厚生年金保険法に関する次の記述のうち、誤っているものはどれか。

A 障害等級２級に該当する程度の障害の状態であり老齢厚生年金における加給年金額の加算の対象となっている受給権者の子が、17歳の時に障害の状態が軽減し障害等級２級に該当する程度の障害の状態でなくなった場合、その時点で加給年金額の加算の対象から外れ、その月の翌月から年金の額が改定される。

B 老齢厚生年金の受給権者の子（15歳）の住民票上の住所が受給権者と異なっている場合でも、加給年金額の加算の対象となることがある。

C 厚生年金保険法附則第８条の２に定める「特例による老齢厚生年金の支給開始年齢の特例」の規定によると、昭和35年８月22日生まれの第１号厚生年金被保険者期間のみを有する女子と、同日生まれの第１号厚生年金被保険者期間のみを有する男子とでは、特別支給の老齢厚生年金の支給開始年齢が異なる。なお、いずれの場合も、坑内員たる被保険者であった期間及び船員たる被保険者であった期間を有しないものとする。

D 厚生年金保険法附則第8条の2に定める「特例による老齢厚生年金の支給開始年齢の特例」の規定によると、昭和35年8月22日生まれの第4号厚生年金被保険者期間のみを有する女子と、同日生まれの第4号厚生年金被保険者期間のみを有する男子とでは、特別支給の老齢厚生年金の支給開始年齢は同じである。

E 脱退一時金の額の計算に当たっては、平成15年3月31日以前の被保険者期間については、その期間の各月の標準報酬月額に1.3を乗じて得た額を使用する。

問4 障害厚生年金に関する次のアからオの記述のうち、正しいものの組合せは、後記AからEまでのうちどれか。

ア 厚生年金保険法第47条の3第1項に規定する基準障害と他の障害とを併合した障害の程度による障害厚生年金の支給は、当該障害厚生年金の請求があった月の翌月から始まる。

イ 厚生年金保険法第48条第2項の規定によると、障害等級2級の障害厚生年金の受給権者が、更に障害等級2級の障害厚生年金を支給すべき事由が生じたことにより、同法第48条第1項に規定する前後の障害を併合した障害の程度による障害厚生年金の受給権を取得したときは、従前の障害厚生年金の支給は停止するものとされている。

ウ 期間を定めて支給を停止されている障害等級2級の障害厚生年金の受給権者に対して更に障害等級2級の障害厚生年金を支給すべき事由が生じたときは、厚生年金保険法第48条第1項に規定する前後の障害を併合した障害の程度による障害厚生年金は、従前の障害厚生年金の支給を停止すべきであった期間、その支給が停止され、その間、その者に従前の障害を併合しない障害の程度による障害厚生年金が支給される。

エ 厚生年金保険法第48条第1項に規定する前後の障害を併合した障害の程度による障害厚生年金の額が、従前の障害厚生年金の額よりも低額であったとしても、従前の障害厚生年金は支給が停止され、併合した障害の程度による障害厚生年金の支給が行われる。

令和3年度
（第53回）
択一式

オ 障害厚生年金の受給権者は、障害の程度が増進した場合には、実施機関に年金額の改定を請求することができるが、65歳以上の者又は国民年金法による老齢基礎年金の受給権者であって障害厚生年金の受給権者である者（当該障害厚生年金と同一の支給事由に基づく障害基礎年金の受給権を有しない者に限る。）については、実施機関が職権でこの改定を行うことができる。

A（アとイ）　　　**B**（アとウ）　　　**C**（イとエ）

D（ウとオ）　　　**E**（エとオ）

問5 遺族厚生年金に関する次のアからオの記述のうち、誤っているものの組合せは、後記AからEまでのうちどれか。

ア 老齢厚生年金の受給権者（被保険者ではないものとする。）が死亡した場合、国民年金法に規定する保険料納付済期間と保険料免除期間とを合算した期間が10年であったとしても、その期間と同法に規定する合算対象期間を合算した期間が25年以上である場合には、厚生年金保険法第58条第1項第4号に規定するいわゆる長期要件に該当する。

イ 厚生年金保険の被保険者であった甲は令和3年4月1日に厚生年金保険の被保険者資格を喪失したが、厚生年金保険の被保険者期間中である令和3年3月15日に初診日がある傷病により令和3年8月1日に死亡した（死亡時の年齢は50歳であった。）。この場合、甲について国民年金の被保険者期間があり、当該国民年金の被保険者期間に係る保険料納付済期間と保険料免除期間とを合算した期間が、当該国民年金の被保険者期間の3分の2未満である場合であっても、令和2年7月から令和3年6月までの間に保険料納付済期間及び保険料免除期間以外の国民年金の被保険者期間がないときには、遺族厚生年金の支給対象となる。

ウ 85歳の老齢厚生年金の受給権者が死亡した場合、その者により生計を維持していた未婚で障害等級2級に該当する程度の障害の状態にある60歳の当該受給権者の子は、遺族厚生年金を受けることができる遺族とはならない。

エ 厚生年金保険の被保険者であった甲には妻の乙と、甲の前妻との間の子である15歳の丙がいたが、甲が死亡したことにより、乙と丙が遺族厚生年金の受給権者となった。その後、丙が乙の養子となった場合、丙の遺族厚生年金の受給権は消滅する。

オ 厚生年金保険の被保険者の死亡により、被保険者の死亡当時27歳で子のいない妻が遺族厚生年金の受給権者となった。当該遺族厚生年金の受給権は、当該妻が30歳になったときに消滅する。

A（アとイ）　　**B**（アとオ）　　**C**（イとウ）

D（ウとエ）　　**E**（エとオ）

問6 厚生年金保険法に関する次の記述のうち、誤っているものはどれか。

A 第1号厚生年金被保険者であり、又は第1号厚生年金被保険者であった者は、厚生労働大臣において備えている被保険者に関する原簿（以下本問において「厚生年金保険原簿」という。）に記録された自己に係る特定厚生年金保険原簿記録（第1号厚生年金被保険者の資格の取得及び喪失の年月日、標準報酬その他厚生労働省令で定める事項の内容をいう。以下本問において同じ。）が事実でない、又は厚生年金保険原簿に自己に係る特定厚生年金保険原簿記録が記録されていないと思料するときは、厚生労働省令で定めるところにより、厚生労働大臣に対し、厚生年金保険原簿の訂正の請求をすることができる。

B 事故が第三者の行為によって生じた場合において、2以上の種別の被保険者であった期間を有する者に係る保険給付の受給権者が、当該第三者から同一の事由について損害賠償を受けたときは、政府及び実施機関（厚生労働大臣を除く。）は、その価額をそれぞれの保険給付の価額に応じて按分した価額の限度で、保険給付をしないことができる。

C 同一の月において被保険者の種別に変更があったときは、その月は変更後の被保険者の種別の被保険者であった月とみなす。なお、同一月において2回以上にわたり被保険者の種別に変更があったときは、最後の被保険者の種別の被保険者であった月とみなす。

D 育児休業等を終了した際の標準報酬月額の改定若しくは産前産後休業を終了した際の標準報酬月額の改定を行うためには、被保険者が現に使用される事業所において、育児休業等終了日又は産前産後休業終了日の翌日が属する月以後3か月間の各月とも、報酬支払の基礎となった日数が17日以上でなければならない。

E 被保険者自身の行為により事業者から懲戒としての降格処分を受けたために標準報酬月額が低下した場合であっても、所定の要件を満たす限り、育児休業等を終了した際の標準報酬月額の改定は行われる。

問7 厚生年金保険法に関する次の記述のうち、正しいものはどれか。

A 3歳に満たない子を養育している被保険者又は被保険者であった者が、当該子を養育することとなった日の属する月から当該子が3歳に達するに至った日の翌日の属する月の前月までの各月において、年金額の計算に使用する平均標準報酬月額の特例の取扱いがあるが、当該特例は、当該特例の申出が行われた日の属する月前の月にあっては、当該特例の申出が行われた日の属する月の前月までの3年間のうちにあるものに限られている。

B 在職中の老齢厚生年金の支給停止の際に用いる総報酬月額相当額とは、被保険者である日の属する月において、その者の標準報酬月額とその月以前の1年間の標準賞与額の総額を12で除して得た額とを合算して得た額のことをいい、また基本月額とは、老齢厚生年金の額（その者に加給年金額が加算されていればそれを加算した額）を12で除して得た額のことをいう。

C 実施機関は、被保険者が賞与を受けた月において、その月に当該被保険者が受けた賞与額に基づき、これに千円未満の端数を生じたときはこれを切り捨てて、その月における標準賞与額を決定する。この場合において、当該標準賞与額が1つの適用事業所において年間の累計額が150万円（厚生年金保険法第20条第2項の規定による標準報酬月額の等級区分の改定が行われたときは、政令で定める額とする。以下本問において同じ。）を超えるときは、これを150万円とする。

D 第1号厚生年金被保険者が同時に第2号厚生年金被保険者の資格を有するに至ったときは、その日に、当該第1号厚生年金被保険者の資格を喪失する。

E　2以上の種別の被保険者であった期間を有する老齢厚生年金の受給権者が死亡した場合における遺族厚生年金（中高齢の寡婦加算額が加算されるものとする。）は、各号の厚生年金被保険者期間に係る被保険者期間ごとに支給するものとし、そのそれぞれの額は、死亡した者に係る2以上の被保険者の種別に係る被保険者であった期間を合算し、1の期間に係る被保険者期間のみを有するものとみなして遺族厚生年金の額の計算に関する規定により計算した額に中高齢の寡婦加算額を加算し、それぞれ1の期間に係る被保険者期間を計算の基礎として計算した額に応じて按分した額とする。

問8　厚生年金保険法に関する次の記述のうち、正しいものはどれか。

A　育児休業を終了した被保険者に対して昇給があり、固定的賃金の変動があった。ところが職場復帰後、育児のために短時間勤務制度の適用を受けることにより労働時間が減少したため、育児休業等終了日の翌日が属する月以後3か月間に受けた報酬をもとに計算した結果、従前の標準報酬月額等級から2等級下がることになった場合は、育児休業等終了時改定には該当せず随時改定に該当する。

B　60歳台前半の老齢厚生年金の受給権者が同時に雇用保険法に基づく基本手当を受給することができるとき、当該老齢厚生年金は支給停止されるが、同法第33条第1項に規定されている正当な理由がなく自己の都合によって退職した場合などの離職理由による給付制限により基本手当を支給しないとされる期間を含めて支給停止される。

令和3年度（第53回）択一式

C　63歳の被保険者の死亡により、その配偶者（老齢厚生年金の受給権を有し、65歳に達している者とする。）が遺族厚生年金を受給したときの遺族厚生年金の額は、死亡した被保険者の被保険者期間を基礎として計算した老齢厚生年金の額の4分の3に相当する額と、当該遺族厚生年金の受給権者の有する老齢厚生年金の額に3分の2を乗じて計算した額のうちいずれか多い額とする。

D　老齢厚生年金における加給年金額の加算の対象となる配偶者が、障害等級1級若しくは2級の障害厚生年金及び障害基礎年金を受給している間、当該加給年金額は支給停止されるが、障害等級3級の障害厚生年金若しくは障害手当金を受給している場合は支給停止されることはない。

E　老齢厚生年金に配偶者の加給年金額が加算されるためには、老齢厚生年金の
年金額の計算の基礎となる被保険者期間の月数が240以上という要件があるが、
当該被保険者期間には、離婚時みなし被保険者期間を含めることはできない。

問9　厚生年金保険法に関する次の記述のうち、誤っているものはどれか。

A　昭和35年４月10日生まれの女性は、第１号厚生年金被保険者として５年、第
２号厚生年金被保険者として35年加入してきた（これらの期間以外被保険者期
間は有していないものとする。）。当該女性は、62歳から第１号厚生年金被保険
者期間としての報酬比例部分の特別支給の老齢厚生年金が支給され、64歳から
は、第２号厚生年金被保険者期間としての報酬比例部分の特別支給の老齢厚生
年金についても支給される。

B　昭和33年４月10日生まれの男性は、第１号厚生年金被保険者として４年、第
２号厚生年金被保険者として40年加入してきた（これらの期間以外被保険者期
間は有していないものとする。）。当該男性は、厚生年金保険の被保険者でなけ
れば、63歳から定額部分と報酬比例部分の特別支給の老齢厚生年金が支給され
る。

C　ある日本国籍を有しない者について、最後に厚生年金保険の被保険者資格を
喪失した日から起算して２年が経過しており、かつ、最後に国民年金の被保険
者資格を喪失した日（同日において日本国内に住所を有していた者にあって
は、同日後初めて、日本国内に住所を有しなくなった日）から起算して１年が
経過した。この時点で、この者が、厚生年金保険の被保険者期間を６か月以上
有しており、かつ、障害厚生年金等の受給権を有したことがない場合、厚生年
金保険法に定める脱退一時金の請求が可能である。

D　脱退一時金の額の計算における平均標準報酬額の算出に当たっては、被保険
者期間の計算の基礎となる各月の標準報酬月額と標準賞与額に再評価率を乗じ
ることはない。

E　昭和28年４月10日生まれの女性は、65歳から老齢基礎年金を受給し、老齢厚生年金は繰下げし70歳から受給する予定でいたが、配偶者が死亡したことにより、女性が68歳の時に遺族厚生年金の受給権を取得した。この場合、68歳で老齢厚生年金の繰下げの申出をせずに、65歳に老齢厚生年金を請求したものとして遡って老齢厚生年金を受給することができる。また、遺族厚生年金の受給権を取得してからは、その老齢厚生年金の年金額と遺族厚生年金の年金額を比較して遺族厚生年金の年金額が高ければ、その差額分を遺族厚生年金として受給することができる。

問10　厚生年金保険法に関する次の記述のうち、正しいものはどれか。

A　20歳から30歳まで国民年金の第１号被保険者、30歳から60歳まで第２号厚生年金被保険者であった者が、60歳で第１号厚生年金被保険者となり、第１号厚生年金被保険者期間中に64歳で死亡した。当該被保険者の遺族が当該被保険者の死亡当時生計を維持されていた60歳の妻のみである場合、当該妻に支給される遺族厚生年金は、妻が別段の申出をしたときを除き、厚生年金保険法第58条第１項第４号に規定するいわゆる長期要件のみに該当する遺族厚生年金として年金額が算出される。

B　第１号厚生年金被保険者期間中の60歳の時に業務上災害で負傷し、初診日から１年６か月が経過した際に傷病の症状が安定し、治療の効果が期待できない状態（治癒）になった。その障害状態において障害手当金の受給権を取得することができ、また、労災保険法に規定されている障害補償給付の受給権も取得することができた。この場合、両方の保険給付が支給される。

C　遺族基礎年金と遺族厚生年金の受給権を有する妻が、障害基礎年金と障害厚生年金の受給権を取得した。妻は、障害基礎年金と障害厚生年金を選択したため、遺族基礎年金と遺族厚生年金は全額支給停止となった。妻には生計を同じくする子がいるが、子の遺族基礎年金については、引き続き支給停止となるが、妻の遺族厚生年金が全額支給停止であることから、子の遺族厚生年金は支給停止が解除される。

令和**3**年度
（第53回）

択一式

D 平成13年4月から平成23年3月までの10年間婚姻関係であった夫婦が平成23年3月に離婚が成立し、その後事実上の婚姻関係を平成23年4月から令和3年3月までの10年間続けていたが、令和3年4月2日に事実上の婚姻関係を解消することになった。事実上の婚姻関係を解消することになった時点において、平成13年4月から平成23年3月までの期間についての厚生年金保険法第78条の2に規定するいわゆる合意分割の請求を行うことはできない。なお、平成13年4月から平成23年3月までの期間においては、夫婦共に第1号厚生年金被保険者であったものとし、平成23年4月から令和3年3月までの期間においては、夫は第1号厚生年金被保険者、妻は国民年金の第3号被保険者であったものとする。

E 第1号厚生年金被保険者が死亡したことにより、当該被保険者の母が遺族厚生年金の受給権者となった。その後、当該母に事実上の婚姻関係にある配偶者が生じた場合でも、当該母は、自身の老齢基礎年金と当該遺族厚生年金の両方を受給することができる。

国民年金法

問1 国民年金法に関する次の記述のうち、正しいものはどれか。

A 国民年金法第30条第1項の規定による障害基礎年金は、受給権者が刑事施設、労役場その他これらに準ずる施設に拘禁されているときには、その該当する期間、その支給が停止される。

B 保険料4分の1免除期間に係る老齢基礎年金の給付に要する費用については、480から保険料納付済期間の月数を控除して得た月数を限度として国庫負担の対象となるが、保険料の学生納付特例及び納付猶予の期間（追納が行われた場合にあっては、当該追納に係る期間を除く。）は国庫負担の対象とならない。

C 任意加入被保険者及び特例による任意加入被保険者は、老齢基礎年金又は老齢厚生年金の受給権を取得した日の翌日に資格を喪失する。

D 振替加算の規定によりその額が加算された老齢基礎年金の受給権者が、遺族厚生年金の支給を受けることができるときは、その間、振替加算の規定により加算された額に相当する部分の支給が停止される。

E 国民年金基金は、加入員又は加入員であった者の老齢に関し年金の支給を行い、あわせて加入員又は加入員であった者の障害に関し、一時金の支給を行うものとされている。

問2 国民年金法に関する次の記述のうち、誤っているものはどれか。

A 同一人に対して障害厚生年金（厚生労働大臣が支給するものに限る。）の支給を停止して老齢基礎年金を支給すべき場合に、その支給すべき事由が生じた日の属する月の翌月以降の分として当該障害厚生年金が支払われたときは、その支払われた障害厚生年金は当該老齢基礎年金の内払とみなすことができる。

B 障害基礎年金について、初診日が令和 8 年 4 月 1 日前にある場合は、当該初診日の前日において当該初診日の属する月の前々月までの 1 年間（当該初診日において被保険者でなかった者については、当該初診日の属する月の前々月以前における直近の被保険者期間に係る月までの 1 年間）に、保険料納付済期間及び保険料免除期間以外の被保険者期間がなければ保険料納付要件は満たされたものとされる。ただし、当該初診日において65歳未満であるときに限られる。

C 第 3 号被保険者が被扶養配偶者でなくなった時点において、第 1 号被保険者又は第 2 号被保険者に該当するときは、種別の変更となり、国民年金の被保険者資格は喪失しない。

D 繰下げ支給の老齢基礎年金の受給権者に対し国民年金基金（以下本問において「基金」という。）が支給する年金額は、200円に国民年金基金令第24条第 1 項に定める増額率を乗じて得た額を200円に加えた額に、納付された掛金に係る当該基金の加入員期間の月数を乗じて得た額を超えるものでなければならない。

E 被保険者又は被保険者であった者が、第 3 号被保険者としての被保険者期間の特例による時効消滅不整合期間について厚生労働大臣に届出を行ったときは、当該届出に係る時効消滅不整合期間は、当該届出の行われた日以後、国民年金法第89条第 1 項に規定する法定免除期間とみなされる。

問3 国民年金法の被保険者に関する次の記述のうち、誤っているものはどれか。

A 第 3 号被保険者が、外国に赴任する第 2 号被保険者に同行するため日本国内に住所を有しなくなったときは、第 3 号被保険者の資格を喪失する。

B 老齢厚生年金を受給する66歳の厚生年金保険の被保険者の収入によって生計を維持する55歳の配偶者は、第 3 号被保険者とはならない。

C 日本の国籍を有しない者であって、出入国管理及び難民認定法の規定に基づく活動として法務大臣が定める活動のうち、本邦において 1 年を超えない期間滞在し、観光、保養その他これらに類似する活動を行うものは、日本国内に住所を有する20歳以上60歳未満の者であっても第 1 号被保険者とならない。

D 第2号被保険者の被扶養配偶者であって、観光、保養又はボランティア活動その他就労以外の目的で一時的に海外に渡航する日本国内に住所を有しない20歳以上60歳未満の者は、第3号被保険者となることができる。

E 昭和31年4月1日生まれの者であって、日本国内に住所を有する65歳の者（第2号被保険者を除く。）は、障害基礎年金の受給権を有する場合であっても、特例による任意加入被保険者となることができる。なお、この者は老齢基礎年金、老齢厚生年金その他の老齢又は退職を支給事由とする年金たる給付の受給権を有していないものとする。

問4 国民年金法に関する次のアからオの記述のうち、正しいものの組合せは、後記AからEまでのうちどれか。

ア 国民年金基金（以下本問において「基金」という。）における中途脱退者とは、基金の加入員の資格を喪失した者（当該加入員の資格を喪失した日において当該基金が支給する年金の受給権を有する者を除く。）であって、政令の定めるところにより計算したその者の当該基金の加入員期間（加入員の資格を喪失した後、再び元の基金の加入員の資格を取得した者については、当該基金における前後の加入員期間（国民年金法附則第5条第11項の規定により被保険者とみなされた場合に係る加入員期間を除く。）を合算した期間）が15年に満たない者をいう。(改題)

イ 基金の役員である監事は、代議員会において、学識経験を有する者及び代議員のうちからそれぞれ2人を選挙する。

ウ 国民年金法による保険料の納付猶予制度及び学生納付特例制度は、令和12年6月までの時限措置である。

エ 基金の加入員は、いつでも基金に申し出て、加入員の資格を喪失することができる。

オ 老齢基礎年金の受給権者は、年金の払渡しを希望する機関又は当該機関の預金口座の名義を変更しようとするときは、所定の事項を記載した届書を日本年金機構に提出しなければならない。

A（アとエ）　　**B**（アとオ）　　**C**（イとウ）

D（イとエ）　　**E**（ウとオ）

令和3年度（第53回）
択一式

問5 国民年金法に関する次の記述のうち、正しいものはどれか。

A 年間収入が280万円の第2号被保険者と同一世帯に属している、日本国内に住所を有する年間収入が130万円の厚生年金保険法による障害厚生年金の受給要件に該当する程度の障害の状態にある50歳の配偶者は、被扶養配偶者に該当しないため、第3号被保険者とはならない。

B 被保険者又は被保険者であった者が、国民年金法その他の政令で定める法令の規定に基づいて行われるべき事務の処理が行われなかったことにより付加保険料を納付する者となる申出をすることができなくなったとして、厚生労働大臣にその旨の申出をしようとするときは、申出書を市町村長（特別区の区長を含む。）に提出しなければならない。

C 保険料その他国民年金法の規定による徴収金の納付の督促を受けた者が指定の期限までに保険料その他同法の規定による徴収金を納付しないときは、厚生労働大臣は、国税滞納処分の例によってこれを処分し、又は滞納者の居住地若しくはその者の財産所在地の市町村（特別区を含む。以下本問において同じ。）に対して、その処分を請求することができる。この請求を受けた市町村が、市町村税の例によってこれを処分した場合には、厚生労働大臣は徴収金の100分の4に相当する額を当該市町村に交付しなければならない。

D 共済組合等が共済払いの基礎年金（国民年金法施行令第1条第1項第1号から第3号までに規定する老齢基礎年金、障害基礎年金及び遺族基礎年金であって厚生労働省令で定めるものをいう。）の支払に関する事務を行う場合に、政府はその支払に必要な資金を日本年金機構に交付することにより当該共済組合等が必要とする資金の交付をさせることができる。

E 国庫は、当該年度における20歳前傷病による障害基礎年金の給付に要する費用について、当該費用の100分の20に相当する額と、残りの部分（100分の80）の4分の1に相当する額を合計した、当該費用の100分の40に相当する額を負担する。

問6 国民年金法に関する次の記述のうち、誤っているものはどれか。

A 共済組合等が行った障害基礎年金に係る障害の程度の診査に関する処分に不服がある者は、当該共済組合等に係る共済各法（国家公務員共済組合法、地方公務員等共済組合法及び私立学校教職員共済法）に定める審査機関に対して当該処分の審査請求をすることはできるが、社会保険審査官に対して審査請求をすることはできない。

B 配偶者が遺族基礎年金の受給権を取得した当時胎児であった子が生まれたときは、その子は、配偶者がその権利を取得した当時遺族基礎年金の遺族の範囲に該当し、かつ、死亡した被保険者又は被保険者であった者と生計を同じくした子とみなされるため、遺族基礎年金の額は被保険者又は被保険者であった者の死亡した日の属する月の翌月にさかのぼって改定される。

C 死亡一時金の給付を受ける権利の裁定の請求の受理及び当該請求に係る事実についての審査に関する事務は、市町村長（特別区の区長を含む。）が行う。また当該請求を行うべき市町村（特別区を含む。以下本問において同じ。）は、当該請求者の住所地の市町村である。

D 被保険者又は被保険者であった者の死亡の当時胎児であった子が出生したことによる遺族基礎年金についての裁定請求は、遺族基礎年金の受給権者が同時に当該遺族基礎年金と同一の支給事由に基づく遺族厚生年金の受給権を有する場合においては、厚生年金保険法第33条の規定による当該遺族厚生年金の裁定の請求に併せて行わなければならない。

E 保険料の一部免除の規定によりその一部の額につき納付することを要しないものとされた保険料につき、その残余の額が納付又は徴収された期間、例えば半額免除の規定が適用され免除されない残りの部分（半額）の額が納付又は徴収された期間は、保険料納付済期間ではなく保険料半額免除期間となる。

問7 国民年金法に関する次の記述のうち、誤っているものはどれか。

A 配偶者に対する遺族基礎年金が、その者の1年以上の所在不明によりその支給を停止されているときは、子に対する遺族基礎年金もその間、その支給を停止する。

B 老齢基礎年金の支給繰上げの請求をした場合の振替加算については、受給権者が65歳に達した日以後に行われる。老齢基礎年金の支給繰下げの申出をした場合は、振替加算も繰下げて支給されるが、振替加算額が繰下げにより増額されることはない。

C 国民年金事務組合の認可基準の 1 つとして、国民年金事務組合の認可を受けようとする同種の事業又は業務に従事する被保険者を構成員とする団体が東京都又は指定都市を有する道府県に所在し、かつ、国民年金事務を委託する被保険者を少なくとも2,000以上有するものであることが必要である。

D 被保険者資格の取得及び喪失並びに種別の変更に関する事項並びに氏名及び住所の変更に関する事項の届出が必要な場合には、第 1 号被保険者は市町村長（特別区の区長を含む。）に、第 3 号被保険者は厚生労働大臣に、届け出なければならない。

E 国民年金基金は、規約に定める事務所の所在地を変更したときは、2 週間以内に公告しなければならない。

問8 令和 3 年度の給付額に関する次の記述のうち、正しいものはどれか。

A 20歳から30歳までの10年間第 1 号被保険者としての保険料全額免除期間及び30歳から60歳までの30年間第 1 号被保険者としての保険料納付済期間を有し、60歳から65歳までの 5 年間任意加入被保険者としての保険料納付済期間を有する者（昭和31年 4 月 2 日生まれ）が65歳から受給できる老齢基礎年金の額は、満額（780,900円）となる。

B 障害等級 1 級の障害基礎年金の額（子の加算はないものとする。）は、障害等級 2 級の障害基礎年金の額を1.25倍した976,125円に端数処理を行った、976,100円となる。

C 遺族基礎年金の受給権者が 4 人の子のみである場合、遺族基礎年金の受給権者の子それぞれが受給する遺族基礎年金の額は、780,900円に子の加算として224,700円、224,700円、74,900円を合計した金額を子の数で除した金額となる。

D 国民年金の給付は、名目手取り賃金変動率（－0.1％）によって改定されるため、3年間第1号被保険者としての保険料納付済期間を有する者が死亡し、一定範囲の遺族に死亡一時金が支給される場合は、12万円に（1－0.001）を乗じて得た額が支給される。なお、当該期間のほかに保険料納付済期間及び保険料免除期間は有していないものとする。

E 第1号被保険者として令和3年6月まで50か月保険料を納付した外国籍の者が、令和3年8月に脱退一時金を請求した場合、受給できる脱退一時金の額は、16,610円に2分の1を乗じて得た額に48を乗じて得た額となる。なお、当該期間のほかに保険料納付済期間及び保険料免除期間は有していないものとする。

問9 併給調整に関する次の記述のうち、誤っているものはどれか。

A 障害等級2級の障害基礎年金の受給権者が、その障害の状態が軽減し障害等級に該当しなくなったことにより障害基礎年金が支給停止となっている期間中に、更に別の傷病により障害基礎年金を支給すべき事由が生じたときは、前後の障害を併合した障害の程度による障害基礎年金を支給し、従前の障害基礎年金の受給権は消滅する。

B 旧国民年金法による障害年金の受給権者には、第2号被保険者の配偶者がいたが、当該受給権者が66歳の時に当該配偶者が死亡したことにより、当該受給権者に遺族厚生年金の受給権が発生した。この場合、当該受給権者は旧国民年金法による障害年金と遺族厚生年金の両方を受給できる。

C 老齢厚生年金と老齢基礎年金を受給中の67歳の厚生年金保険の被保険者が、障害等級2級の障害厚生年金の受給権者（障害基礎年金の受給権は発生しない。）となった。老齢厚生年金の額より障害厚生年金の額の方が高い場合、この者は、障害厚生年金と老齢基礎年金の両方を受給できる。

D 父が死亡したことにより遺族基礎年金を受給中である10歳の子は、同居中の厚生年金保険の被保険者である66歳の祖父が死亡したことにより遺族厚生年金の受給権を取得した。この場合、遺族基礎年金と遺族厚生年金のどちらかを選択することとなる。

E　第１号被保険者として30年間保険料を納付していた者が、就職し厚生年金保険の被保険者期間中に死亡したため、遺族である妻は、遺族厚生年金、寡婦年金、死亡一時金の受給権を有することになった。この場合、当該妻は、遺族厚生年金と寡婦年金のどちらかを選択することとなり、寡婦年金を選択した場合は、死亡一時金は支給されないが、遺族厚生年金を選択した場合は、死亡一時金は支給される。

問10 年金たる給付に関する次の記述のうち、正しいものはどれか。

A　41歳から60歳までの19年間、第１号厚生年金被保険者としての被保険者期間を有している70歳の妻（昭和26年３月２日生まれ）は、老齢厚生年金と老齢基礎年金を受給中である。妻には、22歳から65歳まで第１号厚生年金被保険者としての被保険者期間を有している夫（昭和31年４月２日生まれ）がいる。当該夫が65歳になり、老齢厚生年金の受給権が発生した時点において、妻の年間収入が850万円未満であり、かつ、夫と生計を同じくしていた場合は、当該妻に振替加算が行われる。

B　併給の調整に関し、国民年金法第20条第１項の規定により支給を停止されている年金給付の同条第２項による支給停止の解除の申請は、いつでも、将来に向かって撤回することができ、また、支給停止の解除の申請の回数について、制限は設けられていない。

C　22歳から30歳まで第２号被保険者、30歳から60歳まで第３号被保険者であった女性（昭和33年４月２日生まれ）は、59歳の時に初診日がある傷病により、障害等級３級に該当する程度の障害の状態となった。この者が、当該障害の状態のまま、61歳から障害者の特例が適用され定額部分と報酬比例部分の特別支給の老齢厚生年金を受給していたが、その後当該障害の状態が悪化し、障害等級２級に該当する程度の障害の状態になったため、63歳の時に国民年金法第30条の２第１項（いわゆる事後重症）の規定による請求を行ったとしても障害基礎年金の受給権は発生しない。

D　障害基礎年金の受給権者が、厚生年金保険法第47条第2項に規定する障害等級に該当する程度の障害の状態に該当しなくなった日から起算して同項に規定する障害等級に該当する程度の障害の状態に該当することなく3年を経過した日において、65歳に達していないときでも、当該障害基礎年金の受給権は消滅する。

E　第1号被保険者である夫の甲は、前妻との間の実子の乙、再婚した妻の丙、丙の連れ子の丁と4人で暮らしていたところ甲が死亡した。丙が、子のある妻として遺族基礎年金を受給していたが、その後、丙も死亡した。丙が受け取るはずであった当該遺族基礎年金が未支給年金となっている場合、丁は当該未支給年金を受給することができるが、乙は当該未支給年金を受給することができない。なお、丁は甲と養子縁組をしておらず、乙は丙と養子縁組をしていないものとする。

令和 **2** 年度

（2020年度・第52回）

本試験問題
選択式

本試験実施時間

10：30〜11：50（80分）

労働基準法及び労働安全衛生法

問1 次の文中の ☐☐☐ の部分を選択肢の中の最も適切な語句で埋め、完全な文章とせよ。

1　使用者は、常時10人以上の労働者を就業させる事業、厚生労働省令で定める危険な事業又は衛生上有害な事業の附属寄宿舎を設置し、移転し、又は変更しようとする場合においては、労働基準法第96条の規定に基づいて発する厚生労働省令で定める危害防止等に関する基準に従い定めた計画を、　**A**　に、行政官庁に届け出なければならない。

2　最高裁判所は、自己の所有するトラックを持ち込んで特定の会社の製品の運送業務に従事していた運転手が、労働基準法上の労働者に当たるか否かが問題となった事件において、次のように判示した。

　「上告人は、業務用機材であるトラックを所有し、自己の危険と計算の下に運送業務に従事していたものである上、Ｆ紙業は、運送という業務の性質上当然に必要とされる運送物品、運送先及び納入時刻の指示をしていた以外には、上告人の業務の遂行に関し、特段の指揮監督を行っていたとはいえず、　**B**　の程度も、一般の従業員と比較してはるかに緩やかであり、上告人がＦ紙業の指揮監督の下で労務を提供していたと評価するには足りないものといわざるを得ない。そして、　**C**　等についてみても、上告人が労働基準法上の労働者に該当すると解するのを相当とする事情はない。そうであれば、上告人は、専属的にＦ紙業の製品の運送業務に携わっており、同社の運送係の指示を拒否する自由はなかったこと、毎日の始業時刻及び終業時刻は、右運送係の指示内容のいかんによって事実上決定されることになること、右運賃表に定められた運賃は、トラック協会が定める運賃表による運送料よりも1割5分低い額とされていたことなど原審が適法に確定したその余の事実関係を考慮しても、上告人は、労働基準法上の労働者ということはできず、労働者災害補償保険法上の労働者にも該当しないものというべきである。」

3　事業者は、労働者を本邦外の地域に　D　以上派遣しようとするときは、あらかじめ、当該労働者に対し、労働安全衛生規則第44条第1項各号に掲げる項目及び厚生労働大臣が定める項目のうち医師が必要であると認める項目について、医師による健康診断を行わなければならない。

4　事業者は、高さ又は深さが　E　メートルを超える箇所で作業を行うときは、当該作業に従事する労働者が安全に昇降するための設備等を設けなければならない。ただし、安全に昇降するための設備等を設けることが作業の性質上著しく困難なときは、この限りでない。

```
┌ 選択肢 ─────────────────────────────────────┐
│  ①  0.7                          ②  1                       │
│  ③  1.5                          ④  2                       │
│  ⑤  1  月                        ⑥  3  月                   │
│  ⑦  6  月                        ⑧  1  年                   │
│  ⑨  業務遂行条件の変更           ⑩  業務量、時間外労働       │
│  ⑪  工事着手後1週間を経過するまで  ⑫  工事着手30日前まで     │
│  ⑬  工事着手14日前まで           ⑭  工事着手日まで          │
│  ⑮  公租公課の負担、F紙業が必要経費を負担していた事実        │
│  ⑯  時間的、場所的な拘束                                    │
│  ⑰  事業組織への組入れ、F紙業が必要経費を負担していた事実    │
│  ⑱  事業組織への組入れ、報酬の支払方法                      │
│  ⑲  制裁、懲戒処分                                          │
│  ⑳  報酬の支払方法、公租公課の負担                          │
└─────────────────────────────────────────┘
```

令和2年度
（第52回）

選択式

労働者災害補償保険法

問2 次の文中の 　　　 の部分を選択肢の中の最も適切な語句で埋め、完全な文章とせよ。

　通勤災害における通勤とは、労働者が、就業に関し、住居と就業の場所との間の往復等の移動を、 A な経路及び方法により行うことをいい、業務の性質を有するものを除くものとされるが、住居と就業の場所との間の往復に先行し、又は後続する住居間の移動も、厚生労働省令で定める要件に該当するものに限り、通勤に当たるとされている。

　厚生労働省令で定める要件の中には、 B に伴い、当該 B の直前の住居と就業の場所との間を日々往復することが当該往復の距離等を考慮して困難となったため住居を移転した労働者であって、次のいずれかに掲げるやむを得ない事情により、当該 B の直前の住居に居住している配偶者と別居することとなったものによる移動が挙げられている。

　　イ　配偶者が、 C にある労働者又は配偶者の父母又は同居の親族を D すること。

　　ロ　配偶者が、学校等に在学し、保育所若しくは幼保連携型認定こども園に通い、又は公共職業能力開発施設の行う職業訓練を受けている同居の子（ E 歳に達する日以後の最初の3月31日までの間にある子に限る。）を養育すること。

　　ハ　配偶者が、引き続き就業すること。

　　ニ　配偶者が、労働者又は配偶者の所有に係る住宅を管理するため、引き続き当該住宅に居住すること。

　　ホ　その他配偶者が労働者と同居できないと認められるイからニまでに類する事情

┌─ 選択肢 ─────────────────────────────┐

① 12 　　　　　　　　② 15

③ 18 　　　　　　　　④ 20

⑤ 介　護 　　　　　　⑥ 経済的

⑦ 効率的 　　　　　　⑧ 合理的

⑨ 孤立状態 　　　　　⑩ 支　援

⑪ 失業状態 　　　　　⑫ 就　職

⑬ 出　張 　　　　　　⑭ 常態的

⑮ 転　職 　　　　　　⑯ 転　任

⑰ 貧困状態 　　　　　⑱ 扶　養

⑲ 保　護 　　　　　　⑳ 要介護状態

└──────────────────────────────────┘

令和2年度
(第52回)

選択式

雇用保険法

問3 次の文中の _____ の部分を選択肢の中の最も適切な語句で埋め、完全な文章とせよ。

1　雇用保険法の適用について、１週間の所定労働時間が **A** であり、同一の事業主の適用事業に継続して **B** 雇用されることが見込まれる場合には、同法第６条第３号に規定する季節的に雇用される者、同条第４号に規定する学生又は生徒、同条第５号に規定する船員、同条第６号に規定する国、都道府県、市町村その他これらに準ずるものの事業に雇用される者を除き、パートタイマー、アルバイト、嘱託、契約社員、派遣労働者等の呼称や雇用形態の如何にかかわらず被保険者となる。

2　事業主は、雇用保険法第７条の規定により、その雇用する労働者が当該事業主の行う適用事業に係る被保険者となったことについて、当該事実のあった日の属する月の翌月 **C** 日までに、雇用保険被保険者資格取得届をその事業所の所在地を管轄する **D** に提出しなければならない。

　　雇用保険法第38条に規定する短期雇用特例被保険者については、 **E** か月以内の期間を定めて季節的に雇用される者が、その定められた期間を超えて引き続き同一の事業主に雇用されるに至ったときは、その定められた期間を超えた日から被保険者資格を取得する。ただし、当初定められた期間を超えて引き続き雇用される場合であっても、当初の期間と新たに予定された雇用期間が通算して **E** か月を超えない場合には、被保険者資格を取得しない。

┌─ **選択肢** ───

① 1　　　　　　　　　　　　　　② 4

③ 6　　　　　　　　　　　　　　④ 10

⑤ 12　　　　　　　　　　　　　⑥ 15

⑦ 20　　　　　　　　　　　　　⑧ 30

⑨ 20時間以上　　　　　　　　　⑩ 21時間以上

⑪ 30時間以上　　　　　　　　　⑫ 31時間以上

⑬ 28日以上　　　　　　　　　　⑭ 29日以上

⑮ 30日以上　　　　　　　　　　⑯ 31日以上

⑰ 公共職業安定所長

⑱ 公共職業安定所長又は都道府県労働局長　　⑲ 都道府県労働局長

⑳ 労働基準監督署長

└──

令和2年度
(第52回)

選択式

労務管理その他の労働に関する一般常識

問4 次の文中の [____] の部分を選択肢の中の最も適切な語句で埋め、完全な文章とせよ。

1　我が国の労働の実態を知る上で、政府が発表している統計が有用である。年齢階級別の離職率を知るには [**A**]、年次有給休暇の取得率を知るには [**B**]、男性の育児休業取得率を知るには [**C**] が使われている。

2　労働時間の実態を知るには、[**D**] や [**E**]、毎月勤労統計調査がある。[**D**] と [**E**] は世帯及びその世帯員を対象として実施される調査であり、毎月勤労統計調査は事業所を対象として実施される調査である。

　　[**D**] は毎月実施されており、就業状態については、15歳以上人口について、毎月の末日に終わる１週間（ただし、12月は20日から26日までの１週間）の状態を調査している。[**E**] は、国民の就業の状態を調べるために、昭和57年以降は５年ごとに実施されており、有業者については、１週間当たりの就業時間が調査項目に含まれている。

選択肢

①　家計消費状況調査	②　家計調査
③　経済センサス	④　国勢調査
⑤　国民生活基礎調査	⑥　雇用均等基本調査
⑦　雇用動向調査	⑧　社会生活基本調査
⑨　就業構造基本調査	⑩　就労条件総合調査
⑪　職業紹介事業報告	⑫　女性活躍推進法への取組状況
⑬　賃金構造基本統計調査	⑭　賃金事情等総合調査
⑮　有期労働契約に関する実態調査	⑯　労働基準監督年報
⑰　労働経済動向調査	⑱　労働経済分析レポート
⑲　労働保険の徴収適用状況	⑳　労働力調査

MEMO

令和2年度
(第52回)

選択式

社会保険に関する一般常識

問5 次の文中の ⬜ の部分を選択肢の中の最も適切な語句で埋め、完全な文章とせよ。

1 「平成29年度社会保障費用統計（国立社会保障・人口問題研究所）」によると、平成29年度の社会保障給付費（ILO基準）の総額は約 **A** 円である。部門別にみると、額が最も大きいのは「 **B** 」であり、総額に占める割合は45.6％となっている。

2 介護保険法第67条第１項及び介護保険法施行規則第103条の規定によると、市町村は、保険給付を受けることができる第１号被保険者である要介護被保険者等が保険料を滞納しており、かつ、当該保険料の納期限から **C** が経過するまでの間に当該保険料を納付しない場合においては、当該保険料の滞納につき災害その他の政令で定める特別の事情があると認める場合を除き、厚生労働省令で定めるところにより、保険給付の全部又は一部の支払を一時差し止めるものとするとされている。

3 国民健康保険法第13条の規定によると、国民健康保険組合は、同種の事業又は業務に従事する者で当該組合の地区内に住所を有するものを組合員として組織し、当該組合の地区は、 **D** の区域によるものとされている。ただし、特別の理由があるときは、この区域によらないことができるとされている。

4 国民年金の第１号被保険者が、国民年金基金に加入し、月額20,000円を納付している場合において、この者が個人型確定拠出年金に加入し、掛金を拠出するときは、月額で **E** 円まで拠出することができる。なお、この者は、掛金を毎月定額で納付するものとする。

┌─ 選択肢 ─────────────────────────────────

① 3,000　　　　　　　　　　② 23,000

③ 48,000　　　　　　　　　④ 68,000

⑤ 1 年　　　　　　　　　　⑥ 1 年 6 か月

⑦ 1 又は 2 以上の市町村　　⑧ 1 又は 2 以上の都道府県

⑨ 2 以上の隣接する市町村　⑩ 2 以上の隣接する都道府県

⑪ 2 年　　　　　　　　　　⑫ 6 か月

⑬ 100兆　　　　　　　　　⑭ 120兆

⑮ 140兆　　　　　　　　　⑯ 160兆

⑰ 医　療　　　　　　　　　⑱ 介護対策

⑲ 年　金　　　　　　　　　⑳ 福祉その他

└────────────────────────────────────

令和 2 年度
（第52回）

選択式

健康保険法

問6 次の文中の 　　　 の部分を選択肢の中の最も適切な語句で埋め、完全な文章とせよ。

1 健康保険法第82条第２項の規定によると、厚生労働大臣は、保険医療機関若しくは保険薬局に係る同法第63条第３項第１号の指定を行おうとするとき、若しくはその指定を取り消そうとするとき、又は保険医若しくは保険薬剤師に係る同法第64条の登録を取り消そうとするときは、政令で定めるところにより、　**A**　ものとされている。

2 保険医療機関又は保険薬局から療養の給付を受ける者が負担する一部負担金の割合については、70歳に達する日の属する月の翌月以後である場合であって、療養の給付を受ける月の　**B**　以上であるときは、原則として、療養の給付に要する費用の額の100分の30である。

3 50歳で標準報酬月額が41万円の被保険者が１つの病院において同一月内に入院し治療を受けたとき、医薬品など評価療養に係る特別料金が10万円、室料など選定療養に係る特別料金が20万円、保険診療に要した費用が70万円であった。この場合、保険診療における一部負担金相当額は21万円となり、当該被保険者の高額療養費算定基準額の算定式は「80,100円＋（療養に要した費用－267,000円）×１％」であるので、高額療養費は　**C**　となる。

4 健康保険法施行規則第29条の規定によると、健康保険法第48条の規定による被保険者の資格の喪失に関する届出は、様式第８号又は様式第８号の２による健康保険被保険者資格喪失届を日本年金機構又は健康保険組合（様式第８号の２によるものである場合にあっては、日本年金機構）に提出することによって行うものとするとされており、この日本年金機構に提出する様式第８号の２による届書は、　**D**　を経由して提出することができるとされている。

5 健康保険法第181条の２では、全国健康保険協会による広報及び保険料の納付の勧奨等について、「協会は、その管掌する健康保険の事業の円滑な運営が図られるよう、　**E**　に関する広報を実施するとともに、保険料の納付の勧奨その他厚生労働大臣の行う保険料の徴収に係る業務に対する適切な協力を行うものとする。」と規定している。

┌─ 選択肢 ───┐

① 7,330円　　　　　　　　② 84,430円

③ 125,570円　　　　　　　④ 127,670円

⑤ 社会保障審議会の意見を聴く　⑥ 住所地の市区町村長

⑦ 傷病の予防及び健康の保持　⑧ 所轄公共職業安定所長

⑨ 所轄労働基準監督署長　　⑩ 前月の標準報酬月額が28万円

⑪ 前月の標準報酬月額が34万円　⑫ 全国健康保険協会理事長

⑬ 地方社会保険医療協議会に諮問する

⑭ 中央社会保険医療協議会に諮問する

⑮ 当該事業の意義及び内容　⑯ 当該事業の財政状況

⑰ 都道府県知事の意見を聴く　⑱ 標準報酬月額が28万円

⑲ 標準報酬月額が34万円　　⑳ 療養環境の向上及び福祉の増進

└──┘

令和2年度
(第52回)

選択式

厚生年金保険法

問7 次の文中の ‾‾‾‾ の部分を選択肢の中の最も適切な語句で埋め、完全な文章とせよ。

1 厚生年金保険法第31条の２の規定によると、実施機関は、厚生年金保険制度に対する ‾‾A‾‾ を増進させ、及びその信頼を向上させるため、主務省令で定めるところにより、被保険者に対し、当該被保険者の保険料納付の実績及び将来の給付に関する必要な情報を分かりやすい形で通知するものとするとされている。

2 厚生年金保険法第44条の３第１項の規定によると、老齢厚生年金の受給権を有する者であってその ‾‾B‾‾ 前に当該老齢厚生年金を請求していなかったものは、実施機関に当該老齢厚生年金の支給繰下げの申出をすることができるとされている。ただし、その者が当該老齢厚生年金の受給権を取得したときに、他の年金たる給付（他の年金たる保険給付又は国民年金法による年金たる給付（ ‾‾C‾‾ を除く。）をいう。）の受給権者であったとき、又は当該老齢厚生年金の ‾‾B‾‾ までの間において他の年金たる給付の受給権者となったときは、この限りでないとされている。

3 厚生年金保険法第78条の２第１項の規定によると、第１号改定者又は第２号改定者は、離婚等をした場合であって、当事者が標準報酬の改定又は決定の請求をすること及び請求すべき ‾‾D‾‾ について合意しているときは、実施機関に対し、当該離婚等について対象期間に係る被保険者期間の標準報酬の改定又は決定を請求することができるとされている。ただし、当該離婚等をしたときから ‾‾E‾‾ を経過したときその他の厚生労働省令で定める場合に該当するときは、この限りでないとされている。

┌─ 選択肢 ─────────────────────────────────

①　１　年　　　　　　　　　②　２　年

③　３　年　　　　　　　　　④　６か月

⑤　按分割合　　　　　　　　⑥　改定額

⑦　改定請求額　　　　　　　⑧　改定割合

⑨　国民の理解　　　　　　　⑩　受給権者の理解

⑪　受給権を取得した日から起算して１か月を経過した日

⑫　受給権を取得した日から起算して１年を経過した日

⑬　受給権を取得した日から起算して５年を経過した日

⑭　受給権を取得した日から起算して６か月を経過した日

⑮　被保険者及び被保険者であった者の理解

⑯　被保険者の理解

⑰　付加年金及び障害基礎年金並びに遺族基礎年金

⑱　老齢基礎年金及び障害基礎年金並びに遺族基礎年金

⑲　老齢基礎年金及び付加年金並びに遺族基礎年金

⑳　老齢基礎年金及び付加年金並びに障害基礎年金

└──────────────────────────────────────

令和２年度
（第52回）

選択式

国民年金法

問8 次の文中の 　　　 の部分を選択肢の中の最も適切な語句で埋め、完全な文章とせよ。

1　国民年金法第4条では、「この法律による年金の額は、　**A**　その他の諸事情に著しい変動が生じた場合には、変動後の諸事情に応ずるため、速やかに　**B**　の措置が講ぜられなければならない。」と規定している。

2　国民年金法第37条の規定によると、遺族基礎年金は、被保険者であった者であって、日本国内に住所を有し、かつ、　**C**　であるものが死亡したとき、その者の配偶者又は子に支給するとされている。ただし、死亡した者につき、死亡日の前日において、死亡日の属する月の前々月までに被保険者期間があり、かつ、当該被保険者期間に係る保険料納付済期間と保険料免除期間とを合算した期間が　**D**　に満たないときは、この限りでないとされている。

3　国民年金法第94条の2第1項では、「厚生年金保険の実施者たる政府は、毎年度、基礎年金の給付に要する費用に充てるため、基礎年金拠出金を負担する。」と規定しており、同条第2項では、「　**E**　は、毎年度、基礎年金の給付に要する費用に充てるため、基礎年金拠出金を納付する。」と規定している。

―選択肢―
① 10　年
② 25　年
③ 20歳以上60歳未満
④ 20歳以上65歳未満
⑤ 60歳以上65歳未満
⑥ 65歳以上70歳未満
⑦ 改　定
⑧ 国民生活の安定
⑨ 国民生活の現況
⑩ 国民生活の状況
⑪ 国民の生活水準
⑫ 所　要
⑬ 実施機関たる共済組合等
⑭ 実施機関たる市町村
⑮ 実施機関たる政府
⑯ 実施機関たる日本年金機構
⑰ 是　正
⑱ 訂　正
⑲ 当該被保険者期間の3分の1
⑳ 当該被保険者期間の3分の2

本試験実施時間

13：20〜16：50 （210分）

法令等略記凡例

法令等名称	法令等略称
労働者災害補償保険法	労災保険法
労働者災害補償保険特別支給金支給規則	労災保険特別支給金支給規則
労働保険の保険料の徴収等に関する法律	労働保険徴収法
労働保険の保険料の徴収等に関する法律施行規則	労働保険徴収法施行規則
育児休業、介護休業等育児又は家族介護を行う労働者の福祉に関する法律	育児介護休業法
短時間労働者及び有期雇用労働者の雇用管理の改善等に関する法律	パートタイム・有期雇用労働法
障害者の雇用の促進等に関する法律	障害者雇用促進法

労働基準法及び労働安全衛生法

問1 労働基準法第10条に定める使用者等の定義に関する次の記述のうち、正しいものはどれか。

A 「事業主」とは、その事業の経営の経営主体をいい、個人企業にあってはその企業主個人、株式会社の場合は、その代表取締役をいう。

B 事業における業務を行うための体制が、課及びその下部組織としての係で構成され、各組織の管理者として課長及び係長が配置されている場合、組織系列において係長は課長の配下になることから、係長に与えられている責任と権限の有無にかかわらず、係長が「使用者」になることはない。

C 事業における業務を行うための体制としていくつかの課が設置され、課が所掌する日常業務の大半が課長権限で行われていれば、課長がたまたま事業主等の上位者から権限外の事項について命令を受けて単にその命令を部下に伝達しただけであっても、その伝達は課長が使用者として行ったこととされる。

D 下請負人が、その雇用する労働者の労働力を自ら直接利用するとともに、当該業務を自己の業務として相手方（注文主）から独立して処理するものである限り、注文主と請負関係にあると認められるから、自然人である下請負人が、たとえ作業に従事することがあっても、労働基準法第９条の労働者ではなく、同法第10条にいう事業主である。

E 派遣労働者が派遣先の指揮命令を受けて労働する場合、その派遣中の労働に関する派遣労働者の使用者は、当該派遣労働者を送り出した派遣元の管理責任者であって、当該派遣先における指揮命令権者は使用者にはならない。

問2 労働基準法に定める監督機関及び雑則に関する次の記述のうち、正しいものはどれか。

A 労働基準法第106条により使用者に課せられている法令等の周知義務は、労働基準法、労働基準法に基づく命令及び就業規則については、その要旨を労働者に周知させればよい。

B 使用者は、労働基準法第36条第1項（時間外及び休日の労働）に規定する協定及び同法第41条の2第1項（いわゆる高度プロフェッショナル制度に係る労使委員会）に規定する決議を労働者に周知させなければならないが、その周知は、対象労働者に対してのみ義務付けられている。

C 労働基準監督官は、労働基準法違反の罪について、刑事訴訟法に規定する司法警察官の職務を行うほか、労働基準法第24条に定める賃金並びに同法第37条に定める時間外、休日及び深夜の割増賃金の不払については、不払をしている事業主の財産を仮に差し押さえる職務を行う。

D 労働基準法及びこれに基づく命令に定める許可、認可、認定又は指定の申請書は、各々2通これを提出しなければならない。

E 使用者は、事業を開始した場合又は廃止した場合は、遅滞なくその旨を労働基準法施行規則の定めに従い所轄労働基準監督署長に報告しなければならない。

問3 労働基準法第64条の3に定める危険有害業務の就業制限に関する次の記述のうち、誤っているものはどれか。

A 使用者は、女性を、30キログラム以上の重量物を取り扱う業務に就かせてはならない。

B 使用者は、女性を、さく岩機、鋲打機等身体に著しい振動を与える機械器具を用いて行う業務に就かせてはならない。

C 使用者は、妊娠中の女性を、つり上げ荷重が5トン以上のクレーンの運転の業務に就かせてはならない。

D 使用者は、産後1年を経過しない（労働基準法第65条による休業期間を除く。）女性を、高さが5メートル以上の場所で、墜落により労働者が危害を受けるおそれのあるところにおける業務に就かせてもよい。

E 使用者は、産後1年を経過しない女性が、動力により駆動される土木建築用機械の運転の業務に従事しない旨を使用者に申し出た場合、その女性を当該業務に就かせてはならない。

令和2年度
（第52回）

択一式

問4 労働基準法の総則（第１条～第12条）に関する次の記述のうち、誤っているものはどれか。

A 労働基準法第３条に定める「国籍」を理由とする差別の禁止は、主として日本人労働者と日本国籍をもたない外国人労働者との取扱いに関するものであり、そこには無国籍者や二重国籍者も含まれる。

B 労働基準法第５条に定める「精神又は身体の自由を不当に拘束する手段」の「不当」とは、本条の目的に照らし、かつ、個々の場合において、具体的にその諸条件をも考慮し、社会通念上是認し難い程度の手段をいい、必ずしも「不法」なもののみに限られず、たとえ合法的であっても、「不当」なものとなることがある。

C 労働基準法第６条に定める「何人も、法律に基いて許される場合の外、業として他人の就業に介入して利益を得てはならない。」の「利益」とは、手数料、報償金、金銭以外の財物等いかなる名称たるかを問わず、また有形無形かも問わない。

D 使用者が、選挙権の行使を労働時間外に実施すべき旨を就業規則に定めており、これに基づいて、労働者が就業時間中に選挙権の行使を請求することを拒否した場合には、労働基準法第７条違反に当たらない。

E 食事の供与（労働者が使用者の定める施設に住み込み１日に２食以上支給を受けるような特殊の場合のものを除く。）は、食事の支給のための代金を徴収すると否とを問わず、①食事の供与のために賃金の減額を伴わないこと、②食事の供与が就業規則、労働協約等に定められ、明確な労働条件の内容となっている場合でないこと、③食事の供与による利益の客観的評価額が、社会通念上、僅少なものと認められるものであること、の３つの条件を満たす限り、原則として、これを賃金として取り扱わず、福利厚生として取り扱う。

問5 労働基準法に定める労働契約等に関する次の記述のうち、正しいものはいくつあるか。

ア 専門的な知識、技術又は経験（以下「専門的知識等」という。）であって高度のものとして厚生労働大臣が定める基準に該当する専門的知識等を有する労働者との間に締結される労働契約については、当該労働者の有する高度の専門的知識等を必要とする業務に就く場合に限って契約期間の上限を5年とする労働契約を締結することが可能となり、当該高度の専門的知識を必要とする業務に就いていない場合の契約期間の上限は3年である。

イ 労働契約の締結の際に、使用者が労働者に書面により明示すべき賃金に関する事項及び書面について、交付すべき書面の内容としては、労働者の採用時に交付される辞令等であって、就業規則等（労働者への周知措置を講じたもの）に規定されている賃金等級が表示されたものでもよい。

ウ 使用者の行った解雇予告の意思表示は、一般的には取り消すことができないが、労働者が具体的事情の下に自由な判断によって同意を与えた場合には、取り消すことができる。

エ 使用者は、労働者を解雇しようとする場合において、「天災事変その他やむを得ない事由のために事業の継続が不可能となつた場合」には解雇の予告を除外されるが、「天災事変その他やむを得ない事由」には、使用者の重過失による火災で事業場が焼失した場合も含まれる。

オ 使用者は、労働者の死亡又は退職の場合において、権利者の請求があった場合においては、7日以内に賃金を支払い、労働者の権利に属する金品を返還しなければならないが、この賃金又は金品に関して争いがある場合においては、使用者は、異議のない部分を、7日以内に支払い、又は返還しなければならない。

A 一つ

B 二つ

C 三つ

D 四つ

E 五つ

問6 労働基準法に定める労働時間等に関する次の記述のうち、誤っているものはどれか。

A 運転手が２名乗り込んで、１名が往路を全部運転し、もう１名が復路を全部運転することとする場合に、運転しない者が助手席で休息し又は仮眠している時間は労働時間に当たる。

B 労働基準法第32条の３に定めるいわゆるフレックスタイム制を実施する際には、清算期間の長さにかかわらず、同条に掲げる事項を定めた労使協定を行政官庁（所轄労働基準監督署長）に届け出なければならない。

C 労働基準法第36条第３項に定める「労働時間を延長して労働させることができる時間」に関する「限度時間」は、１か月について45時間及び１年について360時間（労働基準法第32条の４第１項第２号の対象期間として３か月を超える期間を定めて同条の規定により労働させる場合にあっては、１か月について42時間及び１年について320時間）とされている。

D 労働基準法第37条は、「使用者が、第33条又は前条第１項の規定により労働時間を延長し、又は休日に労働させた場合」における割増賃金の支払について定めているが、労働基準法第33条又は第36条所定の条件を充足していない違法な時間外労働ないしは休日労働に対しても、使用者は同法第37条第１項により割増賃金の支払義務があり、その義務を履行しないときは同法第119条第１号の罰則の適用を免れないとするのが、最高裁判所の判例である。

E 使用者は、労働基準法第39条第７項の規定により労働者に有給休暇を時季を定めることにより与えるに当たっては、あらかじめ、同項の規定により当該有給休暇を与えることを当該労働者に明らかにした上で、その時季について当該労働者の意見を聴かなければならず、これにより聴取した意見を尊重するよう努めなければならない。

問7 労働基準法に定める就業規則等に関する次の記述のうち、正しいものはどれか。

A 慣習等により、労働条件の決定変更につき労働組合との協議を必要とする場合は、その旨を必ず就業規則に記載しなければならない。

B 労働基準法第90条に定める就業規則の作成又は変更の際の意見聴取について、労働組合が故意に意見を表明しない場合には、意見を聴いたことが客観的に証明できる限り、行政官庁（所轄労働基準監督署長）は、就業規則を受理するよう取り扱うものとされている。（改題）

C 派遣元の使用者は、派遣中の労働者だけでは常時10人以上にならず、それ以外の労働者を合わせてはじめて常時10人以上になるときは、労働基準法第89条による就業規則の作成義務を負わない。

D 1つの企業が2つの工場をもっており、いずれの工場も、使用している労働者は10人未満であるが、2つの工場を合わせて1つの企業としてみたときは10人以上となる場合、2つの工場がそれぞれ独立した事業場と考えられる場合でも、使用者は就業規則の作成義務を負う。

E 労働者が、遅刻・早退をした場合、その時間に対する賃金額を減給する際も労働基準法第91条による制限を受ける。

問8 労働安全衛生法第66条の8から第66条の8の4までに定める面接指導等に関する次の記述のうち、正しいものはどれか。

A 事業者は、休憩時間を除き1週間当たり40時間を超えて労働させた場合におけるその超えた時間が1月当たり60時間を超え、かつ、疲労の蓄積が認められる労働者から申出があった場合は、面接指導を行わなければならない。

B 事業者は、研究開発に係る業務に従事する労働者については、休憩時間を除き1週間当たり40時間を超えて労働させた場合におけるその超えた時間が1月当たり80時間を超えた場合は、労働者からの申出の有無にかかわらず面接指導を行わなければならない。

C 事業者は、労働基準法第41条の2第1項の規定により労働する労働者（いわゆる高度プロフェッショナル制度により労働する労働者）については、その健康管理時間（同項第3号に規定する健康管理時間をいう。）が1週間当たり40時間を超えた場合におけるその超えた時間が1月当たり100時間を超えるものに対し、労働者からの申出の有無にかかわらず医師による面接指導を行わなければならない。

令和2年度
（第52回）

択一式

D 事業者は、労働安全衛生法に定める面接指導を実施するため、厚生労働省令で定めるところにより、労働者の労働時間の状況を把握しなければならないが、労働基準法第41条によって労働時間等に関する規定の適用が除外される労働者及び同法第41条の2第1項の規定により労働する労働者（いわゆる高度プロフェッショナル制度により労働する労働者）はその対象から除いてもよい。

E 事業者は、労働安全衛生法に定める面接指導の結果については、当該面接指導の結果の記録を作成して、これを保存しなければならないが、その保存すべき年限は3年と定められている。

問9 労働安全衛生法に関する次の記述のうち、誤っているものはどれか。

A 労働安全衛生法は、同居の親族のみを使用する事業又は事務所については適用されない。また、家事使用人についても適用されない。

B 労働安全衛生法は、事業場を単位として、その業種、規模等に応じて、安全衛生管理体制、工事計画の届出等の規定を適用することにしており、この法律による事業場の適用単位の考え方は、労働基準法における考え方と同一である。

C 総括安全衛生管理者は、当該事業場においてその事業の実施を統括管理する者をもって充てなければならないが、必ずしも安全管理者の資格及び衛生管理者の資格を共に有する者のうちから選任しなければならないものではない。

D 労働安全衛生法は、事業者の責務を明らかにするだけではなく、機械等の設計者、製造者又は輸入者、原材料の製造者又は輸入者、建設物の建設者又は設計者、建設工事の注文者等についても、それぞれの立場において労働災害の発生の防止に資するよう努めるべき責務を有していることを明らかにしている。

E 労働安全衛生法は、第20条で、事業者は、機械等による危険を防止するため必要な措置を講じなければならないとし、その違反には罰則規定を設けているが、措置義務は事業者に課せられているため、例えば法人の従業者が違反行為をしたときは、原則として当該従業者は罰則の対象としない。

問10 労働安全衛生法に定める安全衛生教育に関する次の記述のうち、誤っているものはどれか。

A　事業者は、常時使用する労働者を雇い入れたときは、当該労働者に対し、厚生労働省令で定めるところにより、その従事する業務に関する安全又は衛生のための教育を行わなければならない。臨時に雇用する労働者については、同様の教育を行うよう努めなければならない。

B　事業者は、作業内容を変更したときにも新規に雇い入れたときと同様の安全衛生教育を行わなければならない。

C　安全衛生教育の実施に要する時間は労働時間と解されるので、当該教育が法定労働時間外に行われた場合には、割増賃金が支払われなければならない。

D　事業者は、最大荷重1トン未満のフォークリフトの運転（道路交通法（昭和35年法律第105号）第2条第1項第1号の道路上を走行させる運転を除く。）の業務に労働者を就かせるときは、当該業務に関する安全又は衛生のための特別の教育を行わなければならない。

E　事業者は、その事業場の業種が金属製品製造業に該当するときは、新たに職務に就くこととなった職長その他の作業中の労働者を直接指導又は監督する者（作業主任者を除く。）に対し、作業方法の決定及び労働者の配置に関すること等について、厚生労働省令で定めるところにより、安全又は衛生のための教育を行わなければならない。

労働者災害補償保険法（労働保険の保険料の徴収等に関する法律を含む。）

問1 業務災害の保険給付に関する次の記述のうち、誤っているものはどれか。

A 業務遂行中の負傷であれば、労働者が過失により自らの負傷の原因となった事故を生じさせた場合、それが重大な過失でない限り、政府は保険給付の全部又は一部を行わないとすることはできない。

B 業務遂行中の負傷であれば、負傷の原因となった事故が、負傷した労働者の故意の犯罪行為によって生じた場合であっても、政府は保険給付の全部又は一部を行わないとすることはできない。

C 業務遂行中の負傷であれば、労働者が過失により自らの負傷を生じさせた場合、それが重大な過失でない限り、政府は保険給付の全部又は一部を行わないとすることはできない。

D 業務起因性の認められる疾病に罹患した労働者が、療養に関する指示に従わないことにより疾病の程度を増進させた場合であっても、指示に従わないことに正当な理由があれば、政府は保険給付の全部又は一部を行わないとすることはできない。

E 業務起因性の認められる疾病に罹患した労働者が、療養に関する指示に従わないことにより疾病の回復を妨げた場合であっても、指示に従わないことに正当な理由があれば、政府は保険給付の全部又は一部を行わないとすることはできない。

問2 労災保険に関する次の記述のうち、誤っているものはどれか。

A 船舶が沈没した際現にその船舶に乗っていた労働者の死亡が３か月以内に明らかとなり、かつ、その死亡の時期がわからない場合には、遺族補償給付、葬祭料、遺族給付及び葬祭給付の支給に関する規定の適用については、その船舶が沈没した日に、当該労働者は、死亡したものと推定する。

B 航空機に乗っていてその航空機の航行中行方不明となった労働者の生死が３か月間わからない場合には、遺族補償給付、葬祭料、遺族給付及び葬祭給付の支給に関する規定の適用については、労働者が行方不明となって３か月経過した日に、当該労働者は、死亡したものと推定する。

C 偽りその他不正の手段により労災保険に係る保険給付を受けた者があるときは、政府は、その保険給付に要した費用に相当する金額の全部又は一部をその者から徴収することができる。

D 偽りその他不正の手段により労災保険に係る保険給付を受けた者があり、事業主が虚偽の報告又は証明をしたためその保険給付が行われたものであるときは、政府は、その事業主に対し、保険給付を受けた者と連帯してその保険給付に要した費用に相当する金額の全部又は一部である徴収金を納付すべきことを命ずることができる。

E 労災保険法に基づく保険給付を受ける権利を有する者が死亡した場合において、その死亡した者に支給すべき保険給付でまだその者に支給しなかったものがあるときは、その者の配偶者（婚姻の届出をしていないが、事実上婚姻関係と同様の事情にあった者を含む。）、子、父母、孫、祖父母又は兄弟姉妹であって、その者の死亡の当時その者と生計を同じくしていたもの（遺族補償年金については当該遺族補償年金を受けることができる他の遺族、複数事業労働者遺族年金については当該複数事業労働者遺族年金を受けることができる他の遺族、遺族年金については当該遺族年金を受けることができる他の遺族）は、自己の名で、その未支給の保険給付の支給を請求することができる。（改題）

問3 労災保険法第33条第5号の「厚生労働省令で定める種類の作業に従事する者」は労災保険に特別加入することができるが、「厚生労働省令で定める種類の作業」に当たる次の記述のうち、誤っているものはどれか。

A 国又は地方公共団体が実施する訓練として行われる作業のうち求職者を作業環境に適応させるための訓練として行われる作業

B 家内労働法第2条第2項の家内労働者又は同条第4項の補助者が行う作業のうち木工機械を使用して行う作業であって、仏壇又は木製若しくは竹製の食器の製造又は加工に係るもの

C 農業（畜産及び養蚕の事業を含む。）における作業のうち、厚生労働大臣が定める規模の事業場における土地の耕作若しくは開墾、植物の栽培若しくは採取又は家畜（家きん及びみつばちを含む。）若しくは蚕の飼育の作業であって、高さが1メートル以上の箇所における作業に該当するもの

令和2年度
（第52回）

択一式

D 日常生活を円滑に営むことができるようにするための必要な援助として行われる作業であって、炊事、洗濯、掃除、買物、児童の日常生活上の世話及び必要な保護その他家庭において日常生活を営むのに必要な行為

E 労働組合法第２条及び第５条第２項の規定に適合する労働組合その他これに準ずるものであって厚生労働大臣が定めるもの（常時労働者を使用するものを除く。以下「労働組合等」という。）の常勤の役員が行う集会の運営、団体交渉その他の当該労働組合等の活動に係る作業であって、当該労働組合等の事務所、事業場、集会場又は道路、公園その他の公共の用に供する施設におけるもの（当該作業に必要な移動を含む。）

問4 労災保険法の罰則規定に関する次の記述のうち、正しいものはいくつあるか。

ア 事業主が、行政庁から厚生労働省令で定めるところにより労災保険法の施行に関し必要な報告を命じられたにもかかわらず、報告をしなかった場合、6月以下の懲役又は30万円以下の罰金に処される。

イ 事業主が、行政庁から厚生労働省令で定めるところにより労災保険法の施行に関し必要な文書の提出を命じられたにもかかわらず、提出をしなかった場合、6月以下の懲役又は30万円以下の罰金に処される。

ウ 事業主が、行政庁から厚生労働省令で定めるところにより労災保険法の施行に関し必要な文書の提出を命じられた際に、虚偽の記載をした文書を提出した場合、6月以下の懲役又は30万円以下の罰金に処される。

エ 行政庁が労災保険法の施行に必要な限度において、当該職員に身分を示す証明書を提示しつつ事業場に立ち入り質問をさせたにもかかわらず、事業主が当該職員の質問に対し虚偽の陳述をした場合、6月以下の懲役又は30万円以下の罰金に処される。

オ 行政庁が労災保険法の施行に必要な限度において、当該職員に身分を示す証明書を提示しつつ事業場に立ち入り帳簿書類の検査をさせようとしたにもかかわらず、事業主が検査を拒んだ場合、6月以下の懲役又は30万円以下の罰金に処される。

A 一つ

B 二つ

C 三つ

D 四つ

E 五つ

問5 障害等級認定基準についての行政通知によれば、既に右示指の用を廃して
いた（障害等級第12級の9、障害補償給付の額は給付基礎日額の156日分）
者が、新たに同一示指を亡失した場合には、現存する身体障害に係る障害等
級は第11級の6（障害補償給付の額は給付基礎日額の223日分）となるが、
この場合の障害補償給付の額に関する次の記述のうち、正しいものはどれ
か。

A 給付基礎日額の67日分

B 給付基礎日額の156日分

C 給付基礎日額の189日分

D 給付基礎日額の223日分

E 給付基礎日額の379日分

問6 業務災害の保険給付に関する次の記述のうち、正しいものには○、誤って
いるものには×をつけよ。（改題）

※ Dについては、試験センターより「その記載された内容から正誤の判定
を行うことが困難であった」との発表がありました（問題及び解説につい
ては、参考として解答・解説編に掲載しています。）。

A 労働者が業務上の負傷又は疾病による療養のため所定労働時間のうちその一
部分のみについて労働し、当該労働に対して支払われる賃金の額が給付基礎日
額の20％に相当する場合、休業補償給付と休業特別支給金とを合わせると給付
基礎日額の100％となる。

令和2年度
(第52回)

択一式

B　業務上負傷し、又は疾病にかかった労働者が、当該負傷又は疾病に係る療養の開始後３年を経過した日において傷病補償年金を受けている場合に限り、その日において、使用者は労働基準法第81条の規定による打切補償を支払ったものとみなされ、当該労働者について労働基準法第19条第１項の規定によって課せられた解雇制限は解除される。

C　業務上の災害により死亡した労働者Ｙには２人の子がいる。１人はＹの死亡の当時19歳であり、Ｙと同居し、Ｙの収入によって生計を維持していた大学生で、もう１人は、Ｙの死亡の当時17歳であり、Ｙと離婚した元妻と同居し、Ｙが死亡するまで、Ｙから定期的に養育費を送金されていた高校生であった。２人の子は、遺族補償年金の受給資格者であり、同順位の受給権者となる。

D　(正誤の判定を行うことが困難であるため削除)

E　介護補償給付は、親族又はこれに準ずる者による介護についても支給されるが、介護の費用として支出した額が支給されるものであり、「介護に要した費用の額の証明書」を添付しなければならないことから、介護費用を支払わないで親族又はこれに準ずる者による介護を受けた場合は支給されない。

問7　労災保険の特別支給金に関する次の記述のうち、誤っているものはどれか。

A　労災保険特別支給金支給規則第６条第１項に定める特別支給金の額の算定に用いる算定基礎年額は、負傷又は発病の日以前１年間（雇入後１年に満たない者については、雇入後の期間）に当該労働者に対して支払われた特別給与（労働基準法第12条第４項の３か月を超える期間ごとに支払われる賃金をいう。）の総額とするのが原則であるが、いわゆるスライド率（労災保険法第８条の３第１項第２号の厚生労働大臣が定める率）が適用される場合でも、算定基礎年額が150万円を超えることはない。

B 特別支給金の支給の申請は、原則として、関連する保険給付の支給の請求と同時に行うこととなるが、傷病特別支給金、傷病特別年金の申請については、当分の間、休業特別支給金の支給の申請の際に特別給与の総額についての届出を行っていない者を除き、傷病補償年金、複数事業労働者傷病年金又は傷病年金の支給の決定を受けた者は、傷病特別支給金、傷病特別年金の申請を行ったものとして取り扱う。(改題)

C 第三者の不法行為によって業務上負傷し、その第三者から同一の事由について損害賠償を受けていても、特別支給金は支給申請に基づき支給され、調整されることはない。

D 休業特別支給金の支給は、社会復帰促進等事業として行われているものであることから、その申請は支給の対象となる日の翌日から起算して5年以内に行うこととされている。

E 労災保険法による障害補償年金、傷病補償年金、遺族補償年金を受ける者が、同一の事由により厚生年金保険法の規定による障害厚生年金、遺族厚生年金等を受けることとなり、労災保険からの支給額が減額される場合でも、障害特別年金、傷病特別年金、遺族特別年金は減額されない。

問8 請負事業の一括に関する次の記述のうち、正しいものはどれか。

A 請負事業の一括は、労災保険に係る保険関係が成立している事業のうち、建設の事業又は立木の伐採の事業が数次の請負によって行われるものについて適用される。

B 請負事業の一括は、元請負人が、請負事業の一括を受けることにつき所轄労働基準監督署長に届け出ることによって行われる。

C 請負事業の一括が行われ、その事業を一の事業とみなして元請負人のみが当該事業の事業主とされる場合、請負事業の一括が行われるのは、「労災保険に係る保険関係が成立している事業」についてであり、「雇用保険に係る保険関係が成立している事業」については行われない。

令和2年度
（第52回）

択一式

D 請負事業の一括が行われ、その事業を一の事業とみなして元請負人のみが当該事業の事業主とされる場合、元請負人は、その請負に係る事業については、下請負をさせた部分を含め、そのすべてについて事業主として保険料の納付の義務を負い、更に労働関係の当事者として下請負人やその使用する労働者に対して使用者となる。

E 請負事業の一括が行われると、元請負人は、その請負に係る事業については、下請負をさせた部分を含め、そのすべてについて事業主として保険料の納付等の義務を負わなければならないが、元請負人がこれを納付しないとき、所轄都道府県労働局歳入徴収官は、下請負人に対して、その請負金額に応じた保険料を納付するよう請求することができる。

問9 労働保険徴収法第12条第3項に定める継続事業のいわゆるメリット制に関する次の記述のうち、誤っているものはどれか。

A メリット制においては、個々の事業の災害率の高低等に応じ、事業の種類ごとに定められた労災保険率を一定の範囲内で引き上げ又は引き下げた率を労災保険率とするが、雇用保険率についてはそのような引上げや引下げは行われない。

B 労災保険率をメリット制によって引き上げ又は引き下げた率は、当該事業についての基準日の属する保険年度の次の次の保険年度の労災保険率となる。

C メリット収支率の算定基礎に、労災保険特別支給金支給規則の規定による特別支給金で業務災害に係るものは含める。

D 令和元年7月1日に労災保険に係る保険関係が成立した事業のメリット収支率は、令和元年度から令和3年度までの3保険年度の収支率で算定される。

E 継続事業の一括を行った場合には、労働保険徴収法第12条第3項に規定する労災保険に係る保険関係の成立期間は、一括の認可の時期に関係なく、一の事業として指定された事業の労災保険に係る保険関係成立の日から起算し、指定された事業以外の事業については保険関係が消滅するので、これに係る一括前の保険料及び一括前の災害に係る給付は、指定事業のメリット収支率の算定基礎に算入しない。

問10 労災保険の特別加入に関する次の記述のうち、正しいものはどれか。

A 第1種特別加入保険料率は、中小事業主等が行う事業に係る労災保険率と同一の率から、労災保険法の適用を受けるすべての事業の過去3年間の二次健康診断等給付に要した費用の額を考慮して厚生労働大臣の定める率を減じた率である。

B 継続事業の場合で、保険年度の中途に第1種特別加入者でなくなった者の特別加入保険料算定基礎額は、特別加入保険料算定基礎額を12で除して得た額に、その者が当該保険年度中に第1種特別加入者とされた期間の月数を乗じて得た額とする。当該月数に1月未満の端数があるときはその月数を切り捨てる。

C 第2種特別加入保険料額は、特別加入保険料算定基礎額の総額に第2種特別加入保険料率を乗じて得た額であり、第2種特別加入者の特別加入保険料算定基礎額は第1種特別加入者のそれよりも原則として低い。

D 第2種特別加入保険料率は、事業又は作業の種類にかかわらず、労働保険徴収法施行規則によって同一の率に定められている。

E 第2種特別加入保険料率は、第2種特別加入者に係る保険給付及び社会復帰促進等事業に要する費用の予想額に照らして、将来にわたり労災保険の事業に係る財政の均衡を保つことができるものとされているが、第3種特別加入保険料率はその限りではない。

雇用保険法（労働保険の保険料の徴収等に関する法律を含む。）

問1 被保険者資格の得喪と届出に関する次の記述のうち、正しいものはどれか。

A 法人（法人でない労働保険事務組合を含む。）の代表者又は法人若しくは人の代理人、使用人その他の従業者が、その法人又は人の業務に関して、雇用保険法第7条に規定する届出の義務に違反する行為をしたときは、その法人又は人に対して罰金刑を科すが、行為者を罰することはない。

B 公共職業安定所長は、雇用保険被保険者資格喪失届の提出があった場合において、被保険者でなくなったことの事実がないと認めるときは、その旨につき当該届出をした事業主に通知しなければならないが、被保険者でなくなったことの事実がないと認められた者に対しては通知しないことができる。

C 雇用保険の被保険者が国、都道府県、市町村その他これらに準ずるものの事業に雇用される者のうち、離職した場合に、他の法令、条例、規則等に基づいて支給を受けるべき諸給与の内容が法の規定する求職者給付及び就職促進給付の内容を超えると認められるものであって雇用保険法施行規則第4条に定めるものに該当するに至ったときは、その日の属する月の翌月の初日から雇用保険の被保険者資格を喪失する。

D 適用事業に雇用された者で、雇用保険法第6条に定める適用除外に該当しないものは、雇用契約の成立日ではなく、雇用関係に入った最初の日に被保険者資格を取得する。

E 暫定任意適用事業の事業主がその事業について任意加入の認可を受けたときは、その事業に雇用される者は、当該認可の申請がなされた日に被保険者資格を取得する。

問2 失業の認定に関する次の記述のうち、正しいものはどれか。

A 受給資格者の住居所を管轄する公共職業安定所以外の公共職業安定所が行う職業相談を受けたことは、求職活動実績として認められる。

B 基本手当の受給資格者が求職活動等やむを得ない理由により公共職業安定所に出頭することができない場合、失業の認定を代理人に委任することができる。

C 自営の開業に先行する準備行為に専念する者については、労働の意思を有するものとして取り扱われる。

D 雇用保険の被保険者となり得ない短時間就労を希望する者であっても、労働の意思を有すると推定される。

E 認定対象期間において一の求人に係る筆記試験と採用面接が別日程で行われた場合、求人への応募が2回あったものと認められる。

問3 基本手当の延長給付に関する次の記述のうち、誤っているものはどれか。

A 訓練延長給付により所定給付日数を超えて基本手当が支給される場合、その日額は本来支給される基本手当の日額と同額である。

B 特定理由離職者、特定受給資格者又は就職が困難な受給資格者のいずれにも該当しない受給資格者は、個別延長給付を受けることができない。

C 厚生労働大臣は、その地域における基本手当の初回受給率が全国平均の初回受給率の1.5倍を超え、かつ、その状態が継続すると認められる場合、当該地域を広域延長給付の対象とすることができる。

D 厚生労働大臣は、雇用保険法第27条第1項に規定する全国延長給付を支給する指定期間を超えて失業の状況について政令で定める基準に照らして必要があると認めるときは、当該指定期間を延長することができる。

E 雇用保険法附則第5条に規定する給付日数の延長に関する暫定措置である地域延長給付の対象者は、年齢を問わない。

令和2年度
（第52回）

択一式

問4 傷病手当に関する次の記述のうち、正しいものはどれか。

A 疾病又は負傷のため職業に就くことができない状態が当該受給資格に係る離職前から継続している場合には、他の要件を満たす限り傷病手当が支給される。

B 有効な求職の申込みを行った後において当該求職の申込みの取消し又は撤回を行い、その後において疾病又は負傷のため職業に就くことができない状態となった場合、他の要件を満たす限り傷病手当が支給される。

C つわり又は切迫流産（医学的に疾病と認められるものに限る。）のため職業に就くことができない場合には、その原因となる妊娠（受胎）の日が求職申込みの日前であっても、当該つわり又は切迫流産が求職申込後に生じたときには、傷病手当が支給されない。

D 訓練延長給付に係る基本手当を受給中の受給資格者が疾病又は負傷のため公共職業訓練等を受けることができなくなった場合、傷病手当が支給される。

E 求職の申込みの時点においては疾病又は負傷にもかかわらず職業に就くことができる状態にあった者が、その後疾病又は負傷のため職業に就くことができない状態になった場合は、他の要件を満たす限り傷病手当が支給される。

問5 給付制限に関する次の記述のうち、誤っているものはどれか。

A 日雇労働被保険者が公共職業安定所の紹介した業務に就くことを拒否した場合において、当該業務に係る事業所が同盟罷業又は作業所閉鎖の行われている事業所である場合、日雇労働求職者給付金の給付制限を受けない。

B 不正な行為により基本手当の支給を受けようとしたことを理由として基本手当の支給停止処分を受けた場合であっても、その後再就職し新たに受給資格を取得したときには、当該新たに取得した受給資格に基づく基本手当を受けることができる。

C （改正により削除）

D 不正な行為により育児休業給付金の支給を受けたとして育児休業給付金に係る支給停止処分を受けた受給資格者は、当該育児休業給付金の支給に係る育児休業を開始した日に養育していた子以外の子について新たに育児休業給付金の支給要件を満たしたとしても、新たな受給資格に係る育児休業給付金を受けることができない。（改題）

E 偽りその他不正の行為により高年齢雇用継続基本給付金の給付制限を受けた者は、当該被保険者がその後離職した場合に当初の不正の行為を理由とした基本手当の給付制限を受けない。

問6 雇用保険制度に関する次の記述のうち、誤っているものはどれか。

A　公共職業安定所長は、傷病手当の支給を受けようとする者に対して、その指定する医師の診断を受けるべきことを命ずることができる。

B　公共職業安定所長は、雇用保険法の施行のため必要があると認めるときは、当該職員に、被保険者を雇用し、若しくは雇用していたと認められる事業主の事業所に立ち入り、関係者に対して質問させ、又は帳簿書類の検査をさせることができる。

C　失業等給付の支給を受け、又はその返還を受ける権利及び雇用保険法第10条の４に規定する不正受給による失業等給付の返還命令又は納付命令により納付をすべきことを命ぜられた金額を徴収する権利は、この権利を行使することができることを知った時から２年を経過したときは、時効によって消滅する。

D　失業等給付に関する処分について審査請求をしている者は、審査請求をした日の翌日から起算して３か月を経過しても審査請求についての決定がないときは、雇用保険審査官が審査請求を棄却したものとみなすことができる。

E　雇用保険法第９条に規定する確認に関する処分が確定したときは、当該処分についての不服を当該処分に基づく失業等給付に関する処分についての不服の理由とすることができない。

問7 能力開発事業に関する次の記述のうち、正しいものはどれか。

A　(改正により削除)

B　(改正により削除)

C　高年齢受給資格者は、職場適応訓練の対象となる受給資格者に含まれない。

D　(改正により削除)

E　認定訓練助成事業費補助金は、職業能力開発促進法第13条に規定する事業主等（事業主にあっては中小企業事業主に、事業主の団体又はその連合団体にあっては中小企業事業主の団体又はその連合団体に限る。）が行う認定訓練を振興するために必要な助成又は援助を行う都道府県に対して交付される。

令和２年度
（第52回）

択一式

問8 労働保険の保険料の徴収等に関する次の記述のうち、誤っているものはどれか。

A 概算保険料について延納できる要件を満たす継続事業の事業主が、7月1日に保険関係が成立した事業について保険料の延納を希望する場合、2回に分けて納付することができ、最初の期分の納付期限は8月20日となる。

B 概算保険料について延納できる要件を満たす有期事業（一括有期事業を除く。）の事業主が、6月1日に保険関係が成立した事業について保険料の延納を希望する場合、11月30日までが第1期となり、最初の期分の納付期限は6月21日となる。

C 概算保険料について延納が認められている継続事業（一括有期事業を含む。）の事業主が、増加概算保険料の納付について延納を希望する場合、7月1日に保険料算定基礎額の増加が見込まれるとき、3回に分けて納付することができ、最初の期分の納付期限は7月31日となる。

D 労働保険徴収法は、労働保険の事業の効率的な運営を図るため、労働保険の保険関係の成立及び消滅、労働保険料の納付の手続、労働保険事務組合等に関し必要な事項を定めている。

E 厚生労働大臣は、毎会計年度において、徴収保険料額及び雇用保険に係る各種国庫負担額の合計額と失業等給付額等との差額が、労働保険徴収法第12条第5項に定める要件に該当するに至った場合、必要があると認めるときは、労働政策審議会の同意を得て、1年以内の期間を定めて失業等給付費等充当徴収保険率を一定の範囲内において変更することができる。(改題)

問9 労働保険料等の口座振替による納付又は印紙保険料の納付等に関する次の記述のうち、誤っているものはどれか。

A 事業主は、概算保険料及び確定保険料の納付を口座振替によって行うことを希望する場合、労働保険徴収法施行規則に定める事項を記載した書面を所轄都道府県労働局歳入徴収官に提出することによって、その申出を行わなければならない。

B 都道府県労働局歳入徴収官から労働保険料の納付に必要な納付書の送付を受けた金融機関が口座振替による納付を行うとき、当該納付書が金融機関に到達した日から2取引日を経過した最初の取引日までに納付された場合には、その納付の日が納期限後であるときにおいても、その納付は、納期限においてなされたものとみなされる。

C 印紙保険料の納付は、日雇労働被保険者手帳へ雇用保険印紙を貼付して消印又は納付印の押印によって行うため、事業主は、日雇労働被保険者を使用する場合には、その者の日雇労働被保険者手帳を提出させなければならず、使用期間が終了するまで返還してはならない。

D 事業主は、日雇労働被保険者手帳に貼付した雇用保険印紙の消印に使用すべき認印の印影をあらかじめ所轄公共職業安定所長に届け出なければならない。

E 雇用保険印紙購入通帳の有効期間の満了後引き続き雇用保険印紙を購入しようとする事業主は、当該雇用保険印紙購入通帳の有効期間が満了する日の翌日の1月前から当該期間が満了する日までの間に、当該雇用保険印紙購入通帳を添えて雇用保険印紙購入通帳更新申請書を所轄公共職業安定所長に提出して、有効期間の更新を受けなければならない。

問10 労働保険の保険料の徴収等に関する次の記述のうち、正しいものはどれか。

A 労働保険料その他労働保険徴収法の規定による徴収金を納付しない者に対して政府が行う督促は時効の更新の効力を生ずるが、政府が行う徴収金の徴収の告知は時効の更新の効力を生じない。

B 労働保険徴収法の規定による処分に不服がある者は、処分があったことを知った日の翌日から起算して3か月以内であり、かつ、処分があった日の翌日から起算して1年以内であれば、厚生労働大臣に審査請求をすることができる。ただし、当該期間を超えた場合はいかなる場合も審査請求できない。

C 労災保険及び雇用保険に係る保険関係が成立している事業に係る被保険者は、「当該事業に係る一般保険料の額」から、「当該事業に係る一般保険料の額に相当する額に二事業率を乗じて得た額」を減じた額の2分の1の額を負担するものとする。

令和2年度
（第52回）

択一式

D 日雇労働被保険者は、労働保険徴収法第31条第１項の規定によるその者の負担すべき額のほか、印紙保険料の額が176円のときは88円を負担するものとする。

E 事業主が負担すべき労働保険料に関して、保険年度の初日において64歳以上の労働者（短期雇用特例被保険者及び日雇労働被保険者を除く。）がいる場合には、当該労働者に係る一般保険料の負担を免除されるが、当該免除の額は当該労働者に支払う賃金総額に雇用保険率を乗じて得た額である。

労務管理その他の労働及び社会保険に関する一般常識

問1 我が国の若年労働者に関する次の記述のうち、誤っているものはどれか。

　　　なお、本問は、「平成30年若年者雇用実態調査（厚生労働省）」を参照しており、当該調査による用語及び統計等を利用している。この調査では、15歳から34歳を若年労働者としている。

A 若年正社員の採用選考をした事業所のうち、採用選考に当たり重視した点（複数回答）についてみると、「職業意識・勤労意欲・チャレンジ精神」、「コミュニケーション能力」、「マナー・社会常識」が上位3つを占めている。

B 若年労働者の育成方針についてみると、若年正社員については、「長期的な教育訓練等で人材を育成」する事業所割合が最も高く、正社員以外の若年労働者については、「短期的に研修等で人材を育成」する事業所割合が最も高くなっている。

C 若年労働者の定着のために事業所が実施している対策別事業所割合（複数回答）をみると、「職場での意思疎通の向上」、「本人の能力・適性にあった配置」、「採用前の詳細な説明・情報提供」が上位3つを占めている。

D 全労働者に占める若年労働者の割合は約3割となっており、若年労働者の約半分がいわゆる正社員である。

E 最終学校卒業後に初めて勤務した会社で現在も働いている若年労働者の割合は約半数となっている。

問2 我が国の安全衛生に関する次の記述のうち、正しいものはどれか。

　　　なお、本問は、「平成30年労働安全衛生調査（実態調査）（常用労働者10人以上の民営事業所を対象）（厚生労働省）」の概況を参照しており、当該調査による用語及び統計等を利用している。

令和2年度
（第52回）

択一式

A 傷病（がん、糖尿病等の私傷病）を抱えた何らかの配慮を必要とする労働者に対して、治療と仕事を両立できるような取組を行っている事業所の割合は約3割である。

B 産業医を選任している事業所の割合は約3割となっており、産業医の選任義務がある事業所規模50人以上でみると、ほぼ100％となっている。

C メンタルヘルス対策に取り組んでいる事業所の割合は約6割となっている。

D 受動喫煙防止対策に取り組んでいる事業所の割合は約6割にとどまっている。

E 現在の仕事や職業生活に関することで、強いストレスとなっていると感じる事柄がある労働者について、その内容(主なもの3つ以内)をみると、「仕事の質・量」、「仕事の失敗、責任の発生等」、「顧客、取引先等からのクレーム」が上位3つを占めている。

問3 労働関係法規に関する次の記述のうち、正しいものには○、誤っているものには×をつけよ。

A 育児介護休業法に基づいて育児休業の申出をした労働者は、当該申出に係る育児休業開始予定日とされた日の前日までに厚生労働省令で定める事由が生じた場合には、その事業主に申し出ることにより、法律上、当該申出に係る育児休業開始予定日を何回でも当該育児休業開始予定日とされた日前の日に変更することができる。

B パートタイム・有期雇用労働法が適用される企業において、同一の能力又は経験を有する通常の労働者であるXと短時間労働者であるYがいる場合、XとYに共通して適用される基本給の支給基準を設定し、就業の時間帯や就業日が日曜日、土曜日又は国民の祝日に関する法律(昭和23年法律第178号)に規定する休日か否か等の違いにより、時間当たりの基本給に差を設けることは許されない。

C 障害者雇用促進法では、事業主の雇用する障害者雇用率の算定対象となる障害者(以下「対象障害者」という。)である労働者の数の算定に当たって、対象障害者である労働者の1週間の所定労働時間にかかわりなく、対象障害者は1人として換算するものとされている。

D 個別労働関係紛争の解決の促進に関する法律第1条の「労働関係」とは、労働契約に基づく労働者と事業主の関係をいい、事実上の使用従属関係から生じる労働者と事業主の関係は含まれない。

E (改正により削除)

問4 労働組合法等に関する次の記述のうち、誤っているものはどれか。

A 労働組合が、使用者から最小限の広さの事務所の供与を受けていても、労働組合法上の労働組合の要件に該当するとともに、使用者の支配介入として禁止される行為には該当しない。

B 「労働組合の規約により組合員の納付すべき組合費が月を単位として月額で定められている場合には、組合員が月の途中で組合から脱退したときは、特別の規定又は慣行等のない限り、その月の組合費の納付につき、脱退した日までの分を日割計算によつて納付すれば足りると解すべきである。」とするのが、最高裁判所の判例である。

C 労働組合の規約には、組合員又は組合員の直接無記名投票により選挙された代議員の直接無記名投票の過半数による決定を経なければ、同盟罷業を開始しないこととする規定を含まなければならない。

D 「ユニオン・ショップ協定によって、労働者に対し、解雇の威嚇の下に特定の労働組合への加入を強制することは、それが労働者の組合選択の自由及び他の労働組合の団結権を侵害する場合には許されないものというべきである」から、「ユニオン・ショップ協定のうち、締結組合以外の他の労働組合に加入している者及び締結組合から脱退し又は除名されたが、他の労働組合に加入し又は新たな労働組合を結成した者について使用者の解雇義務を定める部分は、右の観点からして、民法90条の規定により、これを無効と解すべきである（憲法28条参照）。」とするのが、最高裁判所の判例である。

E いわゆるロックアウト（作業所閉鎖）は、個々の具体的な労働争議における労使間の交渉態度、経過、組合側の争議行為の態様、それによって使用者側の受ける打撃の程度等に関する具体的諸事情に照らし、衡平の見地からみて労働者側の争議行為に対する対抗防衛手段として相当と認められる場合には、使用者の正当な争議行為として是認され、使用者は、いわゆるロックアウト（作業所閉鎖）が正当な争議行為として是認される場合には、その期間中における対象労働者に対する個別的労働契約上の賃金支払義務を免れるとするのが、最高裁判所の判例である。

令和2年度
（第52回）

択一式

問5 社会保険労務士法等に関する次のアからオの記述のうち、誤っているものの組合せは、後記ＡからＥまでのうちどれか。

ア 社会保険労務士が、個別労働関係紛争に関する民間紛争解決手続（裁判外紛争解決手続の利用の促進に関する法律（平成16年法律第151号）第２条第１号に規定する民間紛争解決手続をいう。）であって、個別労働関係紛争の民間紛争解決手続の業務を公正かつ適確に行うことができると認められる団体として厚生労働大臣が指定するものが行うものについて、単独で紛争の当事者を代理する場合、紛争の目的の価額の上限は60万円とされている。

イ 社会保険労務士及び社会保険労務士法人が、社会保険労務士法第２条の２及び第25条の９の２に規定する出頭及び陳述に関する事務を受任しようとする場合の役務の提供については、特定商取引に関する法律（昭和51年法律第57号）が定める規制の適用除外となる。

ウ 開業社会保険労務士が、その職責又は義務に違反し、社会保険労務士法第25条第２号に定める１年以内の社会保険労務士の業務の停止の懲戒処分を受けた場合、所定の期間、その業務を行うことができなくなるので、依頼者との間の受託契約を解除し、社会保険労務士証票も返還しなければならない。

エ 社会保険労務士会は、所属の社会保険労務士又は社会保険労務士法人が社会保険労務士法若しくはこの法律に基づく命令又は労働社会保険諸法令に違反するおそれがあると認めるときは、会則の定めにかかわらず、当該社会保険労務士又は社会保険労務士法人に対して、注意を促し、又は必要な措置を講ずべきことを勧告することができる。

オ 開業社会保険労務士又は社会保険労務士法人の使用人その他の従業者は、開業社会保険労務士又は社会保険労務士法人の使用人その他の従業者でなくなった後においても、正当な理由がなくて、その業務に関して知り得た秘密を他に漏らし、又は盗用してはならない。

A（アとウ）　　**B**（アとエ）　　**C**（アとオ）
D（イとエ）　　**E**（イとオ）

問 6 確定給付企業年金法に関する次の記述のうち、正しいものはどれか。

A 加入者である期間を計算する場合には、月によるものとし、加入者の資格を取得した月から加入者の資格を喪失した月までをこれに算入する。ただし、規約で別段の定めをした場合にあっては、この限りでない。

B 加入者は、政令で定める基準に従い規約で定めるところにより、事業主が拠出すべき掛金の全部を負担することができる。

C 年金給付の支給期間及び支払期月は、政令で定める基準に従い規約で定めるところによる。ただし、終身又は10年以上にわたり、毎年1回以上定期的に支給するものでなければならない。

D 老齢給付金の受給権者が、障害給付金を支給されたときは、確定給付企業年金法第36条第1項の規定にかかわらず、政令で定める基準に従い規約で定めるところにより、老齢給付金の額の全部又は一部につき、その支給を停止することができる。

E 老齢給付金の受給権は、老齢給付金の受給権者が死亡したとき又は老齢給付金の支給期間が終了したときにのみ、消滅する。

問 7 船員保険法に関する次の記述のうち、誤っているものはどれか。

A 育児休業等（その育児休業等を開始した日の属する月と終了する日の翌日が属する月とが異なるものとし、その期間が1月を超えるものとする。）をしている被保険者（産前産後休業による保険料免除の適用を受けている被保険者を除く。）を使用する船舶所有者が、厚生労働省令で定めるところにより厚生労働大臣に申出をしたときは、その育児休業等を開始した日の属する月からその育児休業等が終了する日の翌日の属する月の前月までの期間、当該被保険者に関する保険料は徴収されない。（改題）

B 遺族年金を受けることができる遺族の範囲は、被保険者又は被保険者であった者の配偶者（婚姻の届出をしていないが、事実上婚姻関係と同様の事情にある者を含む。）、子、父母、孫、祖父母及び兄弟姉妹であって、被保険者又は被保険者であった者の死亡の当時その収入によって生計を維持していたものである。なお、年齢に関する要件など所定の要件は満たしているものとする。

C 被保険者又は被保険者であった者が被保険者の資格を喪失する前に発した職務外の事由による疾病又は負傷及びこれにより発した疾病につき療養のため職務に服することができないときは、その職務に服することができなくなった日から起算して3日を経過した日から職務に服することができない期間、傷病手当金を支給する。

D 障害年金及び遺族年金の支給は、支給すべき事由が生じた月の翌月から始め、支給を受ける権利が消滅した月で終わるものとする。

E 被保険者が職務上の事由により行方不明となったときは、その期間、被扶養者に対し、行方不明手当金を支給する。ただし、行方不明の期間が1か月未満であるときは、この限りでない。

問8 児童手当法に関する次の記述のうち、誤っているものはどれか。

A 「児童」とは、18歳に達する日以後の最初の3月31日までの間にある者であって、日本国内に住所を有するもの又は留学その他の内閣府令で定める理由により日本国内に住所を有しないものをいう。

B 児童手当は、毎年2月、5月及び9月の3期に、それぞれの前月までの分を支払う。ただし、前支払期月に支払うべきであった児童手当又は支給すべき事由が消滅した場合におけるその期の児童手当は、その支払期月でない月であっても、支払うものとする。

C 児童手当の支給を受けている者につき、児童手当の額が増額することとなるに至った場合における児童手当の額の改定は、その者がその改定後の額につき認定の請求をした日の属する月の翌月から行う。

D 児童手当の一般受給資格者が死亡した場合において、その死亡した者に支払うべき児童手当（その者が監護していた児童であった者に係る部分に限る。）で、まだその者に支払っていなかったものがあるときは、当該児童であった者にその未支払の児童手当を支払うことができる。(改題)

E 偽りその他不正の手段により児童手当の支給を受けた者は、3年以下の懲役又は30万円以下の罰金に処する。ただし、刑法に正条があるときは、刑法による。

問9 社会保険審査官及び社会保険審査会法に関する次の記述のうち、誤っているものはどれか。

A 審査請求は、政令の定めるところにより、文書のみならず口頭でもすることができる。

B 審査請求は、代理人によってすることができる。代理人は、各自、審査請求人のために、当該審査請求に関する一切の行為をすることができる。ただし、審査請求の取下げは、特別の委任を受けた場合に限り、することができる。

C 社会保険審査官は、原処分の執行の停止又は執行の停止の取消をしたときは、審査請求人及び社会保険審査官及び社会保険審査会法第9条第1項の規定により通知を受けた保険者以外の利害関係人に通知しなければならない。

D 審査請求人は、社会保険審査官の決定があるまでは、いつでも審査請求を取り下げることができる。審査請求の取下げは、文書のみならず口頭でもすることができる。

E 健康保険法の被保険者の資格に関する処分に不服がある者が行った審査請求に対する社会保険審査官の決定に不服がある場合の、社会保険審査会に対する再審査請求は、社会保険審査官の決定書の謄本が送付された日の翌日から起算して2か月を経過したときは、することができない。ただし、正当な事由によりこの期間内に再審査請求をすることができなかったことを疎明したときは、この限りでない。

問10 社会保険制度の費用の負担及び保険料等に関する次の記述のうち、正しいものはどれか。

A 介護保険の第1号被保険者である要介護被保険者が、介護保険料の納期限から1年が経過するまでの間に、当該保険料を納付しない場合は、特別の事情等があると認められる場合を除き、市町村は、被保険者に被保険者証の返還を求め、被保険者が被保険者証を返還したときは、被保険者資格証明書を交付する。

令和2年度
(第52回)

択一式

B 国民健康保険の保険給付を受けることができる世帯主であって、市町村から特別療養費の適用を受けている者が、国民健康保険料を滞納しており、当該保険料の納期限から1年6か月が経過するまでの間に、当該市町村が保険料納付の勧奨等を行ってもなお当該保険料を納付しないことにより、当該保険給付の全部又は一部の支払いを一時差し止めされている。当該世帯主が、この場合においても、なお滞納している保険料を納付しないときは、市町村は、あらかじめ、当該世帯主に通知して、当該一時差し止めに係る保険給付の額から当該世帯主が滞納している保険料額を控除することができる。（改題）

C 船員法第1条に規定する船員として船舶所有者に使用されている後期高齢者医療制度の被保険者である船員保険の被保険者に対する船員保険の保険料額は、標準報酬月額及び標準賞与額にそれぞれ疾病保険料率と災害保健福祉保険料率とを合算した率を乗じて算定される。

D 〔改正により削除〕

E 〔改正により削除〕

健康保険法

問1 健康保険法に関する次の記述のうち、誤っているものはどれか。

A 全国健康保険協会は、被保険者の保険料に関して必要があると認めるときは、事業主に対し、文書その他の物件の提出若しくは提示を命じ、又は当該協会の職員をして事業所に立ち入って関係者に質問し、若しくは帳簿書類その他の物件を検査させることができる。

B 被保険者が同一疾病について通算して1年6か月間傷病手当金の支給を受けたが疾病が治癒せず、その療養のため労務に服することができず収入の途がない場合であっても、被保険者である間は保険料を負担する義務を負わなければならない。(改題)

C 患者申出療養の申出は、厚生労働大臣が定めるところにより、厚生労働大臣に対し、当該申出に係る療養を行う医療法第4条の3に規定する臨床研究中核病院（保険医療機関であるものに限る。）の開設者の意見書その他必要な書類を添えて行う。

D 特定適用事業所に使用される短時間労働者の被保険者資格の取得の要件である「1週間の所定労働時間が20時間以上であること」の算定において、短時間労働者の所定労働時間が1か月の単位で定められ、特定の月の所定労働時間が例外的に長く又は短く定められているときは、当該特定の月以外の通常の月の所定労働時間を12分の52で除して得た時間を1週間の所定労働時間とする。

E 地域型健康保険組合は、不均一の一般保険料率に係る厚生労働大臣の認可を受けようとするときは、合併前の健康保険組合を単位として不均一の一般保険料率を設定することとし、当該一般保険料率並びにこれを適用すべき被保険者の要件及び期間について、当該地域型健康保険組合の組合会において組合会議員の定数の3分の2以上の多数により議決しなければならない。

令和2年度
（第52回）

択一式

問2 健康保険法に関する次の記述のうち、正しいものはどれか。

A 保険医又は保険薬剤師の登録の取消しが行われた場合には、原則として取消し後5年間は再登録を行わないものとされているが、過疎地域の持続的発展の支援に関する特別措置法に規定する過疎地域を含む市町村（人口5万人以上のものを除く。）に所在する医療機関又は薬局に従事する医師、歯科医師又は薬剤師については、その登録の取消しにより当該地域が無医地区等となる場合は、取消し後2年が経過した日に再登録が行われたものとみなされる。(改題)

B 高額介護合算療養費に係る自己負担額は、その計算期間（前年の8月1日からその年の7月31日）の途中で、医療保険や介護保険の保険者が変更になった場合でも、変更前の保険者に係る自己負担額と変更後の保険者に係る自己負担額は合算される。

C 特定健康保険組合とは、特例退職被保険者及びその被扶養者に係る健康保険事業の実施が将来にわたり当該健康保険組合の事業の運営に支障を及ぼさないこと等の一定の要件を満たしており、その旨を厚生労働大臣に届け出た健康保険組合をいい、特定健康保険組合となるためには、厚生労働大臣の認可を受ける必要はない。

D 指定訪問看護事業者が、訪問看護事業所の看護師等の従業者について、厚生労働省令で定める基準や員数を満たすことができなくなったとしても、厚生労働大臣は指定訪問看護事業者の指定を取り消すことはできない。

E 被保険者資格を取得する前に初診日がある傷病のため労務に服することができず休職したとき、療養の給付は受けられるが、傷病手当金は支給されない。

問3 健康保険法に関する次のアからオの記述のうち、正しいものの組合せ又は正しいものは、後記AからEまでのうちどれか。

ア 伝染病の病原体保有者については、原則として病原体の撲滅に関し特に療養の必要があると認められる場合には、自覚症状の有無にかかわらず病原体の保有をもって保険事故としての疾病と解するものであり、病原体保有者が隔離収容等のため労務に服することができないときは、傷病手当金の支給の対象となるものとされている。

イ 指定訪問看護は、末期の悪性腫瘍などの厚生労働大臣が定める疾病等の利用者を除き、原則として利用者1人につき週5日を限度として受けられるとされている。

ウ (改正により削除)

エ 所在地が一定しない事業所に使用される者で、継続して6か月を超えて使用される場合は、その使用される当初から被保険者になる。

オ 被保険者(外国に赴任したことがない被保険者とする。)の被扶養者である配偶者に日本国外に居住し日本国籍を有しない父がいる場合、当該被保険者により生計を維持している事実があると認められるときは、当該父は被扶養者として認定される。

A (アとイ)　　　**B** (ア)　　　**C** (イとエ)

D (オ)　　　　**E** (エとオ)

問4 健康保険法に関する次の記述のうち、誤っているものはどれか。

A 厚生労働大臣が健康保険料を徴収する場合において、適用事業所の事業主から健康保険料、厚生年金保険料及び子ども・子育て拠出金の一部の納付があったときは、当該事業主が納付すべき健康保険料、厚生年金保険料及び子ども・子育て拠出金の額を基準として按分した額に相当する健康保険料の額が納付されたものとされる。

B 定期健康診断によって初めて結核症と診断された患者について、その時のツベルクリン反応、血沈検査、エックス線検査等の費用は保険給付の対象とはならない。

C 被保険者の資格を喪失した日の前日まで引き続き1年以上被保険者(任意継続被保険者、特例退職被保険者又は共済組合の組合員である被保険者ではないものとする。)であった者が、その被保険者の資格を喪失した日後6か月以内に出産した場合、出産したときに、国民健康保険の被保険者であっても、その者が健康保険法の規定に基づく出産育児一時金の支給を受ける旨の意思表示をしたときは、健康保険法の規定に基づく出産育児一時金の支給を受けることができる。

D 標準報酬月額が56万円である60歳の被保険者が、慢性腎不全で1つの病院から人工腎臓を実施する療養を受けている場合において、当該療養に係る高額療養費算定基準額は10,000円とされている。

E 新たに適用事業所に使用されることになった者が、当初から自宅待機とされた場合の被保険者資格については、雇用契約が成立しており、かつ、休業手当が支払われているときは、その休業手当の支払いの対象となった日の初日に被保険者の資格を取得するものとされる。

問5 健康保険法に関する次のアからオの記述のうち、正しいものの組合せは、後記AからEまでのうちどれか。

ア 被扶養者の要件として、被保険者と同一の世帯に属する者とは、被保険者と住居及び家計を共同にする者をいい、同一の戸籍内にあることは必ずしも必要ではないが、被保険者が世帯主でなければならない。

イ 任意継続被保険者の申出は、被保険者の資格を喪失した日から20日以内にしなければならず、保険者は、いかなる理由がある場合においても、この期間を経過した後の申出は受理することができない。

ウ 季節的業務に使用される者について、当初4か月以内の期間において使用される予定であったが業務の都合その他の事情により、継続して4か月を超えて使用された場合には使用された当初から一般の被保険者となる。

エ 実際には労務を提供せず労務の対償として報酬の支払いを受けていないにもかかわらず、偽って被保険者の資格を取得した者が、保険給付を受けたときには、その資格を取り消し、それまで受けた保険給付に要した費用を返還させることとされている。

オ 事業主は、被保険者に支払う報酬がないため保険料を控除できない場合でも、被保険者の負担する保険料について納付する義務を負う。

A （アとイ）　　　**B** （アとウ）　　　**C** （イとエ）
D （ウとオ）　　　**E** （エとオ）

問 6 健康保険法に関する次の記述のうち、誤っているものはどれか。

A 被保険者の資格を喪失した日の前日まで引き続き 1 年以上被保険者（任意継続被保険者、特例退職被保険者又は共済組合の組合員である被保険者を除く。）であった者であって、その資格を喪失した際に傷病手当金の支給を受けている者が、その資格を喪失後に特例退職被保険者の資格を取得した場合、被保険者として受けることができるはずであった期間、継続して同一の保険者からその給付を受けることができる。

B 保険者は、偽りその他不正の行為により保険給付を受け、又は受けようとした者に対して、6 か月以内の期間を定め、その者に支給すべき傷病手当金又は出産手当金の全部又は一部を支給しない旨の決定をすることができるが、その決定は保険者が不正の事実を知った時以後の将来においてのみ決定すべきであるとされている。

C 保険者が、健康保険において第三者の行為によって生じた事故について保険給付をしたとき、その給付の価額の限度において被保険者が第三者に対して有する損害賠償請求の権利を取得するのは、健康保険法の規定に基づく法律上当然の取得であり、その取得の効力は法律に基づき第三者に対し直接何らの手続きを経ることなく及ぶものであって、保険者が保険給付をしたときにはその給付の価額の限度において当該損害賠償請求権は当然に保険者に移転するものである。

D 保険者は、被保険者又は被保険者であった者が、正当な理由なしに診療担当者より受けた診断書、意見書等により一般に療養の指示と認められる事実があったにもかかわらず、これに従わないため、療養上の障害を生じ著しく給付費の増加をもたらすと認められる場合には、保険給付の一部を行わないことができる。

E 被保険者が道路交通法違反である無免許運転により起こした事故のため死亡した場合には、所定の要件を満たす者に埋葬料が支給される。

問7 健康保険法に関する次の記述のうち、誤っているものはどれか。

A 日雇特例被保険者が療養の給付を受けるには、これを受ける日において当該日の属する月の前２か月間に通算して26日分以上又は当該日の属する月の前６か月間に通算して78日分以上の保険料が納付されていなければならない。

B 全国健康保険協会の短期借入金は、当該事業年度内に償還しなければならないが、資金の不足のため償還することができないときは、その償還することができない金額に限り、厚生労働大臣の認可を受けて、これを借り換えることができる。この借り換えた短期借入金は、１年以内に償還しなければならない。

C 保険者は、保健事業及び福祉事業に支障がない場合に限り、被保険者等でない者にこれらの事業を利用させることができる。この場合において、保険者は、これらの事業の利用者に対し、利用料を請求することができる。利用料に関する事項は、全国健康保険協会にあっては定款で、健康保険組合にあっては規約で定めなければならない。

D 健康保険組合の設立を命ぜられた事業主が、正当な理由がなくて厚生労働大臣が指定する期日までに設立の認可を申請しなかったとき、その手続の遅延した期間、その負担すべき保険料額の２倍に相当する金額以下の過料に処する旨の罰則が定められている。

E 任意継続被保険者は、将来の一定期間の保険料を前納することができる。この場合において前納すべき額は、前納に係る期間の各月の保険料の額の合計額である。

問8 健康保険法に関する次の記述のうち、誤っているものはどれか。

A 健康保険被保険者報酬月額算定基礎届の届出は、事業年度開始の時における資本金の額が１億円を超える法人の事業所の事業主にあっては、電子情報処理組織を使用して行うものとする。ただし、電気通信回線の故障、災害その他の理由により電子情報処理組織を使用することが困難であると認められる場合で、かつ、電子情報処理組織を使用しないで当該届出を行うことができると認められる場合は、この限りでない。

B 厚生労働大臣は、保険医療機関若しくは保険薬局又は指定訪問看護事業者の指定に関し必要があると認めるときは、当該指定に係る開設者若しくは管理者又は申請者の社会保険料の納付状況につき、当該社会保険料を徴収する者に対し、必要な書類の閲覧又は資料の提供を求めることができる。

C 健康保険組合の組合会は、理事長が招集するが、組合会議員の定数の3分の2以上の者が会議に付議すべき事項及び招集の理由を記載した書面を理事長に提出して組合会の招集を請求したときは、理事長は、その請求のあった日から30日以内に組合会を招集しなければならない。

D 保険者は、震災、風水害、火災その他これらに類する災害により、住宅、家財又はその他の財産について著しい損害を受けた被保険者であって、保険医療機関又は保険薬局に一部負担金を支払うことが困難であると認められるものに対し、一部負担金の支払いを免除することができる。

E 被保険者が海外にいるときに発生した保険事故に係る療養費等に関する申請手続等に添付する証拠書類が外国語で記載されている場合は、日本語の翻訳文を添付することとされており、添付する翻訳文には翻訳者の氏名及び住所を記載させることとされている。

問9 健康保険法に関する次の記述のうち、誤っているものはどれか。

A 被扶養者の認定において、被保険者が海外赴任することになり、被保険者の両親が同行する場合、「家族帯同ビザ」の確認により当該両親が被扶養者に該当するか判断することを基本とし、渡航先国で「家族帯同ビザ」の発行がない場合には、発行されたビザが就労目的でないか、渡航が海外赴任に付随するものであるかを踏まえ、個別に判断する。

B 給与の支払方法が月給制であり、毎月20日締め、同月末日払いの事業所において、被保険者の給与の締め日が4月より20日から25日に変更された場合、締め日が変更された4月のみ給与計算期間が3月21日から4月25日までとなるため、標準報酬月額の定時決定の際には、3月21日から3月25日までの給与を除外し、締め日変更後の給与制度で計算すべき期間（3月26日から4月25日まで）で算出された報酬を4月の報酬とする。

C 育児休業取得中の被保険者について、給与の支払いが一切ない育児休業取得中の期間において昇給があり、固定的賃金に変動があった場合、実際に報酬の支払いがないため、育児休業取得中や育児休業を終了した際に当該固定的賃金の変動を契機とした標準報酬月額の随時改定が行われることはない。

D 全国健康保険協会管掌健康保険の被保険者資格を取得した際の標準報酬月額の決定について、固定的賃金の算定誤りがあった場合には訂正することはできるが、残業代のような非固定的賃金について、その見込みが当初の算定額より増減した場合には訂正することができないとされている。

E 適用事業所に期間の定めなく採用された者は、採用当初の２か月が試用期間として定められていた場合であっても、当該試用期間を経過した日から被保険者となるのではなく、採用日に被保険者となる。

問10 健康保険法に関する次の記述のうち、正しいものはどれか。

A 労災保険法に基づく休業補償給付を受給している健康保険の被保険者が、さらに業務外の事由による傷病によって労務不能の状態になった場合、休業補償給付が支給され、傷病手当金が支給されることはない。

B 適用事業所が日本年金機構に被保険者資格喪失届及び被保険者報酬月額変更届を届け出る際、届出の受付年月日より60日以上遡る場合又は既に届出済である標準報酬月額を大幅に引き下げる場合は、当該事実を確認できる書類を添付しなければならない。

C 任意適用事業所において被保険者の４分の３以上の申出があった場合、事業主は当該事業所を適用事業所でなくするための認可の申請をしなければならない。

D 育児休業等期間中の保険料の免除に係る申出をした事業主は、被保険者が育児休業等を終了する予定の日を変更したとき、又は育児休業等を終了する予定の日の前日までに育児休業等を終了したときは、速やかにこれを厚生労働大臣又は健康保険組合に届け出なければならないが、当該被保険者が育児休業等を終了する予定の日の前日までに産前産後休業期間中の保険料の免除の規定の適用を受ける産前産後休業を開始したことにより育児休業等を終了したときはこの限りでない。（改題）

E　被保険者（任意継続被保険者を除く。）が出産の日以前42日から出産の日後56日までの間において、通常の労務に服している期間があった場合は、その間に支給される賃金額が出産手当金の額に満たない場合に限り、その差額が出産手当金として支給される。

厚生年金保険法

問1 厚生年金保険法に関する次の記述のうち、誤っているものはどれか。

A　遺族厚生年金の受給権を有する障害等級１級又は２級に該当する程度の障害の状態にある子について、当該子が19歳に達した日にその事情がやんだときは、10日以内に、遺族厚生年金の受給権の失権に係る届書を日本年金機構に提出しなければならない。

B　年金たる保険給付は、厚生年金保険法の他の規定又は同法以外の法令の規定によりその額の一部につき支給を停止されている場合は、その受給権者の申出により、停止されていない部分の額の支給を停止することとされている。

C　老齢厚生年金の受給権者（保険料納付済期間と保険料免除期間とを合算した期間が25年以上ある者とする。）が行方不明になり、その後失踪の宣告を受けた場合、失踪者の遺族が遺族厚生年金を受給するに当たっての生計維持に係る要件については、行方不明となった当時の失踪者との生計維持関係が問われる。

D　障害厚生年金の受給権者が障害厚生年金の額の改定の請求を行ったが、診査の結果、その障害の程度が従前の障害の等級以外の等級に該当すると認められず改定が行われなかった。この場合、当該受給権者は実施機関の診査を受けた日から起算して１年６か月を経過した日後でなければ再び改定の請求を行うことはできない。

E　老齢厚生年金の加給年金額の加算の対象となる妻と子がある場合の加給年金額は、配偶者及び２人目までの子についてはそれぞれ224,700円に、３人目以降の子については１人につき74,900円に、それぞれ所定の改定率を乗じて得た額（その額に50円未満の端数が生じたときは、これを切り捨て、50円以上100円未満の端数が生じたときは、これを100円に切り上げるものとする。）である。

問2 厚生年金保険法に関する次の記述のうち、**誤っているもの**はどれか。

A 第1号厚生年金被保険者は、同時に2以上の事業所に使用されるに至ったときは、その者に係る日本年金機構の業務を分掌する年金事務所を選択し、2以上の事業所に使用されるに至った日から5日以内に、所定の事項を記載した届書を日本年金機構に提出しなければならない。

B 厚生労働大臣による被保険者の資格に関する処分に不服がある者が行った審査請求は、時効の完成猶予及び更新に関しては、裁判上の請求とみなされる。

C 厚生年金保険法第27条の規定による当然被保険者(船員被保険者を除く。)の資格の取得の届出は、当該事実があった日から5日以内に、厚生年金保険被保険者資格取得届・70歳以上被用者該当届又は当該届書に記載すべき事項を記録した光ディスク(これに準ずる方法により一定の事項を確実に記録しておくことができる物を含む。)を日本年金機構に提出することによって行うものとされている。

D 適用事業所の事業主(船舶所有者を除く。)は、廃止、休止その他の事情により適用事業所に該当しなくなったときは、原則として、当該事実があった日から5日以内に、所定の事項を記載した届書を日本年金機構に提出しなければならない。

E 被保険者又は被保険者であった者の死亡の当時胎児であった子が出生したときは、父母、孫又は祖父母の有する遺族厚生年金の受給権は消滅する。一方、被保険者又は被保険者であった者の死亡の当時胎児であった子が出生したときでも、妻の有する遺族厚生年金の受給権は消滅しない。

問3 厚生年金保険法に関する次のアからオの記述のうち、正しいものの組合せは、後記AからEまでのうちどれか。

令和2年度
(第52回)

択一式

ア 厚生年金保険の保険料は、被保険者の資格を取得した月についてはその期間が1日でもあれば徴収されるが、資格を喪失した月については徴収されない。よって月末日で退職したときは退職した日が属する月の保険料は徴収されない。

イ 特定被保険者が死亡した日から起算して１か月以内に被扶養配偶者（当該死亡前に当該特定被保険者と３号分割標準報酬改定請求の事由である離婚又は婚姻の取消しその他厚生年金保険法施行令第３条の12の10に規定する厚生労働省令で定めるこれらに準ずるものをした被扶養配偶者に限る。）から３号分割標準報酬改定請求があったときは、当該特定被保険者が死亡した日に３号分割標準報酬改定請求があったものとみなす。

ウ 厚生労働大臣は、滞納処分等その他の処分に係る納付義務者が滞納処分等その他の処分の執行を免れる目的でその財産について隠ぺいしているおそれがあることその他の政令で定める事情があるため、保険料その他厚生年金保険法の規定による徴収金の効果的な徴収を行う上で必要があると認めるときは、政令で定めるところにより、財務大臣に、当該納付義務者に関する情報その他必要な情報を提供するとともに、当該納付義務者に係る滞納処分等その他の処分の権限の全部又は一部を委任することができる。

エ 日本年金機構は、滞納処分等を行う場合には、あらかじめ、厚生労働大臣の認可を受けるとともに、厚生年金保険法第100条の７第１項に規定する滞納処分等実施規程に従い、徴収職員に行わせなければならない。

オ 障害等級３級の障害厚生年金の受給権者の障害の状態が障害等級に該当しなくなったため、当該障害厚生年金の支給が停止され、その状態のまま３年が経過した。その後、65歳に達する日の前日までに当該障害厚生年金に係る傷病により障害等級３級に該当する程度の障害の状態になったとしても、当該障害厚生年金は支給されない。

A （アとイ）　　**B** （アとオ）　　**C** （イとウ）
D （ウとエ）　　**E** （エとオ）

問4 厚生年金保険法に関する次の記述のうち、正しいものはどれか。

A 離婚した場合の３号分割標準報酬改定請求における特定期間（特定期間は複数ないものとする。）に係る被保険者期間については、特定期間の初日の属する月は被保険者期間に算入し、特定期間の末日の属する月は被保険者期間に算入しない。ただし、特定期間の初日と末日が同一の月に属するときは、その月は、特定期間に係る被保険者期間に算入しない。

B 71歳の高齢任意加入被保険者が障害認定日において障害等級3級に該当する障害の状態になった場合は、当該高齢任意加入被保険者期間中に当該障害に係る傷病の初診日があり、初診日の前日において保険料の納付要件を満たしているときであっても、障害厚生年金は支給されない。

C 障害等級2級に該当する障害基礎年金及び障害厚生年金の受給権者が、症状が軽減して障害等級3級の程度の障害の状態になったため当該2級の障害基礎年金は支給停止となった。その後、その者が65歳に達した日以後に再び障害の程度が増進して障害等級2級に該当する程度の障害の状態になった場合、障害等級2級の障害基礎年金及び障害厚生年金は支給されない。

D 障害等級3級の障害厚生年金には、配偶者についての加給年金額は加算されないが、最低保障額として障害等級2級の障害基礎年金の年金額の3分の2に相当する額が保障されている。

E 厚生年金保険の被保険者であった者が資格を喪失して国民年金の第1号被保険者の資格を取得したが、その後再び厚生年金保険の被保険者の資格を取得した。国民年金の第1号被保険者であった時に初診日がある傷病について、再び厚生年金保険の被保険者となってから障害等級3級に該当する障害の状態になった場合、保険料納付要件を満たしていれば当該被保険者は障害厚生年金を受給することができる。

問5 厚生年金保険法に関する次の記述のうち、誤っているものはどれか。

A 被保険者の報酬月額の算定に当たり、報酬の一部が通貨以外のもので支払われている場合には、その価額は、その地方の時価によって、厚生労働大臣が定める。

B 被保険者の死亡当時10歳であった遺族厚生年金の受給権者である被保険者の子が、18歳に達した日以後の最初の3月31日が終了したことによりその受給権を失った場合において、その被保険者の死亡当時その被保険者によって生計を維持していたその被保険者の父がいる場合でも、当該父が遺族厚生年金の受給権者となることはない。

令和2年度
（第52回）

択一式

C 第1号厚生年金被保険者期間と第2号厚生年金被保険者期間を有する者について、第1号厚生年金被保険者期間に基づく老齢厚生年金と、第2号厚生年金被保険者期間に基づく老齢厚生年金は併給される。

D 障害厚生年金の保険給付を受ける権利は、国税滞納処分による差し押さえはできない。

E 老齢厚生年金の保険給付として支給を受けた金銭を標準として、租税その他の公課を課することはできない。

問6 厚生年金保険法に関する次の記述のうち、正しいものはどれか。

A 第2号厚生年金被保険者に係る厚生年金保険法第84条の5第1項の規定による拠出金の納付に関する事務は、実施機関としての国家公務員共済組合が行う。

B 任意適用事業所の認可を受けようとする事業主は、当該事業所に使用される者（厚生年金保険法第12条に規定する者及び特定4分の3未満短時間労働者を除く。）の3分の1以上の同意を得たことを証する書類を添えて、厚生年金保険任意適用申請書を日本年金機構に提出しなければならない。

C 船舶所有者による船員被保険者の資格の取得の届出については、船舶所有者は船長又は船長の職務を行う者を代理人として処理させることができる。

D 船舶所有者は、船舶が適用事業所に該当しなくなったときは、当該事実があった日から5日以内に、所定の事項を記載した届書を提出しなければならない。

E 株式会社の代表取締役は、70歳未満であっても被保険者となることはないが、代表取締役以外の取締役は被保険者となることがある。

問7 厚生年金保険法に関する次のアからオの記述のうち、正しいものには○、誤っているものには×をつけよ。（改題）

ア 特定適用事業所に使用される者は、その1週間の所定労働時間が同一の事業所に使用される通常の労働者の1週間の所定労働時間の4分の3未満であって、厚生年金保険法の規定により算定した報酬の月額が88,000円未満である場合は、厚生年金保険の被保険者とならない。

イ 特定適用事業所に使用される者は、その1か月間の所定労働日数が同一の事業所に使用される通常の労働者の1か月間の所定労働日数の4分の3未満であって、当該事業所に継続して1年以上使用されることが見込まれない場合は、厚生年金保険の被保険者とならない。

ウ 特定適用事業所でない適用事業所に使用される特定4分の3未満短時間労働者は、事業主が実施機関に所定の申出をしない限り、厚生年金保険の被保険者とならない。

エ 特定適用事業所に該当しなくなった適用事業所に使用される特定4分の3未満短時間労働者は、事業主が実施機関に所定の申出をしない限り、厚生年金保険の被保険者とならない。

オ 適用事業所以外の事業所に使用される70歳未満の特定4分の3未満短時間労働者については、厚生年金保険法第10条第1項に規定する厚生労働大臣の認可を受けて任意単独被保険者となることができる。

問8 厚生年金保険法に関する次の記述のうち、誤っているものはどれか。

A 厚生労働大臣は、毎月、住民基本台帳法第30条の9の規定による老齢厚生年金の受給権者に係る機構保存本人確認情報の提供を受け、必要な事項について確認を行うが、当該受給権者の生存若しくは死亡の事実が確認されなかったとき（厚生年金保険法施行規則第35条の2第1項に規定する場合を除く。）又は必要と認めるときには、当該受給権者に対し、当該受給権者の生存の事実について確認できる書類の提出を求めることができる。

B 死亡した被保険者の2人の子が遺族厚生年金の受給権者である場合に、そのうちの1人の所在が1年以上明らかでないときは、他の受給権者の申請によってその所在が明らかでなくなった時にさかのぼってその支給が停止されるが、支給停止された者はいつでもその支給停止の解除を申請することができる。

C 厚生労働大臣は、適用事業所以外の事業所に使用される70歳未満の者を厚生年金保険の被保険者とする認可を行ったときは、その旨を当該被保険者に通知しなければならない。

D 配偶者以外の者に遺族厚生年金を支給する場合において、受給権者の数に増減を生じたときは、増減を生じた月の翌月から、年金の額を改定する。

E 年金たる保険給付の受給権者が、正当な理由がなくて、実施機関が必要があると認めて行った受給権者の身分関係に係る事項に関する職員の質問に応じなかったときは、年金たる保険給付の額の全部又は一部につき、その支給を停止することができる。

問9 厚生年金保険法に関する次の記述のうち、正しいものはどれか。

A 被保険者である老齢厚生年金の受給者（昭和25年７月１日生まれ）が70歳になり当該被保険者の資格を喪失した場合における老齢厚生年金は、当該被保険者の資格を喪失した月前における被保険者であった期間も老齢厚生年金の額の計算の基礎となり、令和２年８月分から年金の額が改定される。

B 第１号厚生年金被保険者に係る適用事業所の事業主は、被保険者が70歳に到達し、引き続き当該事業所に使用されることにより70歳以上の使用される者の要件（厚生年金保険法施行規則第10条の４の要件をいう。）に該当する場合であって、当該者の標準報酬月額に相当する額が70歳到達日の前日における標準報酬月額と同額である場合は、70歳以上被用者該当届及び70歳到達時の被保険者資格喪失届を省略することができる。

C 適用事業所以外の事業所に使用される70歳未満の者であって、任意単独被保険者になることを希望する者は、当該事業所の事業主の同意を得たうえで資格取得に係る認可の申請をしなければならないが、事業主の同意を得られなかった場合でも保険料をその者が全額自己負担するのであれば、申請することができる。

D 特定適用事業所以外の適用事業所においては、1週間の所定労働時間及び1か月間の所定労働日数が、同一の事業所に使用される通常の労働者の1週間の所定労働時間及び1か月間の所定労働日数の4分の3以上（以下「4分の3基準」という。）である者を被保険者として取り扱うこととされているが、雇用契約書における所定労働時間又は所定労働日数と実際の労働時間又は労働日数が乖離していることが常態化しているとき、4分の3基準を満たさないものの、事業主等に対する事情の聴取やタイムカード等の書類の確認を行った結果、実際の労働時間又は労働日数が直近6か月において4分の3基準を満たしている場合で、今後も同様の状態が続くことが見込まれるときは、4分の3基準を満たしているものとして取り扱うこととされている。

E 障害厚生年金の支給を受けたことがある場合でも、障害の状態が軽減し、脱退一時金の請求時に障害厚生年金の支給を受けていなければ脱退一時金の支給を受けることができる。

問10 厚生年金保険法に関する次のアからオの記述のうち、誤っているものの組合せは、後記AからEまでのうちどれか。（改題）

ア 被保険者であった者が、被保険者の資格を喪失した後に、被保険者であった間に初診日がある傷病により当該初診日から起算して5年を経過する日前に死亡したときは、死亡した者が遺族厚生年金の保険料納付要件を満たしていれば、死亡の当時、死亡した者によって生計を維持していた一定の遺族に遺族厚生年金が支給される。

イ 老齢基礎年金の受給資格期間を満たしている60歳以上65歳未満の者であって、特別支給の老齢厚生年金の生年月日に係る要件を満たす者が、特別支給の老齢厚生年金の受給開始年齢に到達した日において第1号厚生年金被保険者期間が9か月しかなかったため特別支給の老齢厚生年金を受給することができなかった。この者が、特別支給の老齢厚生年金の受給開始年齢到達後に第3号厚生年金被保険者の資格を取得し、当該第3号厚生年金被保険者期間が3か月になった場合は、特別支給の老齢厚生年金を受給することができる。なお、この者は上記期間以外に被保険者期間はないものとする。

令和2年度
（第52回）

択一式

ウ (改正により削除)

エ 障害厚生年金は、その傷病が治らなくても、初診日において被保険者であり、初診日から１年６か月を経過した日において障害等級に該当する程度の状態であって、保険料納付要件を満たしていれば支給対象となるが、障害手当金は、初診日において被保険者であり、保険料納付要件を満たしていたとしても、初診日から起算して５年を経過する日までの間に、その傷病が治っていなければ支給対象にならない。

オ 遺族厚生年金は、被保険者の死亡当時、当該被保険者によって生計維持されていた55歳以上の夫が受給権者になることはあるが、子がいない場合は夫が受給権者になることはない。

A（アのみ）　　**B**（アとエ）　　**C**（イとエ）

D（イとオ）　　**E**（オのみ）

国民年金法

問1 遺族基礎年金、障害基礎年金に関する次のアからオの記述のうち、正しいものの組合せは、後記AからEまでのうちどれか。

ア 遺族基礎年金を減額して改定すべき事由が生じたにもかかわらず、その事由が生じた日の属する月の翌月以降の分として減額しない額の遺族基礎年金が支払われた場合における当該遺族基礎年金の当該減額すべきであった部分は、その後に支払うべき遺族基礎年金の内払とみなすことができる。

イ 初診日において被保険者であり、障害認定日において障害等級に該当する程度の障害の状態にあるものであっても、当該傷病に係る初診日の前日において、当該初診日の属する月の前々月までに被保険者期間がない者については、障害基礎年金は支給されない。

ウ 遺族基礎年金の支給に係る生計維持の認定に関し、認定対象者の収入については、前年の収入が年額850万円以上であるときは、定年退職等の事情により近い将来の収入が年額850万円未満となると認められても、収入に関する認定要件に該当しないものとされる。

エ 障害等級2級の障害基礎年金の受給権を取得した日から起算して6か月を経過した日に人工心臓（補助人工心臓を含む。）を装着した場合には、障害の程度が増進したことが明らかな場合として年金額の改定の請求をすることができる。

オ 死亡した者の死亡日においてその者の死亡により遺族基礎年金を受けることができる者があるときは、当該死亡日の属する月に当該遺族基礎年金の受給権が消滅した場合であっても、死亡一時金は支給されない。

A （アとウ）　　B （アとエ）　　C （イとエ）

D （イとオ）　　E （ウとオ）

令和2年度
（第52回）

択一式

問2 国民年金法に関する次の記述のうち、誤っているものはどれか。

A 死亡日の属する月の前月までの第1号被保険者としての被保険者期間に係る死亡日の前日における保険料納付済期間が36か月であり、同期間について併せて付加保険料を納付している者の遺族に支給する死亡一時金の額は、120,000円に8,500円を加算した128,500円である。なお、当該死亡した者は上記期間以外に被保険者期間を有していないものとする。

B 平成12年1月1日生まれの者が20歳に達し第1号被保険者となった場合、令和元年12月から被保険者期間に算入され、同月分の保険料から納付する義務を負う。

C 日本国籍を有する者であって、日本国内に住所を有しない20歳以上65歳未満の任意加入被保険者は、その者が住所を有していた地区に係る地域型国民年金基金又はその者が加入していた職能型国民年金基金に申し出て、地域型国民年金基金又は職能型国民年金基金の加入者となることができる。

D 保険料の一部の額につき納付することを要しないものとされた被保険者には、保険料の前納に関する規定は適用されない。

E 被保険者である夫が死亡し、その妻に遺族基礎年金が支給される場合、遺族基礎年金には、子の加算額が加算される。

問3 国民年金法に関する次の記述のうち、正しいものはどれか。

A 国民年金法第30条の3に規定するいわゆる基準傷病による障害基礎年金は、基準傷病以外の傷病の初診日において被保険者でなかった場合においては、基準傷病に係る初診日において被保険者であっても、支給されない。

B 20歳に達したことにより、第3号被保険者の資格を取得する場合であって、厚生労働大臣が住民基本台帳法第30条の9の規定により当該第3号被保険者に係る機構保存本人確認情報の提供を受けることにより20歳に達した事実を確認できるときは、資格取得の届出を要しないものとされている。

C 厚生労働大臣は、保険料納付確認団体がその行うべき業務の処理を怠り、又はその処理が著しく不当であると認めるときは、当該団体に対し、その改善に必要な措置を採るべきことを命ずることができるが、当該団体がこの命令に違反したときでも、当該団体の指定を取り消すことはできない。

D 死亡日の前日において、死亡日の属する月の前月までの第1号被保険者としての被保険者期間に係る保険料納付済期間の月数が18か月、保険料全額免除期間の月数が6か月、保険料半額免除期間の月数が24か月ある者が死亡した場合において、その者の遺族に死亡一時金が支給される。

E 日本国籍を有する者その他政令で定める者であって、日本国内に住所を有しない20歳以上65歳未満の任意加入被保険者は、厚生労働大臣に申し出て、付加保険料を納付する者となることができる。

問4 国民年金法に関する次の記述のうち、正しいものはどれか。

A 被保険者又は受給権者が死亡したにもかかわらず、当該死亡についての届出をしなかった戸籍法の規定による死亡の届出義務者は、30万円以下の過料に処せられる。

B 第1号被保険者としての被保険者期間に係る保険料納付済期間を6か月以上有する日本国籍を有しない者（被保険者でない者に限る。）が、日本国内に住所を有する場合、脱退一時金の支給を受けることはできない。

C 障害基礎年金の受給権者が死亡し、その者に支給すべき障害基礎年金でまだその者に支給しなかったものがあり、その者の死亡の当時その者と生計を同じくしていた遺族がその者の従姉弟しかいなかった場合、当該従姉弟は、自己の名で、その未支給の障害基礎年金を請求することができる。

D 死亡した被保険者の子が遺族基礎年金の受給権を取得した場合において、当該被保険者が月額400円の付加保険料を納付していた場合、当該子には、遺族基礎年金と併せて付加年金が支給される。

E 夫が老齢基礎年金の受給権を取得した月に死亡した場合には、他の要件を満たしていても、その者の妻に寡婦年金は支給されない。

問5 国民年金法に関する次の記述のうち、正しいものはどれか。

A 60歳以上65歳未満の期間に国民年金に任意加入していた者は、老齢基礎年金の支給繰下げの申出をすることは一切できない。

B 保険料全額免除期間とは、第１号被保険者としての被保険者期間であって、法定免除、申請全額免除、産前産後期間の保険料免除、学生納付特例又は納付猶予の規定による保険料を免除された期間（追納した期間を除く。）を合算した期間である。

C 失踪の宣告を受けたことにより死亡したとみなされた者に係る遺族基礎年金の支給に関し、死亡とみなされた者についての保険料納付要件は、行方不明となった日において判断する。

D 老齢基礎年金の受給権者であって、66歳に達した日後75歳に達する日前に遺族厚生年金の受給権を取得した者が、75歳に達した日に老齢基礎年金の支給繰下げの申出をした場合には、遺族厚生年金を支給すべき事由が生じた日に、支給繰下げの申出があったものとみなされる。（改題）

E 第３号被保険者であった者が、その配偶者である第２号被保険者が退職し第２号被保険者でなくなったことにより第３号被保険者でなくなったときは、その事実があった日から14日以内に、当該被扶養配偶者でなくなった旨の届書を、提出しなければならない。

問6 国民年金法に関する次の記述のうち、正しいものはどれか。

A 年金額の改定は、受給権者が68歳に到達する年度よりも前の年度では、物価変動率を基準として、また68歳に到達した年度以後は名目手取り賃金変動率を基準として行われる。

B 第３号被保険者の資格の取得の届出は市町村長に提出することによって行わなければならない。

C 障害の程度の審査が必要であると認めて厚生労働大臣により指定された障害基礎年金の受給権者は、当該障害基礎年金の額の全部につき支給停止されていない限り、厚生労働大臣が指定した年において、指定日までに、指定日前１か月以内に作成されたその障害の現状に関する医師又は歯科医師の診断書を日本年金機構に提出しなければならない。

D 国家公務員共済組合の組合員、地方公務員共済組合の組合員又は私立学校教職員共済制度の加入者に係る被保険者としての氏名、資格の取得及び喪失、種別の変更、保険料の納付状況、基礎年金番号その他厚生労働省令で定める事項については国民年金原簿に記録するものとされていない。

E 国民年金法によれば、給付の種類として、被保険者の種別のいかんを問わず、加入実績に基づき支給される老齢基礎年金、障害基礎年金及び遺族基礎年金と、第1号被保険者としての加入期間に基づき支給される付加年金、寡婦年金及び脱退一時金があり、そのほかに国民年金法附則上の給付として特別一時金及び死亡一時金がある。

問7 国民年金法に関する次の記述のうち、誤っているものはどれか。

A 日本年金機構は、あらかじめ厚生労働大臣の認可を受けなければ、保険料の納付受託者に対する報告徴収及び立入検査の権限に係る事務を行うことができない。

B 老齢基礎年金のいわゆる振替加算の対象となる者に係る生計維持関係の認定は、老齢基礎年金に係る振替加算の加算開始事由に該当した日を確認した上で、その日における生計維持関係により行うこととなる。

C 遺族基礎年金の受給権者である配偶者が、正当な理由がなくて、指定日までに提出しなければならない加算額対象者と引き続き生計を同じくしている旨等を記載した届書を提出しないときは、当該遺族基礎年金は支給を停止するとされている。

D 年金給付を受ける権利に基づき支払期月ごとに支払うものとされる年金給付の支給を受ける権利については「支払期月の翌月の初日」がいわゆる時効の起算点とされ、各起算点となる日から5年を経過したときに時効によって消滅する。

令和2年度
（第52回）

択一式

E 国民年金基金が厚生労働大臣の認可を受けて、信託会社、信託業務を営む金融機関、生命保険会社、農業協同組合連合会、共済水産業協同組合連合会、国民年金基金連合会に委託することができる業務には、加入員又は加入員であった者に年金又は一時金の支給を行うために必要となるその者に関する情報の収集、整理又は分析が含まれる。

問8 国民年金法に基づく厚生労働大臣の権限等に関する次のアからオの記述の
うち、誤っているものの組合せは、後記ＡからＥまでのうちどれか。

ア 被保険者から、預金又は貯金の払出しとその払い出した金銭による保険料の
納付をその預金口座又は貯金口座のある金融機関に委託して行うことを希望す
る旨の申出があった場合におけるその申出の受理及びその申出の承認の権限に
係る事務は、日本年金機構に委任されており、厚生労働大臣が自ら行うことは
できない。

イ 被保険者の資格又は保険料に関する処分に関し、被保険者に対し、出産予定
日に関する書類、被保険者若しくは被保険者の配偶者若しくは世帯主若しくは
これらの者であった者の資産若しくは収入の状況に関する書類その他の物件の
提出を命じ、又は職員をして被保険者に質問させることができる権限に係る事
務は、日本年金機構に委任されているが、厚生労働大臣が自ら行うこともでき
る。（改題）

ウ 受給権者に対して、その者の身分関係、障害の状態その他受給権の消滅、年
金額の改定若しくは支給の停止に係る事項に関する書類その他の物件を提出す
べきことを命じ、又は職員をしてこれらの事項に関し受給権者に質問させるこ
とができる権限に係る事務は、日本年金機構に委任されており、厚生労働大臣
が自ら行うことはできない。

エ 国民年金法第１条の目的を達成するため、被保険者若しくは被保険者であっ
た者又は受給権者に係る保険料の納付に関する実態その他の厚生労働省令で定
める事項に関する統計調査に関し必要があると認めるときは、厚生労働大臣
は、官公署に対し、必要な情報の提供を求めることができる。

オ 国民年金原簿の訂正請求に係る国民年金原簿の訂正に関する方針を定め、又
は変更しようとするときは、厚生労働大臣は、あらかじめ、社会保険審査会に
諮問しなければならない。

A （アとイ）　　**B** （アとウ）　　**C** （イとエ）

D （ウとオ）　　**E** （エとオ）

問9 任意加入被保険者及び特例による任意加入被保険者に関する次の記述のうち、正しいものはどれか。

A 68歳の夫（昭和27年4月2日生まれ）は、65歳以上の特例による任意加入被保険者として保険料を納付し、令和2年4月に老齢基礎年金の受給資格を満たしたが、裁定請求の手続きをする前に死亡した。死亡の当時、当該夫により生計を維持し、当該夫との婚姻関係が10年以上継続した62歳の妻がいる場合、この妻が繰上げ支給の老齢基礎年金を受給していなければ、妻には65歳まで寡婦年金が支給される。なお、死亡した当該夫は、障害基礎年金の受給権者にはなったことがなく、学生納付特例の期間、納付猶予の期間、第2号被保険者期間及び第3号被保険者期間を有していないものとする。

B 60歳で第2号被保険者資格を喪失した64歳の者（昭和31年4月2日生まれ）は、特別支給の老齢厚生年金の報酬比例部分を受給中であり、あと1年間、国民年金の保険料を納付すれば満額の老齢基礎年金を受給することができる。この者は、日本国籍を有していても、日本国内に住所を有していなければ、任意加入被保険者の申出をすることができない。

C 20歳から60歳までの40年間第1号被保険者であった60歳の者（昭和35年4月2日生まれ）は、保険料納付済期間を30年間、保険料半額免除期間を10年間有しており、これらの期間以外に被保険者期間を有していない。この者は、任意加入の申出をすることにより任意加入被保険者となることができる。なお、この者は、日本国籍を有し、日本国内に住所を有しているものとする。

D 昭和60年4月から平成6年3月までの9年間（108か月間）厚生年金保険の第3種被保険者としての期間を有しており、この期間以外に被保険者期間を有していない65歳の者（昭和30年4月2日生まれ）は、老齢基礎年金の受給資格を満たしていないため、任意加入の申出をすることにより、65歳以上の特例による任意加入被保険者になることができる。なお、この者は、日本国籍を有し、日本国内に住所を有しているものとする。

令和2年度
（第52回）

択一式

E 60歳から任意加入被保険者として保険料を口座振替で納付してきた65歳の者（昭和30年４月２日生まれ）は、65歳に達した日において、老齢基礎年金の受給資格要件を満たしていない場合、65歳に達した日に特例による任意加入被保険者の加入申出があったものとみなされ、引き続き保険料を口座振替で納付することができ、付加保険料についても申出をし、口座振替で納付することができる。

問10 国民年金法に関する次のアからオの記述のうち、誤っているものの組合せは、後記ＡからＥまでのうちどれか。

ア 第１号被保険者期間中に15年間付加保険料を納付していた68歳の者（昭和27年４月２日生まれ）が、令和２年４月に老齢基礎年金の支給繰下げの申出をした場合は、付加年金額に25.9％を乗じた額が付加年金額に加算され、申出をした月の翌月から同様に増額された老齢基礎年金とともに支給される。

イ 障害基礎年金の受給権者であることにより法定免除の要件に該当する第１号被保険者は、既に保険料が納付されたものを除き、法定免除事由に該当した日の属する月の前月から保険料が免除となるが、当該被保険者からこの免除となった保険料について保険料を納付する旨の申出があった場合、申出のあった期間に係る保険料を納付することができる。

ウ 日本国籍を有しない60歳の者（昭和35年４月２日生まれ）は、平成７年４月から平成９年３月までの２年間、国民年金第１号被保険者として保険料を納付していたが、当該期間に対する脱退一時金を受給して母国へ帰国した。この者が、再び平成23年４月から日本に居住することになり、60歳までの８年間、第１号被保険者として保険料を納付した。この者は、老齢基礎年金の受給資格期間を満たしている。なお、この者は、上記期間以外に被保険者期間を有していないものとする。

エ 令和２年４月２日に64歳に達した者が、平成18年７月から平成28年３月までの期間を保険料全額免除期間として有しており、64歳に達した日に追納の申込みをしたところ、令和２年４月に承認を受けることができた。この場合の追納が可能である期間は、追納の承認を受けた日の属する月前10年以内の期間に限られるので、平成22年４月から平成28年３月までとなる。

オ　第1号被保険者が、生活保護法による生活扶助を受けるようになると、保険料の法定免除事由に該当し、既に保険料が納付されたものを除き、法定免除事由に該当した日の属する月の前月から保険料が免除になり、当該被保険者は、法定免除事由に該当した日から14日以内に所定の事項を記載した届書を市町村に提出しなければならない。ただし、厚生労働大臣が法定免除事由に該当するに至ったことを確認したときは、この限りでない。

A（アとウ）　　B（アとオ）　　C（イとエ）

D（イとオ）　　E（ウとエ）

令和2年度
（第52回）

択一式

MEMO

MEMO

MEMO